Peugeot 504

Einleitung

Der Peugeot 504 wurde das erste Mal im Jahre 1968 vorgestellt und war als Vergasermotor oder als Einspritzmotor erhältlich. Zu dieser Zeit hatte der Motor einen Hubraum von 1,8 Liter (1796 ccm). Später im gleichen Jahr wurde der Hubraum des Motors auf 2,0 Liter (1971 ccm) erhöht. Dieser Motor ist ebenfalls als Benzin- oder als Einspritzversion erhältlich. Eine weitere Motorenversion erhielt der Peugeot 504 Ende 1974. Bei diesem Motor handelt es sich um den V6-Motor, wie er auch von Renault und Volvo verwendet wird.

Zur Zeit der Herausgabe dieser Reparaturanleitung sind die folgenden Peugeot-504-Modelle auf dem Markt geführt:

Peugeot 504 GL	2,0-Liter-Motor mit Vergaser
Peugeot 504 GL-TI	2,0-Liter Motor mit Benzineinspritzung
Peugeot 504	Familiale, Break, Commerciale — Erhältlich mit 1,8- oder 2,0-Liter-Motor. Familiaale mit 7 Sitzen, Break und Commerciale mit 5 Sitzen
Peugeot 504 L	Debüt April 1973 — mit 1,8-Liter-Vergasermotor erhältlich.

Außerdem sind gewisse Peugeot-504-Modolle mit einem Dieselmotor ausgerüstet, die jedoch nicht in dieser Reparaturanleitung behandelt werden.

Kennzeichnung der Modelle

Das Typenschild befindet sich auf dem rechten Radkasten und enthält die folgenden Angaben:

Typ	504
Typenkennzeichnung	A
Modellkennzeichnung	01 = Vergaser
	02 = Einspritzung
	03 = Autom. Getriebe

Die Motorennummer ist in die Wölbung des Nokkenwellentunnels eingeschlagen und setzt sich aus den folgenden Angaben zusammen:

— Einer Fabrikationsnummer, d. h. ein Buchstabe mit 5 nachfolgenden Ziffern
— Einem Kennbuchstaben, der die Art des verwendeten Motors angibt.

Allgemeine Anweisungen bei Reparaturen

Die Anleitungen in dieser Reparaturanleitung sind in der einfachsten Weise beschrieben. Es sollten keine Schwierigkeiten auftreten, wenn dem Text und den Abbildungen Schritt für Schritt gefolgt wird. Die Maß- und Einstelltabelle am Ende des Buches bildet einen wichtigen Teil und ist bei Reparaturarbeiten am Fahrzeug jederzeit hinzuzuziehen. Denn in vielen Fällen werden bestimmte Maßangaben oder Werte nicht immer im Text angeführt und in diesem Fall ist in der Maßtabelle nachzuschlagen. Dabei wird besonders darauf hingewiesen, daß man unter dem in Frage kommenden Motor nachlesen muß, da andernfalls leicht Fehler gemacht werden können.

Einfache Handgriffe, wie z. B. «Motorhaube öffnen», «Radmuttern lösen» (beim Abnehmen der Räder z. B.) werden nicht immer erwähnt, da diese Arbeiten eine Selbstverständlichkeit sind. Der Text befaßt sich dagegen ausführlich mit schwierigeren Arbeiten, die wir versuchen, in allen Einzelheiten zu beschreiben. In den folgenden Zeilen finden Sie eine Reihe wichtiger Punkte, die Sie sich vor jeder Reparaturarbeit einprägen sollten:

— Immer die in der Anzugsdrehmomenttabelle angeführten Anzugswerte beachten. Diese Werte sind in Gruppen unter der betreffenden Unterüberschrift zusammengefaßt, z. B. Motor, Getriebe, Vorderradaufhängung, usw.) und lassen sich deshalb leicht finden.

— Schrauben und Muttern sind immer im sauberen Zustand und leicht eingeölt zu verwenden. Mutternflächen und Gewindegänge immer auf Beschädigungen oder überdrehte Gewinde kontrollieren und vorhandene Grate entfernen. Auf keinen Fall dürfen Muttern und Schrauben entfettet werden.
— Alle Dichtscheiben, Dichtungen, Sicherungsbleche und Sicherungsscheiben, Splinte und «O»-Dichtringe (Rundschnurringe) sind beim Zusammenbau eines Teils zu erneuern. Öldichtringe (Simmerringe) sollten ebenfalls erneuert werden, falls die Welle aus dem Dichtring entfernt wurde. Die Lippe eines Dichtringes vor dem Zusammenbau immer mit etwas Fett einschmieren und darauf achten, daß sie in die richtige Richtung weist, d. h. in die Richtung, aus welcher das Öl oder Fett herauskommen kann.
— Wenn wir auf die linke oder rechte Seite des Fahrzeuges verweisen, so wird angenommen, daß man sich hinter dem Fahrzeug befindet und in Fahrtrichtung sieht.
— Immer darauf achten, daß das Fahrzeug sicher aufgebockt ist und auf festem Boden steht, ehe irgendwelche Arbeiten unter dem Fahrzeug durchgeführt werden. Ein kleiner Wagenheber oder der Bordwagenheber können sehr gefährlich sein (sie eignen sich nanürlich zum Wechseln eines Rades) und zu Ihrer Sicherheit sollten Sie sich kräftige Unterstellböcke besorgen, die an sicheren Stellen unterzusetzen sind. Ziegelsteine, die in vielen Fällen zum Unterbauen verwendet werden, sind ebenfalls nur bis zu einer gewissen Grenze als sicher anzusehen.
— Schmutz, Fett und Mineralöl zersetzen die Dichtmanschetten der hydraulischen Anlage und auch die kleinste Menge kann bei Berührung mit Teilen der hydraulischen Anlage zu Schäden führen. Zum Reinigen von Teilen dieser Anlagen dürfen nur Bremsflüssigkeit, Spiritus oder dafür bestimmte Reinigungsmittel verwendet werden. Falls Spiritus verwendet wird, sind dessen Reste sofort nach der Reinigung mit einem flusenfreien Lappen abzureiben. Vor dem Zusammenbau einer hydraulischen Anlage sollten die Reste der ursprünglichen Bremsflüssigkeit (besonders nach einer Überholung der Bremsanlage) vollkommen entfernt werden.
— Um die besten Reparaturergebnisse zu erhalten, ist die Verwendung von Original-Peugeot-Ersatzteilen oder -Zubehörteilen eine Voraussetzung. Lassen Sie sich nicht verleiten, irgendwelche Fremdprodukte zu verwenden, es sei denn, daß diese vom Herstellerwerk zugelassen sind.
— Unter den Überschriften «Aus- und Einbau» sind alle Arbeiten beschrieben, die zum Ausbau und Einbau eines bestimmten Teiles erforderlich sind, ohne daß daran irgendwelche Reparaturarbeiten durchgeführt werden, wie dies z. B. bei einer Auswechslung der Fall ist. Unter der Überschrift «Reparatur und Überholung», finden Sie meistens die Zerlegung eines bestimmten Teiles und dessen Reparatur und Überholung. Wir weisen darauf hin, daß in diesen Fällen eine vollkommene Überholung beschrieben wird, die jedoch nicht immer erforderlich zu sein braucht, so daß nur die für das betreffende Teil notwendigen Arbeiten durchzuführen sind.
— Als letztes soll noch einmal darauf hingewiesen werden, daß bei allen Bestellungen von Ersatz- und Austauschteilen das genaue Modell, das Baujahr und die diesbezügliche Fahrgestell- und Motorennummer angegeben werden muß. Dies erspart Ihnen das Beziehen von falschen Teilen und beschleunigt die Bearbeitung Ihrer Bestellungen. Ihr Ersatzteilhändler wird Ihnen ebenfalls dafür danken.

Der Motor

Um sich mit Ihrem bestimmten Motor vertraut zu machen, sollen nachstehend die hauptsächlichsten Merkmale der in diesem Buch behandelten Motoren angeführt werden.
Die beiden Vierzylindermotoren sind als Typen XM und XM7 (1,8 Liter) oder XN1 (2,0 Liter) geführt, wenn die Kraftstoffaufbereitung durch Vergaser erfolgt. Einspritzmotoren tragen die Bezeichnung XN2, XM. KF6 oder XM.KF5. Bei allen Motoren werden hängende Ventile verwendet (O.H.V.), die über Stößelstangen und Kipphebel

von einer in die Seite eingebauten Nockenwelle betätigt werden. Naße Zylinderlaufbüchsen sind in den Zylinderblock eingesetzt. Seit Juli 1970 werden jedoch sogenannte komprimierte Zylinderlaufbüchsen verwendet. Die Kurbelwelle ist fünffach gelagert.

Der Sechszylindermotor, der unter der Bezeichnung ZM läuft, hat die Zylinder im 90°-Winkel angeordnet. Je eine Nockenwelle dient für Einlaß- und Auslaßventile. Zylinderblock und Zylinderkopf sind aus Leichtmetall angefertigt. Die Kurbelwelle ist vierfach gelagert.

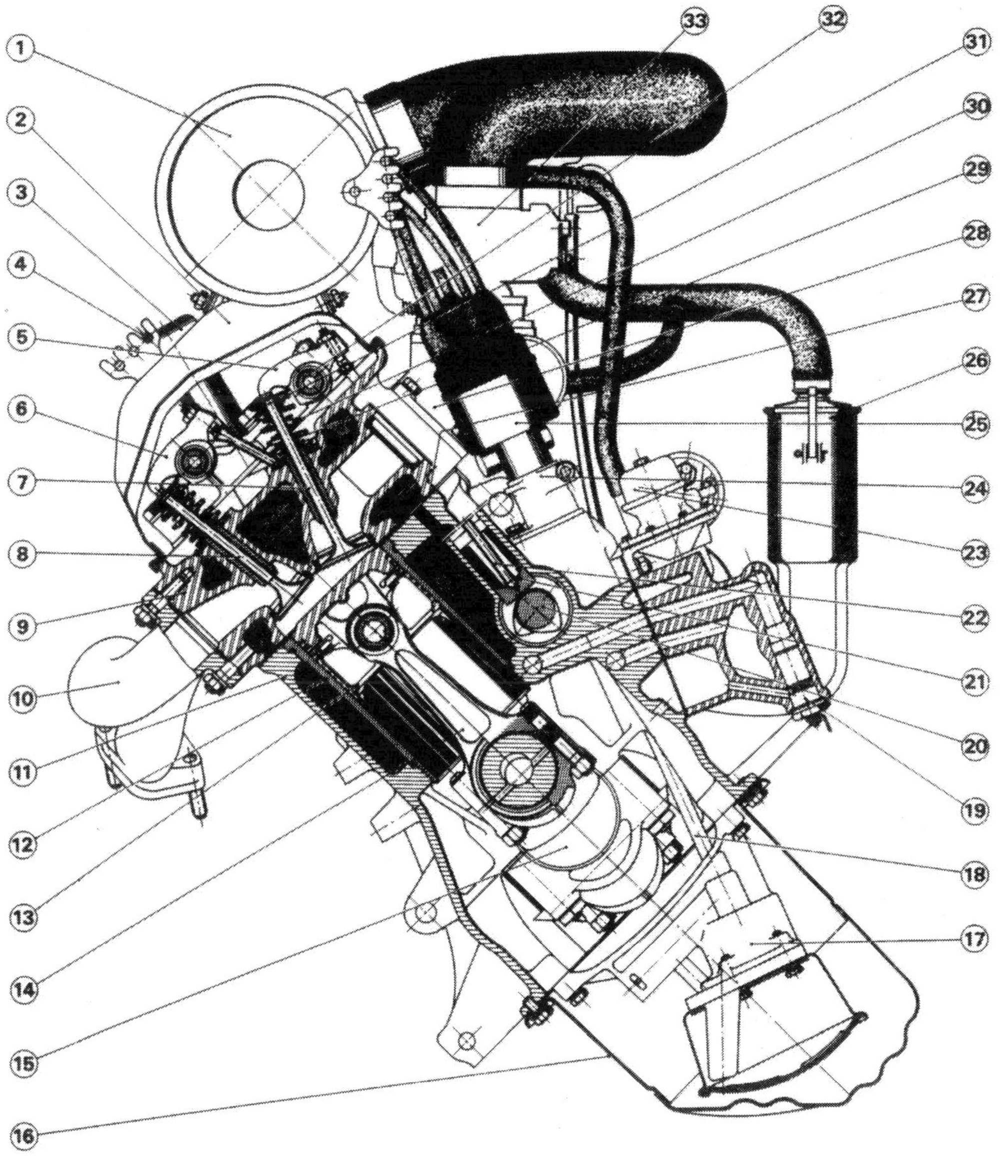

Bild 1
Schnitt durch den Vierzylinder-Vergasermotor

1 Luftfilter
2 Zylinderkopfhaube
3 Zündkerzenrohr
4 Zündkerzenkabel
5 Einlaßkipphebel
6 Auslaßkipphebel
7 Einlaßventil
8 Auslaßventil
9 Zylinderkopf
10 Auspuffkrümmer
11 Zylinderblock
12 Zylinderlaufbüchse
13 Kolben
14 Pleuelstange
15 Kurbelwelle
16 Ölwanne
17 Ölpumpe
18 Ölpumpenantriebswelle
19 Ölfilter
20 Nockenwelle
21 Nockenstößel
22 Stößelstange
23 Kraftstoffpumpe
24 Verteilerlager
25 Zündverteiler
26 Öleinfüllstutzen
27 Zylinderkopfdichtung
28 Ansaugkrümmer
29 Dichtring
30 Ventilfeder
31 Ventilkegelhälften
32 Kipphebelwelle
33 Vergaser

Der 4-Zylinder-Motor

Ausbau des Motors

- Ehe irgendwelche Arbeiten am Motor durchgeführt werden, ist die Batterie abzuklemmen und das Kühlwasser abzulassen.
- Obere Schraube der Motorhaubenstütze entfernen.
- Motorhaube abschrauben. Dazu die Umrisse der Scharniere am Motorhaubenblech mit einem Bleistift anzeichnen, ehe die Schrauben gelöst werden. Dies gewährleistet ein paßgerechtes Anbringen der Haube.
- Batterie vollkommen ausbauen.
- Schläuche vom Kühler abschließen.
- Heizungsschläuche entfernen.
- Vorwärmschlauch des Vergasers am T-Stück in der Nähe der Stirnwand abschließen.
- Kraftstoffleitung und den Unterdruckschlauch für das Bremshilfsgerät vom Ansaugkrümmer entfernen.
- *Beim Einspritzmotor:* Die Luftschläuche entfernen und die Betätigungsvorrichtung der Einspritzpumpe abschließen. Außerdem bei dieser Ausführung des Elektroventil und den Höhenregler (die runde Dose am Ansaugkrümmer) ausbauen.

> ACHTUNG: Bei Fahrzeugen mit automatischem Getriebe muß das Getriebeöl vor dem Ausbau des Motors abgelassen werden.

- Elektrische Leitungen von Drehstromlichtmaschine, Öldruckschalter, Zündspule, Wärmefühler des Fernthermometers, Anlasser und Thermoschalter für den elektrischen Lüfter abschließen.
- *Bei Vergasermodellen* den Starterzug am Vergaser lösen und ebenfalls den Gasbetätigungszug entfernen.
- Kühler ausbauen.
- Zündspule ausbauen.
- Von der Unterseite des Fahrzeuges den Anlasser ausbauen und ebenfalls das Schutzblech unter dem Schwungradgehäuse entfernen.
- *Bei Fahrzeugen mit Getriebeautomatik* den Luftfilter ausbauen und ebenfalls den Haltebügel abschrauben.
- Die Imbußschrauben lösen, die die Lenkung an den Querträger der Vorderradaufhängung halten.
- Lenkrad so nach links drehen, daß es möglich ist, die Lenkung nach unten zu senken, wie es aus Bild 2 ersichtlich ist.

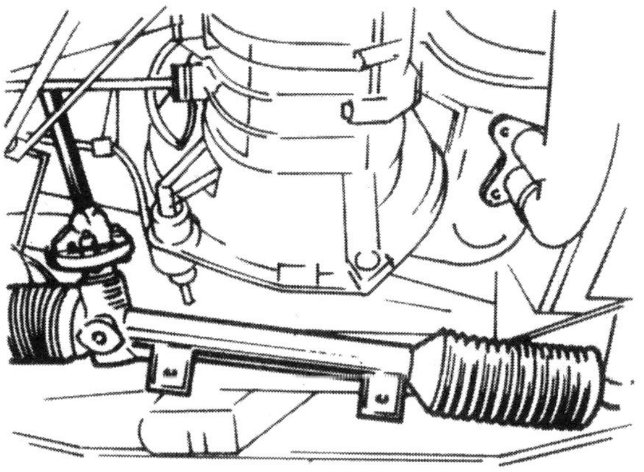

Bild 2
Zum Ausbau des Motors ist es erforderlich, die beiden Imbußschrauben zur Befestigung der Lenkung zu lösen, das Lenkrad nach links zu drehen und die Lenkung nach unten zu senken

- Die drei Muttern lösen, die das Auspuffrohr am Auspuffkrümmer halten.
- Schalldämpferbefestigung lösen.
- Die Imbußschrauben lösen, die das Kupplungsgehäuse am Motor halten, wozu der in Bild 3 gezeigte Schlüssel verwendet werden sollte, um an die Schrauben heranzukommen.

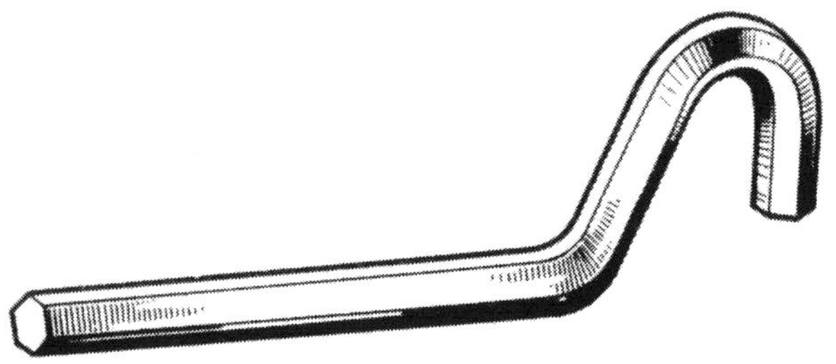

Bild 3
Den Imbußschlüssel Nr. 8.0202 zum Lösen der Schrauben zwischen Motor und Kupplungsgehäuse verwenden

- Mit Hilfe eines geeigneten Hebezeuges und eines untergesetzten Wagenhebers den Motor leicht aus seinen Aufhängungen herausheben. Ein spezieller Hebebügel (Bild 4) ist unter der Ersatzteilnummer 8.0102X erhältlich.

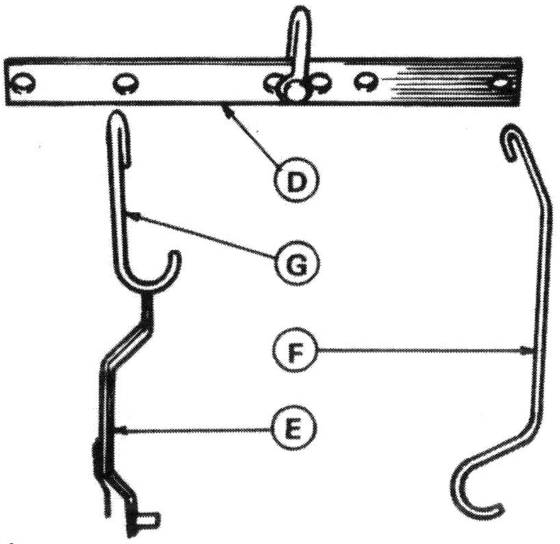

Bild 4
Ansicht der Hebevorrichtung 8.0102X zum Herausheben des Motors
D Traverse
E Vorderer Haken
F Hinterer Haken
G Vorderer Haken

- Wenn sich der Motor in der beschriebenen Lage befindet, die vier Schrauben der Motoraufhängungen vom Querträger lösen.
- Besonders darauf achten, daß die Leitung für die rechte Vorderradbremse gut gegen den Querträger abgebogen ist, um die Leitung nicht zu beschädigen.
- Motor anheben, bis das Getriebe gegen die Wandung des Gelenkwellentunnels anliegt.
- Einen Wagenheber unter das Getriebe fahren und den Wagenheber anheben, bis das Getriebe in der angehobenen Lage verbleibt.
- Motor vom Getriebe trennen und nach vorn herausheben. Unbedingt darauf achten, daß das Gewicht des Motors nicht auf der Kupplungswelle ruhen bleiben kann. Dies kann entweder zur Verbiegung der Welle oder Beschädigung der Mitnehmerscheibe führen.
- *Bei Fahrzeugen mit automatischem Getriebe* die 4 Befestigungsschrauben des Schwungrades vom Drehmomentwandler lösen und den Drehmomentwandler mit einem großen Schraubenzieher vom Motor abdrücken. Der Motor darf niemals zusammen mit dem Drehmomentwandler herausgehoben werden. Unbedingt darauf achten, daß dieser am Getriebe verbleibt.

Einbau des Motors

- Motor an den genannten Hebebügel anbringen oder eine geeignete Seilschlinge um den Motor legen und vorsichtig in den Motorraum hineinheben.
- Motor so vor der Kupplungswelle ausrichten, daß die Welle in einer Linie mit der Mitnehmerscheibe fluchtet.
- Einen Gang einschalten.
- Motor gegen das Getriebe drücken (welches immer noch von unten angehoben sein muß) und gleichzeitig die Keilverzahnungen der Mitnehmerscheibe mit der Kupplungswelle in Eingriff bringen. Falls erforderlich, kann dazu die Kurbelwelle an der Riemenscheibenseite mit einem Gabelschlüssel leicht verdreht werden. Auf keinen Fall einen Kraftaufwand verwenden, um Motor und Getriebe zusammenzubringen, da andernfalls nur die Mitnehmerscheibe beschädigt werden kann.

Die verbleibenden Arbeiten werden in umgekehrter Reihenfolge wie beim Ausbau durchgeführt. Neue Scheiben und Federringe verwenden. Die Muttern und Schrauben sind auf die in der «Anzugsdrehmomenttabelle» (Seite 103) angeführten Anzugsdrehmomente anzuziehen. *Bei Fahrzeugen mit Getriebeautomatik* nicht vergessen, daß die Getriebeflüssigkeit abgelassen wurde. Ebenfalls kontrollieren, ob der Motor bereits mit Öl aufgefüllt wurde.

Kühlanlage auffüllen und nach dem Laufenlassen des Motors auf Leckstellen kontrollieren. Batterie anschließen und die elektrische Zeituhr wieder in Gang bringen, da diese bei ausgebauter Batterie stehenblieb.

Bei Fahrzeugen mit Getriebeautomatik das Drehmomentwandlergehäuse an den Motor heranbringen und eine der vier Bohrungen des Schwungrades nach unten bringen. Einen langen Schraubenzieher oder einen Montierhebel durch die Kühlgitter des Wandlergehäuses einführen und die Gewindebohrungen des Drehmomentwandlers und der Kurbelwellenzwischenplatte ausrichten. Die vier Schrauben einsetzen und mit einem Anzugsdrehmoment von 2,25 mkp anziehen.

HINWEIS: Beim Einbau des Kühlers darauf achten, daß ein Abstand von 15 bis 20 mm zwischen der Spitze des Lüfterflügels und der Kühlerblockfläche vorhanden bleibt. Kühler entsprechend in der Aufhängung verrücken, um diesen Abstand zu erzielen.

Zerlegen des Motors

- Außenseite des Motors reinigen und in einen geeigneten Montagestand spannen. Falls erforderlich, sollte dieser Stand einen Schwenkkopf besitzen, so daß der Motor in beliebige Lage gedreht werden kann.
- Motoröl aus der Ölwanne ablassen.
- Als nächstes in der folgenden Reihenfolge die angeführten Teile abmontieren:
  - Zündverteiler
  - Drehstromlichtmaschine und Keilriemen
  - Kraftstoffpumpe
  - Ölfilter und Filtersockel
  - Motorbelüftungsrohr
  - Ölmeßstabrohr
  - Zylinderkopf (siehe genaue Beschreibung weiter hinten in diesem Abschnitt). Die Zylinderlaufbüchsen könnten an der Dichtfläche des Zylinderkopfes festkleben, so daß es angebracht ist, daß man den Kopf vor dem eigentlichen Herunterheben etwas nach der Seite schiebt, um die Haftverbindung zwischen Kopf und Laufbüchsen zu trennen.

HINWEIS: Bei Motoren mit Benzineinspritzung sind die Teile der Einspritzanlage auszubauen.

- Die Zylinderlaufbüchsen in ihrer Stellung befestigen, indem man, falls vorhanden, die Spezialschrauben 8.0104D verwendet. Eine derartige Schraube ist in Bild 5 gezeigt. Diese wird so in die Gewindebohrungen für die Zylinderkopfschrauben eingeschraubt, daß eine Schraube je zwei Laufbüchsen hält. Falls die Spezialschrauben nicht zur Verfügung stehen, kann man große Scheiben verwenden, die mit Schrauben und langen Hülsen in den Block und gegen die Laufbüchsen geschraubt werden.

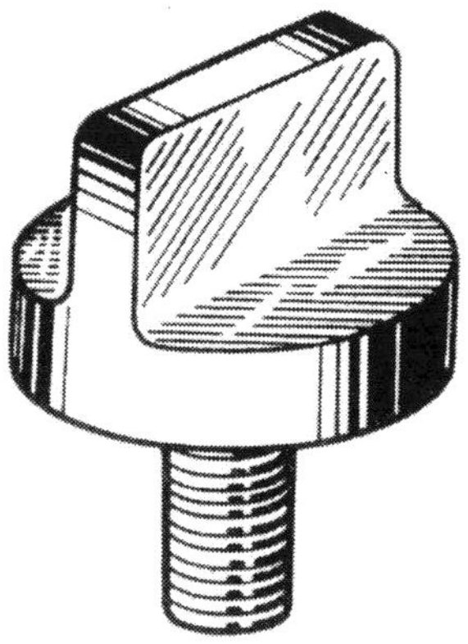

Bild 5
Die Befestigungsschraube 8.0104D zum Befestigen der Zylinderlaufbüchsen im Block während des Zerlegens des Motors. Jede Schraube hält zwei Laufbüchsen (siehe Text zwecks wahlweiser Befestigung).

- Kurbelwellenriemenscheibe zusammen mit dem Paßstift entfernen. Zum Lösen der Riemenscheibenmutter einen Schraubenzieher in die Zähne des Schwungrades einsetzen, um die Kurbelwelle gegen Durchdrehen zu bewahren.
- Steuerdeckel abschrauben und herunterziehen.
- Ölschleuderblech von der Kurbelwelle herunterziehen.
- Kettenspanner ausbauen. Bei den Motorentypen «XM», «XM7» und «XN1» ist dazu die Verschlußschraube aus der Seite des Spanners so zu drehen, daß man einen 3,0-mm-Imbußschlüssel in die freigelegte Öffnung einschieben und den Spannzylinder durch Drehen des Schlüssels nach rechts verriegeln kann. Bei den anderen Motoren (Einspritzausführung) ist eine Halteklammer erforderlich, die den Gleitschuh im Zylinder hält. Kettenspanner zusammen mit dem Filter herausziehen.
- Nockenwellenkettenrad abschrauben und dieses Kettenrad gleichzeitig mit der Steuerkette und dem Kurbelwellenkettenrad von den beiden Wellen herunterziehen.
- Motor in Schrägstellung bringen.
- Alle Stößel herausziehen. Stößel in ihrer Einbaureihenfolge so aufbewahren, daß sie wieder in die ursprüngliche Stellung zurückge-

bracht werden können. Dies läßt sich am leichtesten durchführen, indem man die Stößel in der Reihenfolge des Ausbaus durch ein Stück Pappe stößt, wobei ein Ende der Pappe mit «Vorn» zu kennzeichnen ist, so daß die Vorderseite des Motors angegeben ist.

- Motor so umkehren, daß die Zylinderkopffläche des Blocks nach unten weist.
- Ölwanne abschrauben.
- Die drei Befestigungsschrauben der Ölpumpe lösen und die Pumpe abheben.
- Nach Ausbau der Abdeckplatte für das Steuergehäuse (mit der Dichtung) die Befestigungsplatte der Nockenwelle abschrauben.
- Nockenwelle vorsichtig herausziehen, ohne dabei die Lager zu beschädigen.
- Muttern der Pleuellagerdeckel lösen und die Pleuellagerdeckel abnehmen. Einige Schläge mit einem Weichmetallhammer könnten erforderlich sein, um die Deckel von den Pleuelstangen zu trennen. Sofort nach dem Abnehmen die Lagerdeckel mit der entsprechenden Zylindernummer kennzeichnen.
- Lagerschalen von den Kurbelzapfen abnehmen und mit der Zylindernummer kennzeichnen.
- Kolben und Pleuelstangen zusammen mit der im Pleuelfuß verbleibenden Lagerschale aus der Oberseite des Zylinderblocks herausziehen. Ein Hammerstiel eignet sich vortrefflich, um die Teile aus der Bohrung zu schieben. Unbedingt darauf achten, daß der Kolben aber nicht plötzlich aus der Zylinderbohrung herausfällt.
- Nach Ausbau von Kolben und Pleuelstangen sollten Lagerdeckel und Lagerschale sofort wieder mit Kolben/Pleuelstange verschraubt werden, um unter keinen Umständen Verwechslungen zuzulassen.
- Ehe die Kupplung abgeschraubt wird, ist sie im Verhältnis zum Schwungrad zu kennzeichnen. Je ein Körnerschlag in die Außenkante von Schwungrad und Kupplung bewerkstelligt dies. Schwungrad gegenhalten und die Kupplung abschrauben. Schrauben dabei gleichmäßig und übers Kreuz lösen.
- Die sieben Schrauben des Schwungrades entfernen und das Schwungrad vorsichtig mit einem Weichmetallhammer vom Kurbelwellenflansch abschlagen.
- Den hinteren Lagerdeckel der Kurbelwellenhauptlager abschrauben und den Deckel gerade nach oben abziehen, um ihn von den Paßstiften frei zu bekommen. Zu beachten ist, daß die Motoren XM7, XN1 und XN2 eine zusätziiche Anlaufscheibe am hinteren Lagerdeckel haben, so daß zwei Anlaufscheiben mit dem Deckel herunterkommen, wenn es sich um einen der genannten Motoren handelt.
- Die verbleibenden Hauptlagerdeckel in gleicher Weise entfernen, mit dem Unterschied, daß diese durch Federspannstifte geführt sind.
- Kurbelwelle vorsichtig aus dem Zylinderblock heben.
- Die verbleibenden Anlaufscheiben für das Axialspiel der Kurbelwelle aus dem hinteren Lager nehmen. Wiederum können eine oder zwei Anlaufscheiben vorhanden sein, je nach Motorausführung.
- Hauptlagerschalen aus den Deckeln und aus den Lagerbohrungen entfernen und in geeigneter Weise kennzeichnen.
- Motor um 180° umdrehen und die Befestigungsschrauben für die Zylinderlaufbüchsen entfernen. Falls sich die Zylinderlaufbüchsen nicht durch Handdruck herausdrücken lassen, kann man entweder den Spezialabzieher 0.0101 verwenden, oder man fertigt sich einen Abzieher entsprechend der Meßangaben in Bild 6 an, welcher allerdings für den 1,8-Liter-Motor vermaßt ist. Zum Herausziehen der Laufbüchsen des 2,0-Liter-Motors ist die untere Platte entsprechend größer herzustellen, so daß sie die Laufbüchsen erfassen kann.

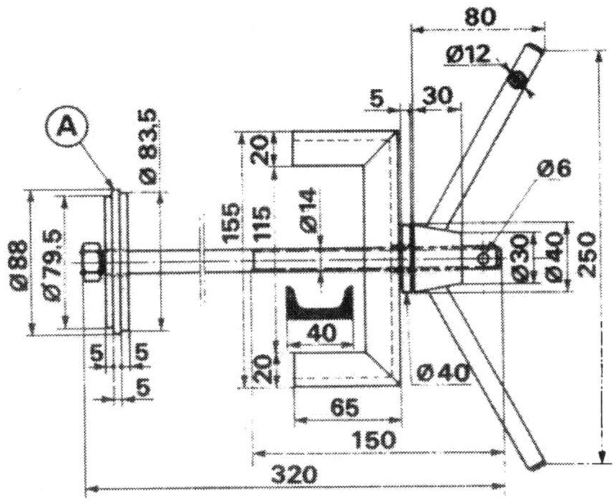

Bild 6
Abmessungen zum Selbstherstellen eines Ausziehwerkzeuges für die Zylinderlaufbüchsen

- Falls die Kolben von den Pleuelstangen getrennt werden sollen, die Sicherungsringe aus den Kolbenaugen entfernen und den Kolbenbolzen aus Kolben und Pleuelstange vorsichtig herauspressen. Kolben mit der Pleuelstange zusammenlassen, falls die Teile wieder verwendet werden sollen.
- An der Kurbelwelle können noch die Gegengewichte abgeschraubt werden. Diese sind jedoch vorher zu kennzeichnen, damit sie wieder in die alte Lage gebracht werden können.
- Die Verschlußstopfen der Ölkanäle der Kurbelwelle mit einem passenden Imbußschlüssel herausschrauben und die Kanäle in geeigneter Weise reinigen. Nach der Reinigung die Ölkanäle mit Preßluft durchblasen.

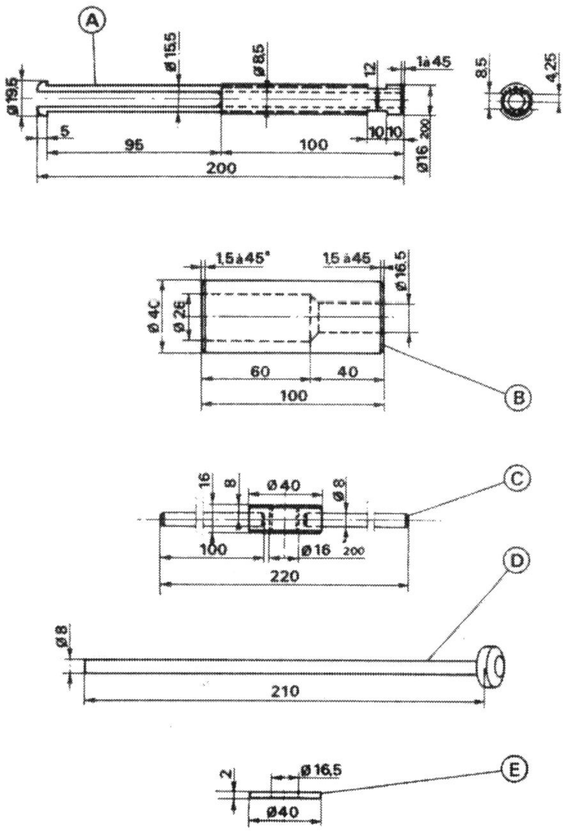

Bild 7
Maßangaben des Spezialausziehers 0.0201 zum Herausziehen der Führungsbüchse für die Kupplungswelle im Kurbelwellenflansch

- Das Führungslager für die Kupplungswelle im Ende der Kurbelwelle ist selbstschmierend und kann erneuert werden, falls es sehr unter Verschleiß gelitten hat. Zum Ausbau des Lagers ist der Spezialabzieher 0.0201 erforderlich, welcher mit seinen Maßangaben in Bild 7 gezeigt ist, falls beabsichtigt wird, daß man ihn selbst herstellt. Bild 8 zeigt einen Schnitt durch das Ende der Kurbelwelle mit dem eingesetzten Abzieher.

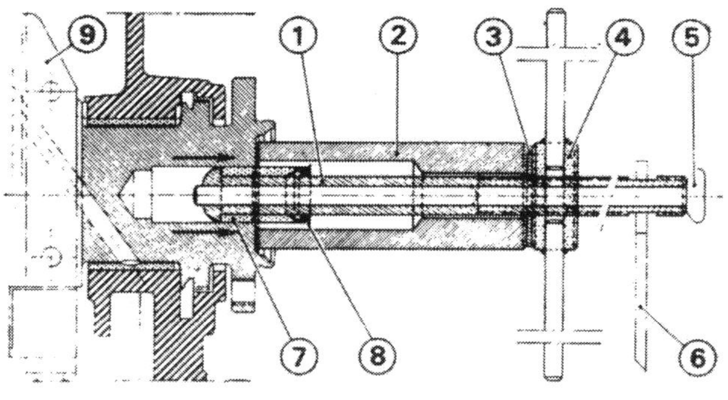

Bild 8
Schnitt durch das Ende der Kurbelwelle mit dem eingesetzten Spezialabzieher

1 Auszieheinsatz
2 Hülse
3 Scheibe
4 Mutter
5 Gewindestab, M8 x 210 mm lang
6 Gabelschlüssel, 12 mm
7 Führungsbüchse
8 Öldichtring
9 Kurbelwelle

Reparatur, Überholung und Zusammenbau des Motors

Alle zusammenzubauenden Teile müssen sich in sauberem Zustand befinden. Alle sich drehenden oder gleitenden Teile sind vor dem Zusammenbau mit Motorenöl einzuschmieren. Ein Einölen nach dem Zusammenbau erfüllt keinen Zweck, da das Öl keinen Film an Laufstellen mit engen Toleranzen bilden kann. Der Zusammenbau wird entsprechend der einzelnen Baugruppen beschrieben, so daß ein schneller Nachschlag möglich ist.

Kurbelwelle

Die Kurbelwelle ist fünffach gelagert und mit vier abschraubbaren Gegengewichten versehen. Die Hauptlagerzapfen können auf ein Reparaturmaß von 0,30 mm nachgeschliffen werden, entsprechende Übergröße-Lagerschalen stehen zur Verfügung. Zu beachten ist, daß ein Nachschleifen der Kurbelzapfen nur bei den Motoren «XM», «XM.KF6» und «XM.KF5» zulässig sind. Bei den anderen Motorenausführungen ist dies nicht gestattet.

Das Axialspiel der Kurbelwelle wird mit Hilfe von Anlaufscheiben reguliert, die sich auf beiden Seiten des hinteren Kurbelwellenlagers befinden. Wie bereits erwähnt, haben einige Motoren zwei zusätzliche Anlaufscheiben. Diese Anlaufscheiben sind in den folgenden Größen erhältlich:

Normalstärke	2,30 mm
1. Übergröße	2,40 mm
2. Übergröße	2,45 mm
3. Übergröße	2,50 mm

Die Stärke der Hauptlagerschalen ist folgende:

Normalstärke	1,882—1,888 mm
1. Übergröße	2,032—2,038 mm

Die Übergröße ist bei XN1- und XN2-Motoren nach dem Nachschleifen der Lagerzapfen zu verwenden. Bei Verwendung von neuen Lagerschalen (und Anlaufscheiben) ist ein Unterschied zwischen den verschiedenen Motorenausführungen zu beachten. Bei den Motoren XN1, XN2 und XM7 erfordert das hintere Lager, welches 54,92 mm anstelle von 51,18 mm ist, den Einbau von entsprechenden Lagerschalen. Ebenfalls ist zu beachten, daß die Anlaufscheiben breiter im Innenmaß sind.

Beim Zusammenbau und Einbau der Kurbelwelle folgendermaßen vorgehen:

- Neue Stopfen in die Ölkanäle der Kurbelwelle einsetzen. Dazu die Welle in einen Schraubstock einspannen. Die Schrauben mit «Festinol»-Dichtungsmasse einschmieren und mit einem Imbußschlüssel mit einem Anzugsdrehmoment von 5,5 mkp anziehen. Abschließend mit einem Körner die Stopfen, wie im Bild 9 gezeigt, sichern, damit sie sich nicht wieder lösen können.
- Gegengewichte der Kurbelwelle entsprechend der beim Abschrauben eingezeichneten Markierung wieder montieren und die Schrauben auf ein Anzugsdrehmoment von 6,75 mkp anziehen.
- Laschen der Sicherungsbleche umschlagen.
- Die Lagerschalen der Kurbelwelle in ihre entsprechenden Lagerbohrungen einlegen und gut einölen.
- Zapfen der Kurbelwelle einölen und die Kurbelwelle vorsichtig in die Lager heben.
- Die Anlaufscheiben für das Axialspiel der Kurbelwelle einsetzen, wobei darauf zu achten ist, daß bei Motoren XM7, XN1 und XN2 die vorschrfitsmäßigen Anlaufscheiben verwendet werden, falls neue zu beziehen sind. Die Ölnuten der Anlaufscheiben müssen zur Kurbelwelle weisen.
- *Bei Motoren XM7, XN1 und XN2* auf beiden Seiten des hinteren Lagerdeckels eine Anlaufscheibe so einlegen, daß die Ölnuten zur Kurbelwelle weisen und den hinteren Lagerdeckel zusammen mit der Lagerschale, aber ohne seitliche Dichtungen, am Zylinderblock anschrauben.
- Die verbleibenden Lagerdeckel mit den Lagerschalen montieren. Die Gußwarzen in den Lagerdeckeln sollten jeweils zur Rückseite (Schwungradseite) des Motors weisen. Die Deckel können folgendermaßen auseinandergehalten werden:
  - Der mittlere Lagerdeckel hat zwei Gußwarzen
  - Der vordere Lagerdeckel hat eine Gußwarze
  - Der hintere Zwischenlagerdeckel hat zwei Gußwarzen
  - Der vordere Zwischenlagerdeckel hat eine Gußwarze
- Nach dem Aufsetzen der Lagerdeckel neue Unterlegscheiben auf die Schrauben stecken, Schrauben einsetzen und gleichmäßig auf ein Anzugsdrehmoment von 7,5 mkp anziehen. Nach Festziehen der Deckel die Kurbelwelle einige Male durchdrehen, um zu kontrollieren, ob keine schweren Stellen vorhanden sind.

Das Axialspiel der Kurbelwelle ist jetzt folgendermaßen zu kontrollieren:

- Unter Bezug auf Bild 10 eine Meßuhr mit einem geeigneten Halter an der Stirnseite des Zylinderblocks so anschrauben, daß der Meßfinger auf dem Ende des Zapfens aufsitzt.

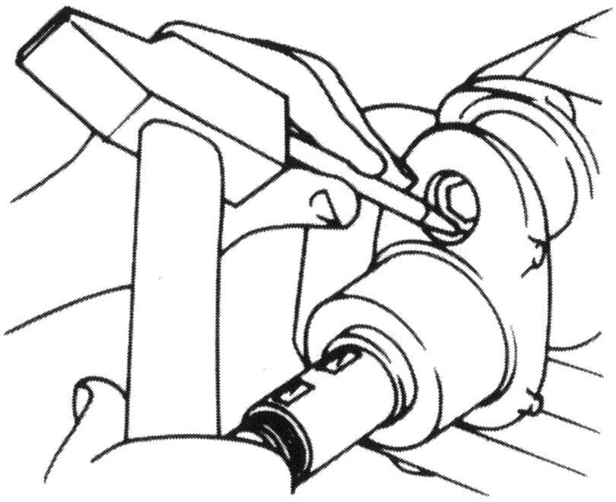

Bild 9
Verstemmen der Verschlußschrauben in der Kurbelwelle mit einem Körner

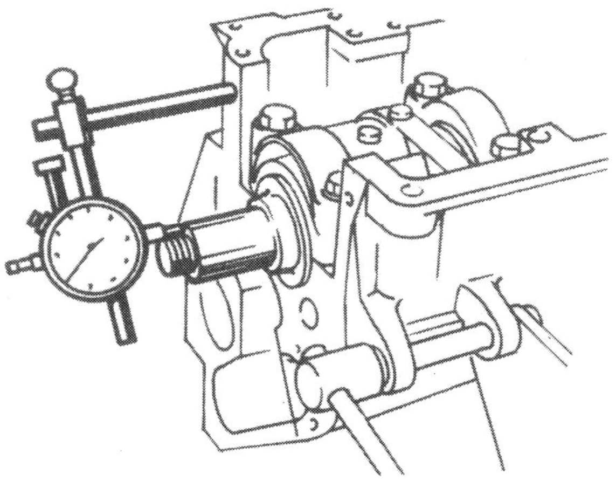

Bild 10
Kontrolle des Axialspiels der Kurbelwelle mit einer Meßuhr. Das Axialspiel liegt zwischen 0,08 und 0,20 mm

- Kurbelwelle mit einem Schraubenzieher oder einem Reifenhebel vorsichtig in eine Richtung drücken und die Meßuhr in dieser Stellung auf Null setzen.
- Welle in die andere Richtung drücken und das Axialspiel an der Meßuhr ablesen. Der angezeigte Wert sollte innerhalb 0,08 bis 0,20 mm liegen.

Falls das Axialspiel außerhalb der angegebenen Werte liegt:

- Hinteren Lagerdeckel wieder abschrauben.
- Anlaufscheiben erneuern, indem man eine der Übergröße-Scheiben verwendet. Bei Motoren XM7, XN1 und XN2 die Anlaufscheiben in der Lagerbohrung des hinteren Lagers und im Deckel ersetzen. Beim XM-Motor liegt die Anlaufscheibe in der Lagerbohrung, an der Rückseite des Lagers.
- Nach Auswechseln der Anlaufscheiben das Axialspiel nochmals in der beschriebenen Weise nachprüfen.

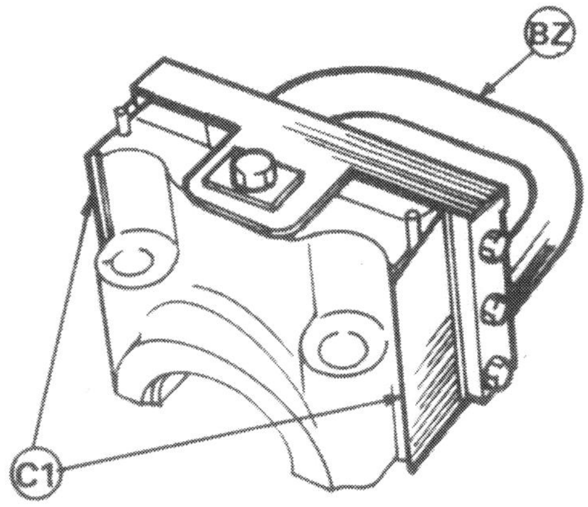

Bild 11
Spezialwerkzeug zum Einbau des hinteren Kurbelwellenlagerdeckels und der seitlichen Deckeldichtungen. «BZ» ist das Montagewerkzeug. «C1» sind die Halteplatten für die seitlichen Dichtungen

Falls das Axialspiel in Ordnung ist, wird der hintere Lagerdeckel wieder abgenommen, zum Einsetzen der seitlichen Dichtungen.
Dazu sollte das in Bild 11 gezeigte Spezialwerkzeug verwendet werden, um eine einwandfreie Abdichtung des Lagerdeckels zu gewährleisten.

- Die beiden Seitenplatten «C1» am Werkzeug «BZ» so anbringen, daß das Spiel zwischen den beiden Teilen so klein wie möglich ist.
- Die beiden Platten leicht auseinanderdrükken, den Lagerdeckel in das Werkzeug einsetzen und die Befestigungsschrauben handfest anziehen.
- Die seitlichen Dichtungen auf beiden Seiten in den Deckel einschieben. Platten gut einölen.
- Deckel in den Zylinderblock einsetzen.
- Lagerdeckel festschrauben und die Schrauben auf 7,5 mkp anziehen.
- Die vorstehenden Enden auf der Ölwannendichtfläche abschneiden. Da diese Enden jedoch 0,05 mm vorstehen müssen, sollte man eine Fühlerlehre dieser Stärke auf die Fläche und gegen die Dichtungen ansetzen und mit einem scharfen Messer entlang der Lehre die Dichtungen abschneiden.

Zylinderlaufbüchsen

Die Naßlaufbüchsen sind im Schleudergußverfahren hergestellt. Motorentypen XM-KF6 und XM-KF5 sind mit herkömmlichen Laufbüchsen versehen. Motoren XN1, XN2 und XM7 sind mit sogenannten komprimierten Laufbüchsen ausgestattet. Dies ist beim Bestellen von Neuteilen wichtig.

> ACHTUNG: Zylinderlaufbüchsen und Kolben bilden eine Einheit.

Zylinderlaufbüchsen sind entsprechend ihrer Durchmesser in vier verschiedene Größenklassen eingeteilt. Zur Kennzeichnung ist der Unterteil der Laufbüchse mit folgenden Nummerierungen gezeichnet:

Markierung	1.8 Liter	2,0 Liter
I	84,000—84,011 mm	88,000—88,011 mm
II	84,012—84,022 mm	88,012—88,022 mm
III	84,023—84,033 mm	88,023—88,033 mm
IV	84,034—84,044 mm	88,034—88,044 mm

Zylinderlaufbüchsen einer besonderen Größenklasse müssen immer mit der betreffenden Kolbengröße verwendet werden, die aus diesem Grund ebenfalls in vier Größenklassen eingeteilt, jedoch mit A, B, C und D gekennzeichnet wurden. Beim Einbau der Zylinderlaufbüchsen folgendermaßen vorgehen, wobei jedoch auf Unterschiede zwischen den herkömmlichen und den komprimierten Laufbüchsen zu achten ist:

Herkömmliche Laufbüchsen

- Motor aufrecht hinstellen.
- Laufbüchsen von der Oberseite her in den Block einschieben. An jede Laufbüchse einen neuen Gummidichtring montieren. Beim Einsetzen darauf achten, daß die Kennzeichnung an den Laufbüchsen auf der Nockenwellenseite des Motors liegen.
- Sobald die Laufbüchsen vollkommen eingeschoben sind, sind die Befestigungsschrauben (siehe Bild 6) einzuschrauben, um die Büchsen in ihrer Lage zu halten.
- Mit einer Meßuhr, wie in Bild 12 gezeigt, das Überstehmaß der Laufbüchsen an der Zylinderblockfläche ausmessen. Dieses Maß muß zwischen 0,0 bis 0,7 mm liegen. Um dieses

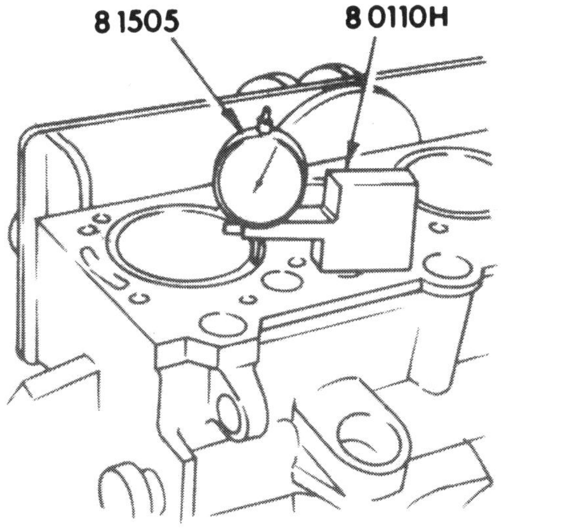

Bild 12
Ausmessen des Vorstehmaßes der Zylinderlaufbüchsen zum Bestimmen der Laufbüchsendichtungsstärke

Maß vor dem Einbau der Laufbüchsen zu kontrollieren, folgende Arbeiten durchführen:

— Die Laufbüchsen ohne Anbringen der Gummidichtringe einsetzen.
— Maß zwischen dem oberen Laufbüchsenflansch und der Zylinderblockfläche ausmessen, indem man den Meßfinger der Uhr zuerst auf den Flansch (Nadel vorgespannt) und danach auf die Blockfläche aufsetzt. Die Anzeige der Meßuhr gibt das Überstehmaß der Laufbüchse.

- Falls Laufbüchsen und/oder Kolben erneuert werden müssen, sind die Teile als komplette Einheit zu bestellen.

Komprimierte Laufbüchsen

- Beim Einsetzen dieser Laufbüchsen darauf achten, daß bei den Motoren XN1 und XN2 die abgeflachten Stellen an den Bunden der Laufbüchsen sich gegenüberstehen müssen, d. h. Büchse Nr. 1 und Nr. 2 und Büchse Nr. 3 und Nr. 4 mit den abgeflachten Stellen zusammenbringen.
- Meßuhr mit dem Meßuhrhalter auf der Zylinderblockfläche anordnen und den Meßstift bei vorgespannter Meßuhr (z. B. 5 mm vorgespannt) auf den Flansch aufsetzen und auf Null stellen.
- Meßuhrhalter so zur Seite schieben, daß die Nadel auf der Blockfläche aufsitzt und die Anzeige ablesen.
- Diese Messungen sind an vier verschiedenen Stellen an der Laufbüchse durchzuführen und zwar in Längs- und Querrichtung des Motors. Die höchste Anzeige der Laufbüchse ist zu notieren. Ebenfalls beobachten, ob die maximale Abweichung zwischen zwei gegenüberliegenden Punkten weniger als 0,07 mm beträgt. Andernfalls die Laufbüchse herausnehmen und die Aufnahmebohrung oder die Büchse auf Gratstellen oder eingeschlossene Fremdkörper kontrollieren.
- Falls die Büchsen alle einwandfrei sitzen, sind sie in ihrer Zylinderreihenfolge mit einem Filzstrich so zu zeichnen, daß der Flansch und die Zylinderblockfläche zusammengehörig markiert werden Zylinder Nr. 1 einen Strich, usw.).

● Um das Überstehmaß zu berichtigen, stehen Dichtringe in verschiedenen Stärken zur Verfügung. Das zulässige Maß liegt zwischen 0,04 und 0,11 mm, jedoch sollte man versuchen, daß Maß immer auf 0,11 mm zu bekommen. Dichtringe stehen in Stärken von 0,05, 0,075, 0,10 und 0,125 mm Stärke zur Verfügung. Beim Anbringen der Dichtringe wird auf Bild 13 verwiesen:

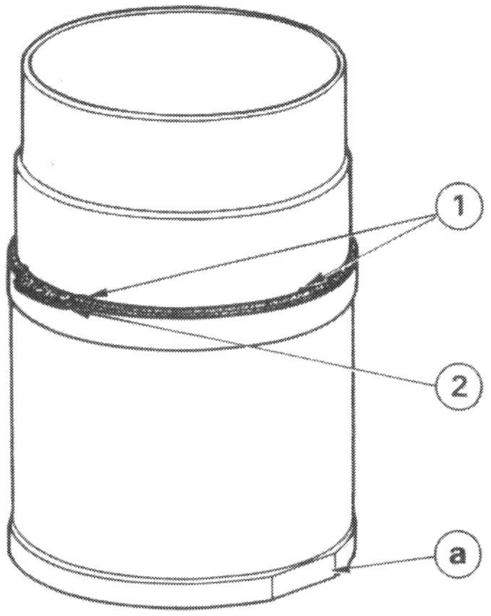

Bild 13
Anordnung der Laufbüchsendichtung an der Laufbüchse. Den wellenförmigen Teil des Ringes (1) in die Laufbüchse einsetzen und die Kennzungen (2) senkrecht zur Abflachung (a) anordnen

— Die trockenen Dichtringe (darauf achten, daß die herausgefundene Stärke an der richtigen Laufbüchse angebracht wird) mit der Hand auflegen.
— Der wellenförmige Teil des Dichtringes (1) ist in die Zentriernut einzusetzen.

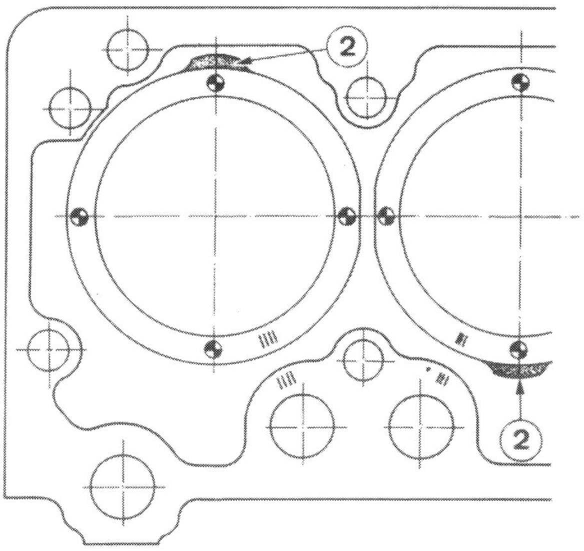

Bild 14
Beim Einsetzen der Laufbüchsen darauf achten, daß die Kennzungen (2), wie gezeigt, auf der betreffenden Seite des Blocks liegen

— Die Erkennungszungen (2) senkrecht zur Abflachung (a) anordnen.
— Die Laufbüchsen einschieben und die Zungen entsprechend Bild 14 an je 2 nebeneinanderliegenden Laufbüchsen anordnen.
— Das eigentliche Messen und Komprimieren der Laufbüchsen erfolgt als nächstes, wozu allerdings das Spezialwerkzeug 8.0128 zum Komprimieren erforderlich ist.
— Werkzeug wie in Bild 15 gezeigt anbringen und mit Hilfe der Meßuhr die vier Messungen wie vorher an vier gegenüberliegenden Stellen ausmessen. Das max. Überstehmaß sollte bei 0,11 mm liegen und die Abweichung zwischen zwei gegenüberliegenden Meßstellen darf 0,07 mm nicht überschreiten.
— Meßuhr an der Innenseite der äußeren Laufbüchse am Flansch ansetzen, da, wo die beiden Laufbüchsen zusammenkommen und auf Null stellen.
— Meßuhrhalter so verschieben, daß der Meßstift auf den Flansch der benachbarten Büchse gesetzt werden kann. Der Unterschied zwischen den beiden Büchsen darf nicht größer als 0,04 mm sein.
— Die gleiche Messung an den beiden anderen benachbarten Büchsen durchführen.
— Zur Abhilfe den Dichtring der Laufbüchse mit dem größeren Überstehmaß durch einen Dichtring geringerer Stärke ersetzen.
— Komprimierwerkzeug abnehmen.
— Laufbüchsen mit den Halteschrauben in ihrer Lage sichern.

Pleuelstangen und Kolben

Die Pleuelstangen sind aus Schmiedestahl hergestellt und sind entsprechend ihres Gewichts in sechs Klassen eingeteilt. Bei Erneuerung von einzelnen Pleuelstangen (mit Kolben und Laufbüchsen) ist aus diesem Grund darauf zu achten, daß eine Pleuelstange der gleichen Gewichtsgruppe verwendet wird. Die Pleuellagerschalen sind in einer Übergröße erhältlich, d. h. sie sind stärker und sind beim Nachschleifen der Kurbelzapfen zu verwenden (nur bei Motoren XM, XM.KF6 und

XM.KF5 gestattet). Die Pleuellagerschrauben müssen bei jeder Zerlegung des Motors erneuert werden.
Die Kolben sind in vier Größenklassen eingeteilt, die entsprechend der vier Größen der Laufbüchsen eingeteilt sind. Folgende Durchmesser sind vorhanden:

Kolbenkennzeichnung	1,8 Liter	2,0 Liter
A	83,940—83,951 mm	87,940—87,951 mm
B	83,952—83,962 mm	87,952—87,962 mm
C	83,963—83,973 mm	87,963—87,973 mm
D	83,974—83,984 mm	87,974—87,984 mm

Die Kolben sind mit drei Kolbenringen versehen, zwei Verdichtungsringe und einen von «Perfect Circle» hergestellten Ölabstreifring. Der letztere besteht aus zwei biegsamen Ringen und einem Expanderring. Der Kolbenringdurchmesser entspricht dem Durchmesser des jeweiligen Kolbens.
Zum Einbau der Kolben sind die Kolbenbolzen gut einzuölen und mit der Hand in den Kolben und durch die Pleuelaugenbüchse einzuschieben. Darauf achten, daß der Kolben einwandfrei im Verhältnis zur Pleuelstange angebracht wird. Die Buchstaben «AV» mit dem Pfeil darüber müssen zur Vorderseite des Motors weisen, wie es aus Bild 16 ersichtlich ist. Ebenfalls darauf achten, daß die Einbaureihenfolge der Pleuelstangen beigehalten wird, d. h. sie sind entsprechend ihrer Kennzeichnung beim Ausbau wieder in die Zylinder einzusetzen.
Aufgrund der Tatsache, daß Werkstoleranzen von Kolben und Kolbenbolzen manchmal sehr gering sind, könnte es möglich sein, daß der Kolben vor der Montage in heißes Wasser eingelegt werden muß. Kolben und Kolbenbolzen sind werksseitig paßgerecht angefertigt, die Teile können untereinander nicht ausgetauscht werden. Wenn die Kolbenbolzen sich in der richtigen Lage befinden, die Sicherungsringe in die Nuten der Kolben einsetzen. Kontrollieren, daß sie einwandfrei sitzen. Den Ringstoß des Ölabstreifringes in eine Linie mit dem Kolbenbolzen bringen und die Stöße der beiden biegsamen Ringe um je 20 bis 50 mm vom Stoß des Expanderringes versetzen. Die Stöße der beiden Verdichtungsringe sind in gleichen Abständen im Verhältnis zum Ölabstreifring am Umfang des Kolbens anzuordnen.

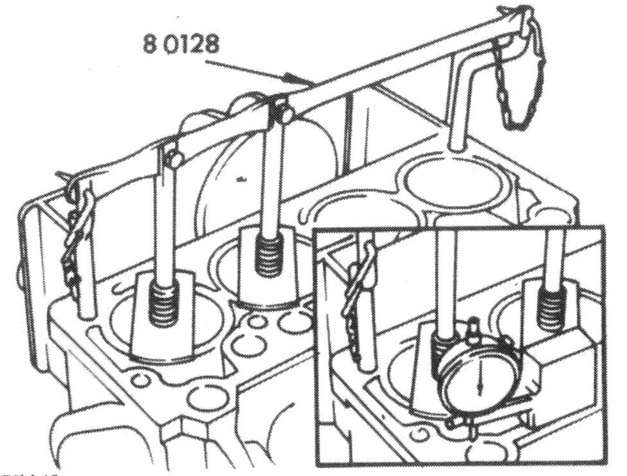

Bild 15
Werkzeug zum Einpressen der Laufbüchsen bei eingebauten komprimierten Laufbüchsen

> ACHTUNG: Die Länge des Expanderringes (Dehnringes) darf auf keinen Fall verändert werden. Ebenfalls darauf achten, daß die Markierungen der Kolbenringe zur Oberseite des Kolbens weisen.

Kolben und Kolbenringe mit Motorenöl einschmieren und ein Kolbenringspannband so um den Kolben legen, daß die Ringe gut in die Nuten gedrückt werden. Ebenfalls die Zylinderlaufbüchse einölen und den Kolben mit der Pleuelstange von oben in den Motor einschieben. Falls kein Spannband vorhanden ist, kann ein breiter Schlauchbinder um die Kolbenringe gelegt werden, wobei jeder Ring einzeln in die Nute zu drücken ist. Die Arbeit muß jedoch dementsprechend vorsichtig durchgeführt werden. Den Kolben mit einem Hammerstiel nach unten drücken und gleichzeitig den Pleuelfuß über den Kurbelzapfen führen. Die Lagerschalenhälfte muß im Pleuelfuß eingesetzt sein. Kontrollieren, daß die Pfeile in den Kolbenböden zur Vorderseite des Motors weisen und daß die Pleuelstangen entsprechend ihrer Nummerierung eingebaut werden. *Die Kolben dürfen während des Einschiebens nicht gedreht werden.*
Von der anderen Seite des Motors die Lagerschalenhälften (gut eingeölt) und die Lagerdekkel über die jeweiligen Pleuelstangen setzen. Darauf achten, daß die Markierung der Deckel auf der gleichen Seite wie die Markierung der Pleuelstangen liegt. Neue Pleuellagerschrauben verwenden und die Muttern auf ein Anzugsdrehmoment von 4,0 mkp anziehen.

Nockenwelle

Die Nockenwelle ist auf Freßstellen an den Lagerzapfen zu kontrollieren. Die Nockenwelle wurde während der Produktion abgeändert, so daß bei Neubestellung einer Welle folgendes zu beachten ist:
Die in Stelle «b» in Bild 17 gezeichneten Nockenwelle von XN1- und XN2-Motoren (mit Ring «C» versehen) können ebenfalls in den Motoren XM oder KF6 — KF5 verwendet werden, vorausgesetzt, daß die Ventilfedern ebenfalls erneuert werden, wobei schwarze Federn zu verwenden sind.

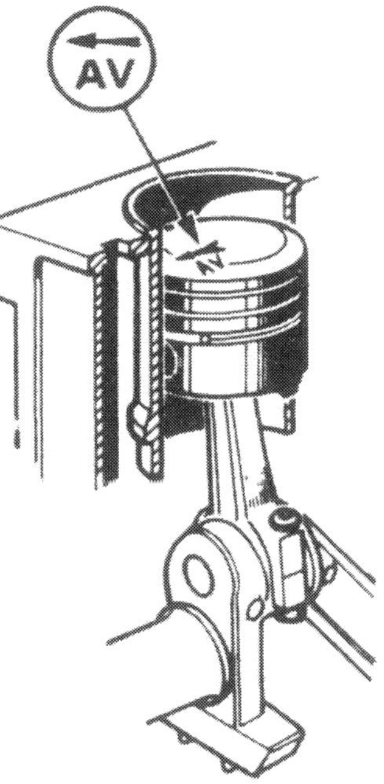

Bild 16
Kennzeichnung des Kolbenbodens zum vorschriftsmäßigen Einbau der Kolben. Die Bezeichnung AV bedeutet «Vorn».

Zum Einbau der Nockenwelle *bei Vergasermotoren*:

- Abdeckplatte des Steuergehäuses mit Papierdichtung anbringen.
- Nockenwelle gut eingeölt in den Zylinderblock einführen.
- Halteplatte in die Nute der Welle einsetzen und Schraube mit 1,7 mkp anziehen.
- Steuerung montieren und einstellen, wie es weiter hinten unter getrennter Überschrift beschrieben wird.

Zum Einbau der Nockenwelle *bei Einspritzmotoren:*

- Nockenwelle wie vorhin beschrieben montieren und Schraube auf 1,7 mkp anziehen.
- Steuergehäuse mit Papierdichtung anbringen und kontrollieren, daß der Abstand «d» in Bild 18 zwischen dem Höcker und der Nockenwelle je nach Gehäusetyp 0,55 mm oder 2,50 mm beträgt. Dieses Maß bestimmt die dichtige Spannung des Steuerriemens.
- Steuerung einbauen und einstellen, wie es weiter hinten beschrieben ist.

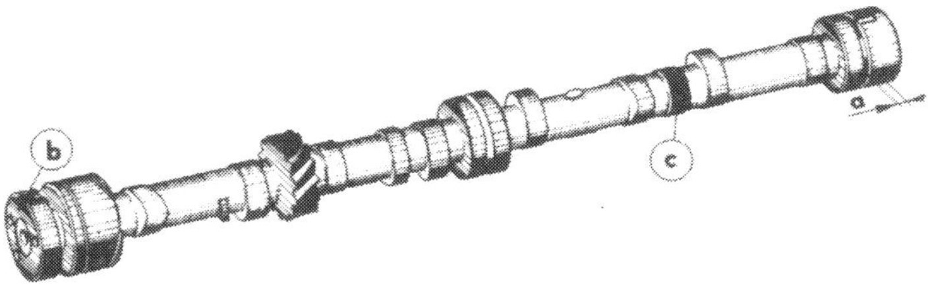

Bild 17
Kennzeichnung der Nockenwelle. Die an Stelle (a) gezeichneten Nockenwellen in XN1- und XN2-Motoren (mit Ring «c») können in XM- oder KF5- und KF6-Motoren eingebaut werden, vorausgesetzt, daß die Ventilfedern gen schwarz gestrichene ausgetauscht werden. Bei einigen XM-Motoren ist die Nute (a) 8 mm breit (normalerweise 5 mm).

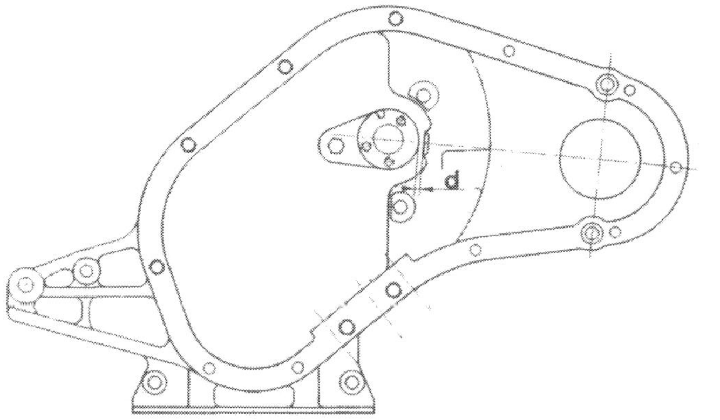

Bild 18
Beim Anziehen des Steuergehäuses von Einspritzmotoren den Abstand «d» zwischen dem Höcker und der Nockenwelle, je nach Gehäusetyp, auf 0,55 mm oder 2,5 mm bringen

Einbau der verbleibenden Teile

Schwungrad am Motor anbringen (neues Sicherungsblech verwenden) und die Schrauben auf ein Anzugsdrehmoment von 6,75 mkp anziehen. Kupplungsdruckplatte und Mitnehmerscheibe montieren, aber darauf achten, daß die Fluchtzeichen an Kupplung und Schwungrad gegenüberliegen. Kupplungsschrauben auf 1,5 mkp anziehen.
Um die richtige Stellung des Motors für den Zündverteiler zu erhalten, den Motor durchdrehen. bis der Kolben No. 1 (der hintere Kolben) im oberen Totpunkt des Zündzeitpunktes steht. Antriebswelle der Ölpumpe in den Motor einschieben, so daß der Schlitz im Zahnrad einen Winkel von 90° mit der Längsachse des Motors bildet, wobei das breitere Segment des Mitnehmers zum Schwungrad weisen muß. Bild 19 zeigt

diese Montagestufe. Welle vollkommen einsetzen. Nachdem die Schrägverzahnung mit dem Zahnrad an der Nockenwelle eingegriffen hat, verdreht sich die Welle leicht und der Schlitz liegt jetzt in einer Linie mit der Gewindebohrung Nr. 7 des Zylinderblocks.

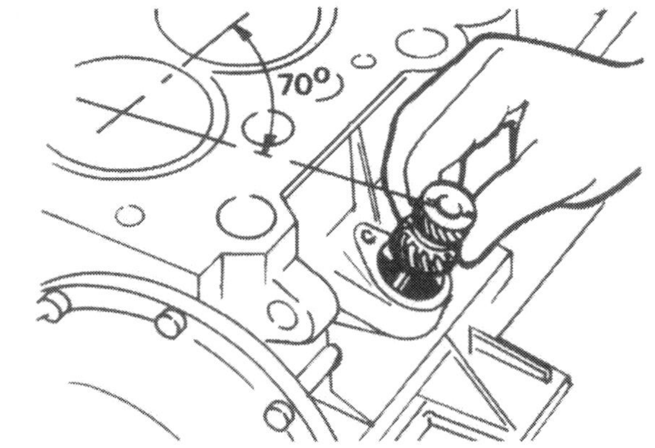

Bild 19
Richtiger Einbauwinkel des Mitnehmerschlitzes in der Ölpumpenantriebswelle zum Einbau des Zündverteilers bei Vergasermotoren.

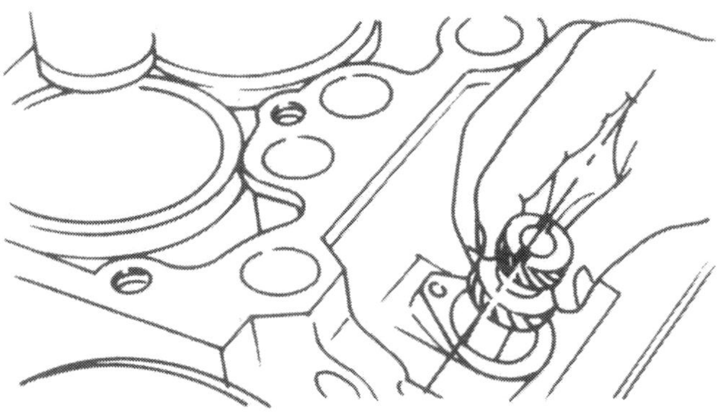

Bild 20
Richtiger Einbauwinkel des Mitnehmerschlitzes in der Ölpumpenantriebswelle bei Einspritzmotoren

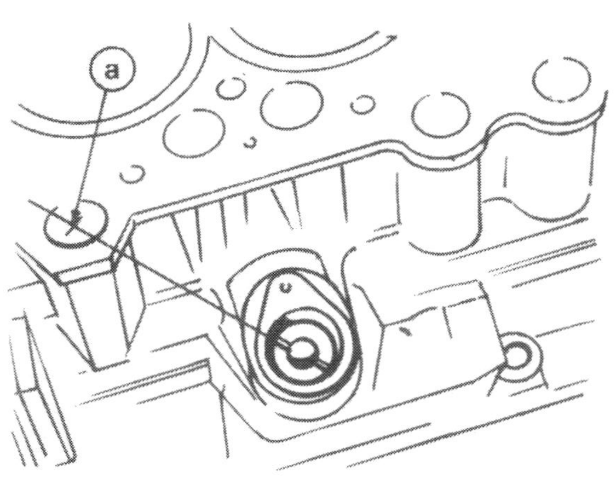

Bild 21
Wenn die Antriebswelle eingebaut wurde, muß der Schlitz in einer Linie mit der gezeigten Stößelbohrung «a» (bei älteren 1,8-Liter-Motoren) oder mit Nr. 7 Zylinderkopfschraubenbohrung liegen

HINWEIS: Bei älteren 1,8-Liter-Motoren wurde die Antriebswelle so eingebaut, daß der Schlitz einen Winkel von 70° mit der Längsachse des Motors bildet und nach vollendetem Einbau mit der Stößelbohrung «a» in Bild 21 in einer Linie liegt.

Um die Antriebswelle *bei Einspritzmotoren* einzubauen, sind einige Unterschiede zu beachten. Die Welle als erstes so einsetzen, daß der Mitnehmerschlitz in einer Linie mit der Längsachse des Motors angeordnet ist, wobei das schmälere Segment des Mitnehmers auf der Motorseite liegen muß. Nach dem Einsetzen verdreht sich die Welle und der Schlitz liegt in einer Linie mit der Gewindebohrung für die Nr. 2 Zylinderkopfschraube.

Bei beiden Ausführungen die Dichtfläche der Zündverteilerhalterung mit «Festinol» einstreichen und am Zylinderblock befestigen.

Zum Einbau der Ölpumpe den Motor so umkehren, daß der Kurbeltrieb nach oben weist. Zwei neue Paßstifte in den Zylinderblock einschlagen und einen neuen Dichtring in die Bohrung an der Pumpenhalterung einsetzen. Ölpumpe vorsichtig einsetzen, aber darauf achten, daß die Pumpenwelle mit der Pumpenantriebswelle in Eingriff kommt. Falls erforderlich, die Kurbelwelle leicht durchdrehen, bis der Eingriff zustandekommt. Die drei Schrauben abschließend auf 1,0 mkp anziehen.

Ölwanne mit neuen Dichtungen versehen. Falls eine neue Ölwanne verwendet wird, ist beim Bestellen unbedingt der Motorentyp anzugeben, da bei XM-Motoren gewisse Ölwannen nicht verwendet werden können. Schrauben mit einem Anzugsdrehmoment von 1,0 mkp anziehen. Ölablaßstopfen festziehen.

Motor umkehren und die Stößel in den Zylinderblock einsetzen (gut eingeölt). Die Markierung ist unbedingt zu beachten. Bei KF5-, KF6- und XN2-Motoren müssen unbedingt Stößel mit einer 3,0-mm-Bohrung verwendet werden. Falls neue Stößel bezogen wurden, ist dies zu beachten. Den Zylinderkopf montieren, wie es weiter hinten unter getrennter Überschrift beschrieben wurde.

Ölmeßstabrohrgewinde mit «Festinol» einschmieren und montieren. Ölfilter mit Sockel anbringen und die verbleibenden Motornebenteile in umgekehrter Reihenfolge, wie beim Ausbau, montieren. Zum Einbau des Zündverteilers sollte im Abschnitt «Zündanlage» nachgelesen werden.

Der Zylinderkopf

Der Zylinderkopf ist aus Aluminiumlegierung hergestellt. Der Kopf ist mit austauschbaren Ventilsitzringen versehen. Die äußeren Ventilfedern sind mit rechtsgewickelten Wicklungen versehen, während die inneren Federn linksgewikkelt sind.

Ausbau des Zylinderkopfes

Um ein Verziehen des Aluminiumzylinderkopfes zu vermeiden muß der Kopf beim Ausbau vollkommen kalt sein.

- Batterie abklemmen, um Kurzschlüsse zu vermeiden.
- Kühlanlage entleeren (ein Stopfen an der Unterseite des Kühlers und zwei am Zylinderblock).
- *Bei Einspritzmotoren* die Einspritzleitungen ausbauen sowie die Pumpenanschlüsse und die Einspritzventilanschlüsse mit Schutzkappen versehen, um ein Eindringen von Schmutz zu vermeiden.
- Verteilerkappe abnehmen.
- Zündkerzenkabel abziehen.
- Zündkerzen herausschrauben.
- Oberen Kühlerschlauch abschließen.
- Keilriemen nach Lockern der Spannstrebe der Drehstromlichtmaschine abnehmen.
- Spannstrebe vom Zylinderkopf abschrauben.
- Unteren Kühlerschlauch entfernen.
- Vorwärmschlauch vom Vergaser lösen (Vergasermotor).
- Gasbetätigungszug und Starterzug vom Vergaser abschließen (Vergasermotor).
- Leitung des Wärmefühlers für das Fernthermometer abklemmen.
- Leitung vom elektro-magnetischen Lüfter abschließen.
- Heizungsrohr von der Befestigung am Kotflügel abschrauben.
- Zylinderkopfhaube, Luftfilter, Vergaser und Ansaugkrümmer ausbauen.
- Schmierölleitung für die Kipphebel abschließen.
- Motorlüftungsrohr ausbauen.
- Auspuffkrümmer am Flansch abschrauben.
- Die obere, vordere und hintere Zylinderkopfschraube herausdrehen und an deren Stellen die Zylinderkopfführungen 8.0115Y einschrauben. Auf diese Weise kann der Kopf nicht abrutschen, wenn alle Schrauben entfernt sind. Falls die Stifte nicht zur Verfügung stehen, können entsprechende Stiftschrauben mit dem vorgeschriebenen Gewinde eingeschraubt werden. Die Spezialstifte sind in Bild 22 gezeigt. Sie bestehen aus zwei Teilen. Das Oberteil, d. h. das längere Stück ist mit einem Linksgewinde versehen, welches ein Herausschrauben ermöglicht, nachdem das Unterteil vollkommen in die Gewindebohrung für die Zylinderkopfschraube gedreht wurde.

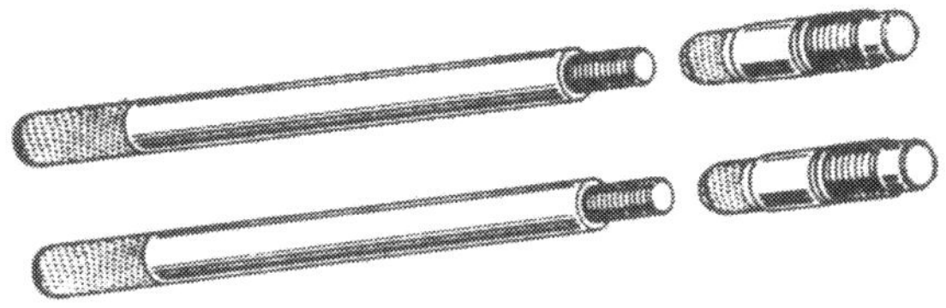

Bild 22
Die Führungsstifte zur Montage des Zylinderkopfes. Das kurze Stück der Stifte ist in die Gewindebohrung des Zylinderblocks zu schrauben

- Gleichmäßig die Zylinderkopfschrauben und die Befestigungsmuttern des Kipphebelmechanismuses lösen.
- Kappen und Dichtringe der Zündkerzenrohre ausbauen.
- Kipphebelmechanismus abheben.
- Stößelstangen herausziehen. Die Stößelstangen in ihrer Einbaureihenfolge durch ein Stück Pappe schieben. Eine Seite der Pappe mit «Vorn» kennzeichnen, wo die erste Stösselstange durchgeschoben wurde.
- Eine der Führungsschrauben herausdrehen und den Zylinderkopf nach einer Seite schwenken, ohne ihn anzuheben. Dadurch wird die Verbindung zwischen Kopf und Laufbüchsen gebrochen, ohne daß die Büchsen aus ihren Sitzen gezogen werden.
- Kopf herunterheben.
- Zylinderkopfdichtung abnehmen.
- Zweite Führungsschraube herausdrehen.
- Die Laufbüchsen mit den Schrauben sichern.

Einbau des Zylinderkopfes

Die Dichtfläche des Zylinderkopfes und Zylinderblocks sorgfältig reinigen. Um zu verhindern, daß Fremdkörper zwischen Kolben und Zylinderlaufbüchse hineinfallen, kann man einen alten Kolbenring in die Bohrung so einsetzen, daß dieser eine Abdichtung herstellt. Andernfalls einen dikken Putzlappen in die Bohrung stopfen, während an dieser Stelle gereinigt wird. An jedem Ende des Zylinderblocks befinden sich Bohrungen für den Öllrücklauf (auf der Seite der Laufbüchsen), die ebenfalls zu verschließen sind. Bei Motorentypen XM, KF6 und KF5 befindet sich eine Benzinabflußbohrung unmittelbar unter der Gewindebohrung für die mittlere Zylinderkopfschraube. Bei den anderen Motoren befindet sich diese Bohrung zwischen den beiden mittleren Stößelstangenrohren. In beiden Fällen die betreffende Bohrung gut zustopfen, ehe Reinigungen durchgeführt werden. Die Kolbenböden dürfen nicht entkohlt werden.

> WICHTIG: Bei Motorentypen XN1, XN2 und XM7 die Ränder der Dichtflächen des Zylinderkopfes entgraten.

Stößel und Stößelbohrungen reinigen. Die Zylinderkopffläche auf Verzug kontrollieren, indem man ein Stahllineal schräg auf den Zylinderkopf auflegt und mit einer Fühlerlehre den Lichtspalt zwischen dem Lineal und der Kopffläche ausmißt. Der höchstzulässige Lichtspalt beträgt 0,05 mm. Falls erforderlich, kann man den Zylinderkopf nachschleifen lassen, wobei aber eine Mindesthöhe von 92 mm $\pm$ 0,15 mm nicht unterschritten werden darf.

Beim Einbau des Zylinderkopfes folgendermassen vorgehen:

- Halteschrauben der Zylinderlaufbüchsen herausdrehen.
- Zylinderkopfdichtung auf den Block auflegen. Die Dichtung ist trocken aufzulegen und das Wort «Dessus» muß sichtbar und der rechteckige Ausschnitt nach vorn gerichtet sein. Da beim Bestellen von Zylinderkopfdichtungen Fehler gemacht werden können, soll auf einige Einzelheiten hingewiesen werden:
  - — Bei den XM-Motoren beträgt der Innendurchmesser der runden Öffnungen für die Zylinderlaufbüchsen 86,5 mm. Das gleiche Maß gilt bei XM7-Motoren.
  - — Bei Motorentypen XN1 und XN2 beträgt dieses Maß dagegen 90,0 mm.
  - — Vor dem Auflegen wird aus diesem Grund geraten, daß man den Durchmesser ausmißt.
  - — Bei Motorentypen XN1 und XN2 ist es weiterhin wichtig, daß die Abflachungen der Dichtung auf den Bunden der Laufbüchsen 1—2 und 3—4 aufliegen.
- Den unteren Teil der Zylinderkopfführungsstifte einschrauben und die Oberteile der Stifte hineindrehen, um den Zylinderkopf in die richtige Lage zu bringen.
- Zylinderkopfschrauben lose einschrauben.
- Auspuffkrümmer mit einer neuen Dichtung anschrauben.
- Stößelstangen in ihre betreffenden Bohrungen einsetzen.
- Kipphebelmechanismus montieren.

> HINWEIS: Die Zylinderkopfdichtung sollte im letzten Moment aus der Verpackung genommen werden. Kein Fett oder Öl darf an die Dichtung gelangen. Vor dem eigentlichen Auflegen Zylinderkopffläche mit einem in Benzin getauchten Lappen abreiben, um alle Fett- oder Ölreste zu entfernen.

- Die beiden Führungsstifte herausdrehen und durch die eigentlichen Schrauben ersetzen.

Das Anziehen der Zylinderkopfschrauben erfolgt jetzt entsprechend der in Frage kommenden Motorenausführung, da Unterschiede zwecks der Ausführung der Laufbüchsen zu beachten sind:

Bei XM-Motoren mit herkömmlichen Laufbüchsen:

- Die zehn Schrauben unter Beachtung der Anzugsreihenfolge in Bild 23 in zwei Stufen anziehen, d. h. zuerst auf ein Anzugsdrehmoment von 6,0 mkp und danach auf ein Drehmoment von 8,25 mkp.
- Die Muttern der Kipphebelböcke auf 1,5 mkp anziehen.

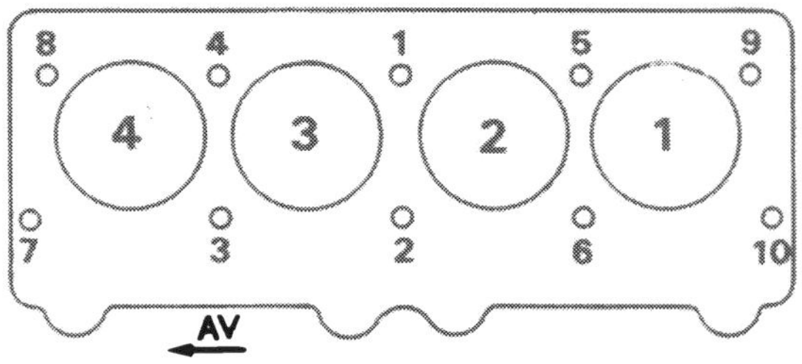

Bild 23
Anzugsreihenfolge der Zylinderkopfschrauben. Der Pfeil «AV» gibt die Vorderseite des Kopfes an. Nr. 1-Zylinder befindet sich auf der Schwungradseite

- Die Ventile danach entsprechend der nachfolgenden Beschreibung einstellen.

Bei XN1-, XN2- und XM7-Motoren mit komprimierten Laufbüchsen:

- Die zehn Schrauben in der in Bild 24 gezeigten Anzugsreihenfolge auf 5,0 mkp anziehen.

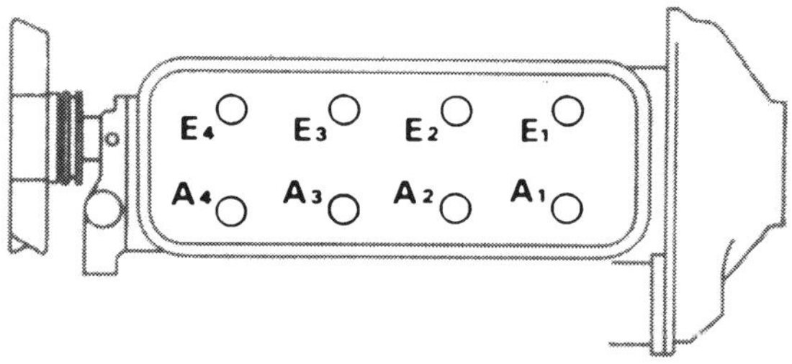

Bild 24
Einstellreihenfolge für die Ventilspiele. E = Auslaßventile, A = Einlaßventile

- Kipphebelböcke auf 1,5 mkp anziehen. Zum Anziehen sollte vorschriftsmäßigerweise der Spezialschlüssel 8.0129 verwendet werden.
- Schraube «1» vollkommen lösen und wieder mit 2,0 mkp anziehen. Den Schlüssel in dieser Stellung festhalten. Der Schlüssel sitzt dabei auf beiden mittleren Schrauben.
- Den Einstellbügel des Schlüssels durch Drücken des unteren Teils der Feder auf die mit «0» gezeichnete Kerbe des Kreisausschnittes stellen und danach die Schraube anziehen, bis der Einstellbügel auf der mit «90» gezeichneten Kerbe des Kreisausschnittes erscheint.
- Den Spezialschlüssel umkehren und die gleichen Arbeiten an der Schraube «2» durchführen und danach in der in Bild 23 gezeigten Reihenfolge bei allen anderen, gegenüberliegenden Schraubenpaaren wiederholen.

ACHTUNG: Falls Zweifel beim Anziehen der Schrauben auftreten, so sollten die Schrauben wieder vollkommen gelöst werden und die Arbeit ist von vorn zu beginnen. Den angegebenen Spezialschlüssel betrachten wir als unersetzlich zum Anziehen dieser Zylinderkopfausführung.

Einstellen der Ventile

Die Ventile in der in Bild 24 gezeigten Reihenfolge einstellen. Mit «A» bezeichnete Ventile sind die Einlaßventile ,während alle Auslaßventile mit «E» gezeichnet sind. Die leichteste Einstellung kann anhand der folgenden Tabelle vorgenommen werden:

Wenn E1 geöffnet ist,	A3 und E4 einstellen
Wenn E3 geöffnet ist,	A4 und E2 einstellen
Wenn E4 geöffnet ist,	A2 und E1 einstellen
Wenn E2 geöffnet ist,	A1 und E3 einstellen

Beim Einbau des alten Zylinderkopfes sind die Einlaßventile auf ein Spiel von 0,15 und die Auslaßventile auf 0,30 mm einzustellen. Nach den ersten 1000 Fahrkilometern ist das Spiel danach auf 0,15 mm für die Einlaßventile und 0,30 mm für die Auslaßventile einzustellen.

Verbleibende Arbeiten

- Gewinde der Zündkerzen mit Motorenöl einschmieren und die Zündkerzen auf ein Anzugsdrehmoment von 2,25 mkp anziehen.
- Schmierölleitung der Kipphebel anbringen.
- Ansaugkrümmer mit Dichtung (trocken auflegen) am Zylinderkopf anbringen.
- Vergaser mit neuer Dichtung montieren (Vergasermotoren).
- Kappen und Dichtringe der Zündkerzenrohre anbringen.
- Zylinderkopfhaube aufsetzen.
- Luftfilter montieren, nachdem man den Zustand des Filtereinsatzes überprüft hat.
- Zündkerzenkabel aufstecken.
- Verteilerkappe anbringen.
- Keilriemen der Drehstromlichtmaschine auflegen.

- Unteren und oberen Kühlerschlauch anschließen.
- Heizungsrohre befestigen.
- Vorwärmleitung am Vergaser, Kraftstoffleitung, Unterdruckleitung und Motorlüfterrohr montieren.
- Gasbetätigungszug *bei Vergasermotoren* sowie den Starterzug anschließen, aber ein Freispiel von ca. 2,0 mm lassen. Ebenfalls die Leitung des Wärmefühlers für das Fernthermometer und des elektrischen Lüfters anklemmen.
- *Bei Einspritzmotoren* die Einspritzleitungen wieder anschließen.
- Spannung des Lichtmaschinenkeilriemens einstellen, indem man die Lichtmaschine nach außen drückt, bis der Keilriemen soeben stramm ist. Danach mit einem Bleistift ein Maß von 100 mm auf den Riemen anzeichnen und danach die Lichtmaschine weiterhin nach außen drücken, bis die beiden Bleistiftstriche 102—103 mm voneinander sind. Dies entspricht einer Spannung von 2 bis 3 %.
- Auspuffrohr am Krümmer ansetzen und die Schrauben auf 3,25 mkp anziehen.
- Wasserablaßstutzen in den Zylinderblock schrauben und auf 4,35 mkp anziehen.
- Kühlanlage mit Wasser oder Frostschutz füllen.
- Ölstand in der Ölwanne überprüfen.
- Batterie anklemmen.
- Zeituhr einstellen.
- Motor anlassen und warten bis er warm ist, d. h. bis der Lüfter einschaltet. Danach bei Vergasermotoren, unter Bezug auf Bild 25, den Leerlauf wie folgt einstellen:
  — Schraube «1» verstellen, bis der Leerlauf 860 U/min beträgt.
  — Schraube «2» verstellen, bis der höchstmögliche Leerlauf erhalten wird.
  — Schraube «1» herausschrauben, bis der Leerlauf erneut 860 U/min beträgt.
  — Gemischregulierschraube «2» anziehen, bis ein Abfall des Leerlaufs festgestellt werden kann.
  — Leerlaufdrehzahl auf 800 U/min bringen. Diese Einstellung ist für Motoren XM und XM7 gültig.

Bei eingebautem XN1-Motor darf am zweiten Vergasergehäuse keine Einstellung durchgeführt werden. Mittels der Leerlaufeinstellschraube «1»

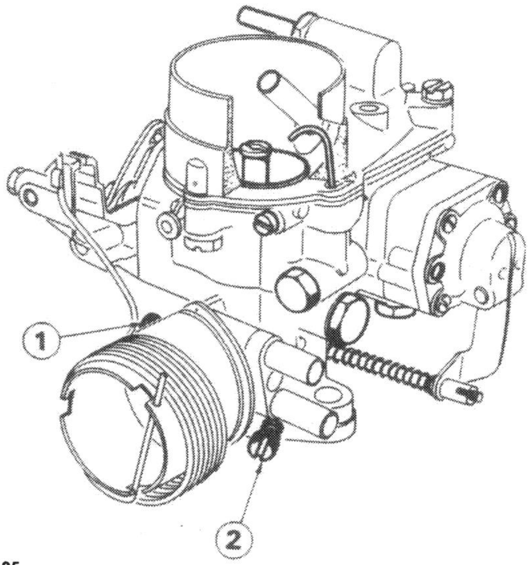

Bild 25
Die Leerlaufeinstellschrauben beim Solex-34-PBICA-Vergaser
1 Leerlaufeinstellschraube
2 Gemischregulierschraube

die Drehzahl auf 840 U/min bringen und danach die Schraube «2» verstellen, bis die Höchstdrehzahl erhalten wird. Jetzt wieder die Schraube «1» verstellen, um wieder 840 U/min zu erhalten. Abschließend die Gemischregulierschraube «2» einschrauben, bis ein Leerlauf von 800 U/min zustandekommt.

Kontrolle des Verdichtungsdrucks

Zur Kontrolle des Verdichtungsdrucks muß der Motor eine Temperatur von 80° C besitzen. Danach folgendermaßen vorgehen:

- Kraftstoffleitung am Vergaser abschließen und zustopfen.
- Vergaserschwimmerkammer entleeren.
- Starterkraftstoffdüse herausschrauben.
- Vergaserdrosselklappe so weit wie möglich öffnen.
- Zündkerzen herausschrauben.
- Kabel Nr. 3 von der Zündspule abschließen und isolieren, um Kurzschlüsse zu vermeiden.
- Mit einem Kompressionsdruckprüfer (Motometer) den Verdichtungsdruck ausmessen, während der Anlasser 4 Sekunden lang mit einer Drehzahl von 380 U/min den Motor durchdreht.
- Nach Kontrolle aller Zylinder kontrollieren, ob die Anzeigen bei 11,0 kg/cm² liegen. Der Unterschied zwischen den einzelnen Zylindern darf nicht größer als 1,0 kg/cm² sein. (10,0 kg/cm² bei XM7-Motor mit 7,5 l Verdichtung).

Arbeiten bei eingebautem Motor

Erneuerung der Zündkerzenrohre

Zum Ausbau der Rohre einen geeigneten Abzieher verwenden oder leicht mit einem Holzhammer gegen die Seite der Rohre schlagen. Das neue Rohr an der Unterseite mit «Festinol» einschmieren. Die Büchse «A» des Spezialwerkzeuges 0.0135 in Bild 26 in das obere Ende des Rohres einsetzen und den Dorn in das Rohr einsetzen, wie es aus Bild 27 ersichtlich ist. Die Renkverschlüsse sind entsprechend der Darstellung in Bild 28 anzuordnen. Rohre in den Kopf einsetzen und mit einem Hammer auf den Dorn «B» schlagen, bis das Maß zwischen dem unteren Flansch und dem Zylinderkopf 72,0 mm beträgt.

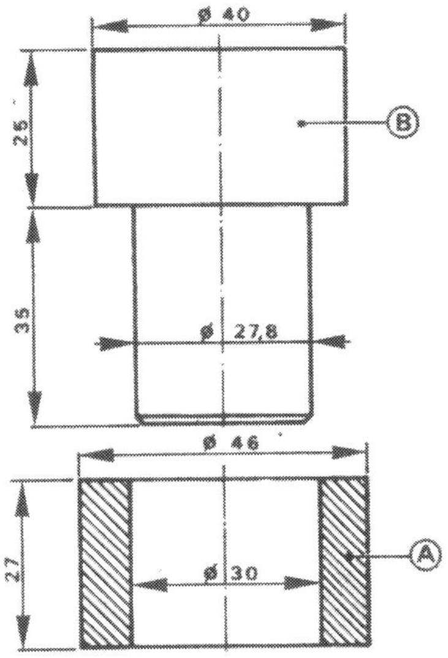

Bild 27
Einbau eines Zündkerzenrohres mit Hilfe des Spezialwerkzeuges 0.0135 (siehe Bild 27). Der Pfeil weist auf den Renkverschluß

Erneuern einer Einlaßventilfeder

- Kurbelwelle durchdrehen, bis das Auslaßventil des gleichen Zylinders zu öffnen beginnt.
- Ventilfeder mit einem geeigneten Ventilheber zusammendrücken (siehe Bild 29) und Ventilheber wieder zurücklassen.
- Kolben auf den oberen Totpunkt im Verdichtungshub bringen.
- Ventilheber über die Feder setzen und nach unten pressen, bis die Ventilkegelhälften aus dem Ventilschaft herausgenommen werden können.

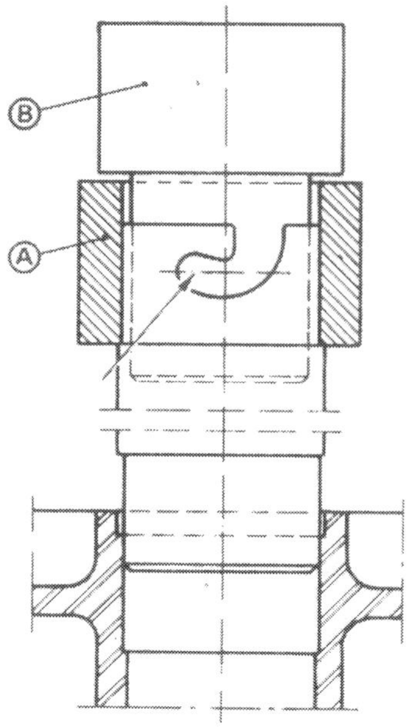

Bild 26
Maßangaben des Spezialwerkzeuges zum Einbau der Zündkerzenrohre (0.0135)
A Hülse B Dorn

- Ventilfederteller und Ventilfedern abnehmen.
- Beschädigte oder gebrochene Feder(n) erneuern und Ventilfedern in umgekehrter Reihenfolge wieder einbauen.
- Abschließend Ventilspiel einstellen.

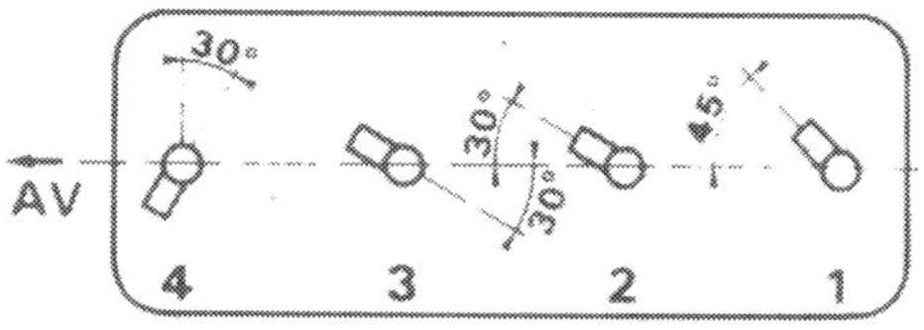

Bild 28 Anordnung der Renkverschlüsse für die Zündkerzenrohre. Die Vorderseite des Motors ist mit «AV» gezeichnet

Erneuern einer Auslaßventilfeder

Zündkerze aus dem betreffenden Zylinder herausschrauben. Zum Ausbau der Auslaßventilfedern ist es erforderlich, daß man die Befestigung des Arms «B» und des Druckstücks «C» in Bild 29 umkehrt. Der Arm ist unter der Kipphebelwelle für die Auslaßventile einzuhängen. Den Ventilheber wie oben beschrieben betätigen.

- Kurbelwelle durchdrehen, bis das Einlaßventil des gleichen Zylinders zu schließen beginnt und mit dem Ventilheber gegen die Ventilfeder drücken.
- Kipphebel herausziehen und nach einer Seite schieben (siehe Bild 30).
- Das in Bild 31 gezeigte Spezialwerkzeug durch die Gewindebohrung der Zündkerze in die Verbrennungskammer einführen. Die

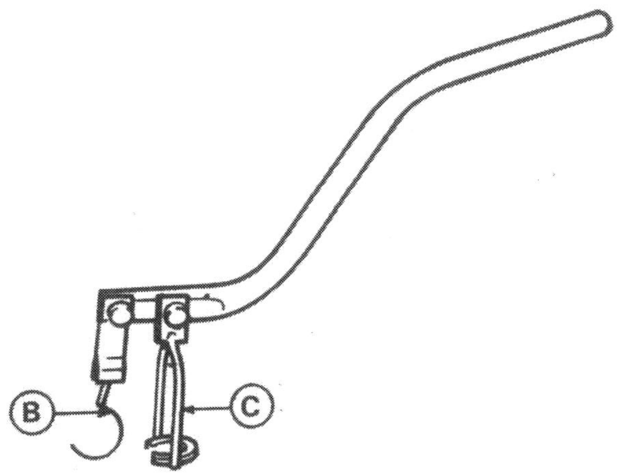

Bild 29
Spezialventilheber von Peugeot, Nr. 8.0105Y
B Haken, unter Kipphebelwelle einzusetzen
C Druckbügel für Ventilfedern

Markierung am langen Ende (a) muß parallel mit der Längsachse des Motors laufen.

- Werkzeug um 90° verdrehen, um das Gelenk am Ende des Werkzeuges in die senkrechte Lage zu bringen. Die Markierung muß jetzt mit der Achse des Ventils fluchten.

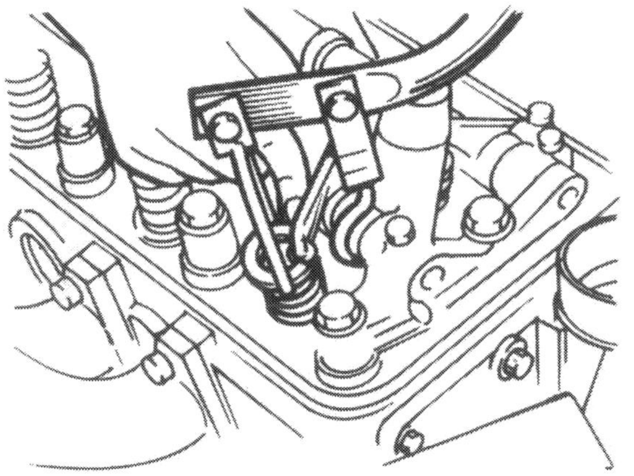

Bild 30
Ventilheber zum Ausbau einer Auslaßventilfeder angesetzt. Der Haken kann unter der Kipphebelwelle eingesetzt gesehen werden

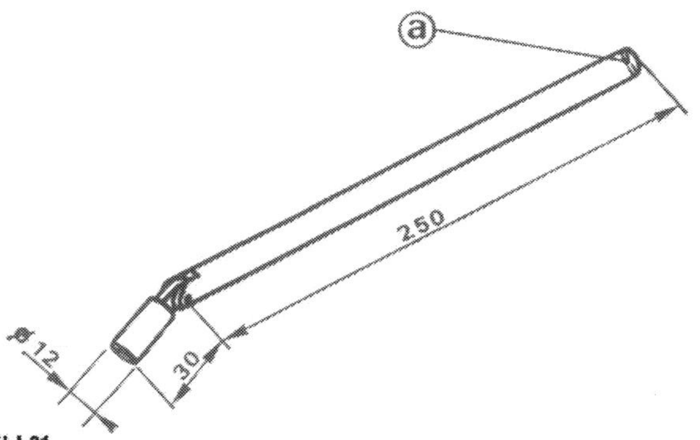

Bild 31
Spezialwerkzeug 0.0136 zum Gegenhalten des Auslaßventils beim Erneuern einer Ventilfeder bei eingebautem Motor (siehe Text)

- Kurbelwelle langsam durchdrehen, bis der Kolben auf o.T. steht und das Ende des Werkzeuges gegen den Ventilteller anliegt.
- Ventilfeder mit dem Ventilheber zusammendrücken und die Ventilkegelhälften herausnehmen.
- Ventilfedern, wie erforderlich, erneuern und in umgekehrter Reihenfolge wieder einbauen.
- Kurbelwelle abschließend um eine Viertelumdrehung durchdrehen, um das Werkzeug herauszunehmen.
- Kipphebel wieder montieren.
- Kerze einschrauben.

Erneuerung des Schwungradzahnkranzes

Das eingebaute Schwungrad so auf eine Werkbank auflegen, daß die Vorderseite des Schwungrades nach oben weist und den Zahnkranz mit einem Kupferdorn und einem Hammer abschlagen.

Zum Aufziehen des neuen Zahnkranzes das Schwungrad mit einer Unterlage in der Innenseite auf eine Werkbank auflegen. Zahnkranz leicht anwärmen (nicht überhitzen) und mit den Zähnen nach oben weisend über das Schwungrad setzen. Mit einem Kupferdorn den Zahnkranz aufschlagen, bis er bündig sitzt. Schwungrad wieder mit einem neuen Sicherungsblech am Motor anschrauben. Schrauben auf ein Anzugsdrehmoment von 6,75 mkp anziehen und Sicherungsblechlaschen umschlagen.

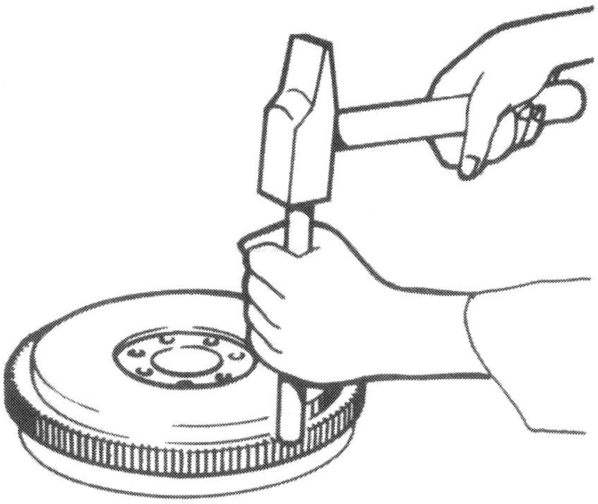

Bild 32 Montieren des Anlasserzahnkranzes auf dem Schwungrad. Auf die Richtung der angeschrägten Zähne achten.

ACHTUNG: Bei der Erneuerung des Schwungrades beachten, daß die Schwungräder für unterschiedliche Motorentypen, aufgrund der Zündungskennzeichnung, nicht gleich sind.

Ventilsteuerung

Kontrolle der Ventilsteuerung

Die Steuerzeiten werden bei einem Ventilspiel von 0,7 mm kontrolliert. Zu beachten ist, daß die Steuerzeiten verschiedener Motorenausführungen im Laufe der Jahre geändert wurden und die Werte sind der Maß- und Einstelltabelle (Seite 97) zu entnehmen.
Aufgrund der Neigung der Zündkerzenöffnungen im Verhältnis zur Achse der Zylinder ist es notwendig, daß die Ventilsteuerung in der Nähe des oberen Totpunktes kontrolliert wird, d. h. das Öffnen des Einlaßventils und das Schließen des Auslaßventils (Werte in mm) ist zu kontrollieren.
Bei der Kontrolle der Ventilsteuerung folgendermaßen vorgehen:

- Zündkerze Nr. 4 herausdrehen.
- Zylinderkopfhaube abnehmen.
- Ventilspiel beider Ventile auf 0,7 mm einstellen.

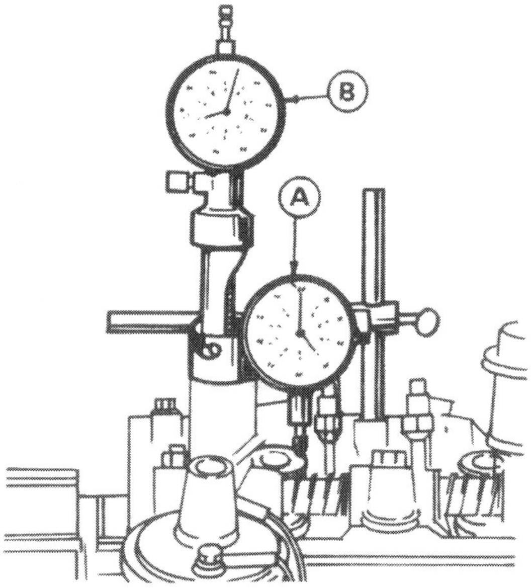

Bild 33
Zur Kontrolle der Ventilsteuerung beim Vierzylindermotor
A Meßuhr, Taststift auf den Ventilfederteller aufgesetzt
B Meßuhr mit Halterung 8.0126 zum Bestimmen des oberen Totpunktes

- Am Zylinderkopf einen Meßuhrhalter anbringen, wobei eine der Gewindebohrungen für die Kipphebelböcke so nahe wie möglich am Ventil zu verwenden ist.
- Meßuhr, wie in Bild 33 gezeigt, befestigen. Der Meßfinger sollte gegen den Ventilfederteller ansitzen.
- Das Spezialwerkzeug 8.0126 (siehe Bild 34) in die Öffnung für die Zündkerze einschrauben und eine Meßuhr in das Oberteil einsetzen (Meßuhr «B» in Bild 33) um den o.T. des Kolbens zu finden.

Bild 34
Spezialwerkzeug 8.0126 zum Bestimmen des oberen Totpunktes eines Kolbens

- Anzeige der Meßuhr auf Null stellen.
- Motor in Laufrichtung durchdrehen.
- Kolbenhub genau am Anfangspunkt der Öffnung des Einlaßventils an der Meßuhr «A» ablesen. Diesen Wert mit den Angaben der Ventilsteuerzeiten auf Seite 97 vergleichen.

Ausbau des Steuermechanismus

Da die Steuerung bei eingebautem Motor ausgebaut werden kann, sollen die Arbeiten hier dementsprechend beschrieben werden.

- Batterie abklemmen.
- Kühlanlage entleeren.

- Zündkerzen her ausschrauben.
- Falls der Zylinderkopf ausgebaut wurde, sind die Laufbüchsen mit den Halteschrauben zu befestigen.
- Kühler ausbauen.
- Lüfterriemenscheibe, Kurbelwellenriemenscheibe und das Steuergehäuse abschrauben. Um die Mutter der Riemenscheibe zu lösen, ist *bei Fahrzeugen mit Wechselgetriebe* ein Gang einzulegen und die Handbremse anzuziehen. *Bei Fahrzeugen mit Getriebeautomatik* das Schutzblech am Schwungradgehäuse abschrauben und einen Hebel in die Schwungradzähne einsetzen.

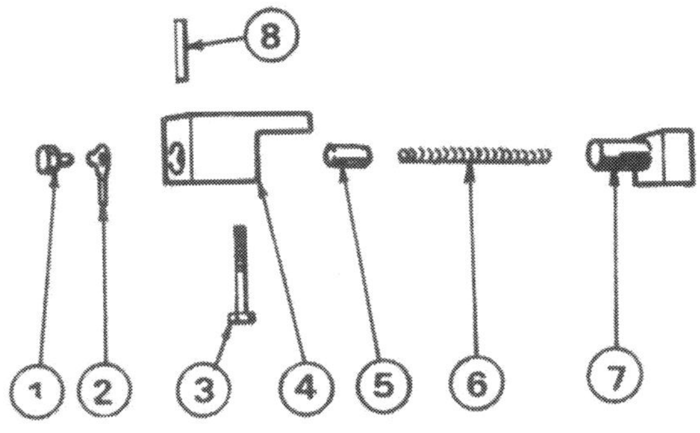

Bild 35
Ansicht eines zerlegten Kettenspanners

1 Schraube
2 Sicherungsblech
3 Befestigungsschraube
4 Spannergehäuse
5 Kolben
6 Feder
7 Gleitschuh
8 Filter

- Federwirkung des Kettenspanners durch Verriegelung des Gleitschuhs aufheben.
  — Bei Motoren XM, XM7 und XN1, die den in Bild 35 gezeigten Kettenspanner haben, die Verschlußschraube «1» entfernen und einen 3-mm-Imbußschlüssel in die freigelegte Öffnung und den Kolben «5» einsetzen. Schlüssel nach rechts drehen, um den Gleitschuh «7» von der Wirkung der «Feder» zu befreien. Danach den Kettenspanner vom Zylinderblock abschrauben.
  — Bei allen Einspritzmotoren ist entweder eine Halteklammer 0.0137 zu verwenden, oder man wickelt den Kettenspannergleitschuh mit einem Stück Schweißdraht zusammen. Bei einem eingebauten Sedis-Kettenspanner die Sperrklinke entsprechend verdrehen, bis der Spanner verriegelt ist. Filter aus der Öffnung nehmen und aufbewahren.

- Kurbelwelle so durchdrehen, daß die Keilnut in der Welle ungefähr waagrecht und von vorn gesehen auf der linken Seite liegt, um die Berührung der Ventile mit den Kolben während des Durchdrehens der Nockenwelle nach Ausbau der Steuerkette zu vermeiden.
- Nockenwellenkettenrad (drei Schrauben und Sicherungsblech) und die Steuerkette mit dem Kurbelwellenrad herunterziehen.
- Keil aus der Kurbelwelle nehmen.

Einbau und Einstellung der Steuerung

- Kurbelwellenkettenrad zusammen mit dem Keil und der Anlaufscheibe anbringen.
- Nockenwelle und Kurbelwelle durchdrehen, bis die Markierungen der beiden Kettenräder, an den Außenkanten stehend, in einer durch die beiden Wellen gezogenen Linie liegen.
- Steuerkette so über das Nockenwellenrad auflegen, daß die beiden oberen Kettenschlösser rechts und links vom gezeichneten Zahn liegen.

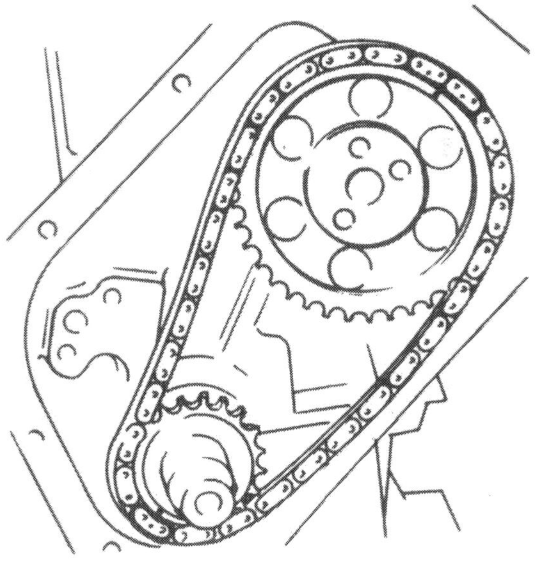

Bild 36
Ausrichtung der Steuerkette auf den Kettenrädern. An der Oberseite sitzen die beiden Kettenglieder über dem markierten Zahn des Nockenwellenrades. An der Unterseite sitzt das Kettenglied auf dem markierten Zahn.

- Die Teile am Kurbelwellenkettenrad anbringen, ohne daß die Stellung der Kette und des Nockenwellenrades geändert wird. Der untere Schluß der Kette muß über den gezeichneten Zahn kommen.

- Nochmals kontrollieren, daß Zahnmarkierungen und Kettenschlösser in einer durch die beiden Wellen gezogenen Linie liegen.
- Nockenwellenkettenrad mit einem neuen Sicherungsblech auf ein Drehmoment von 2,25 mkp anziehen und Blech umschlagen.
- Vor dem Einbau des Kettenspanners, in umgekehrter Reihenfolge für die betreffende Ausführung, den Filter reinigen und die Ölbohrung des Kettenspanners freimachen.

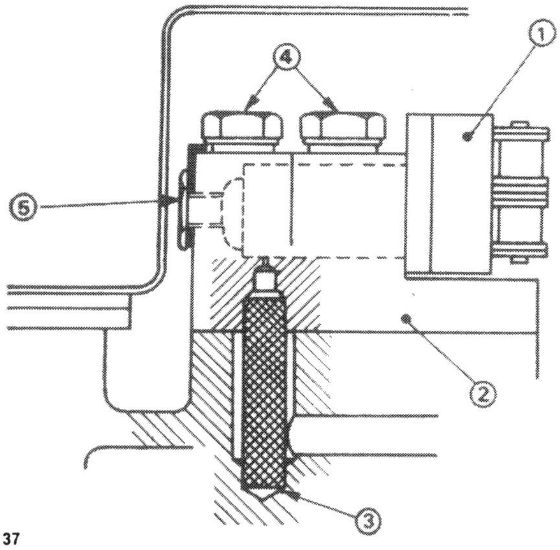

Bild 37
Schnitt durch den Kettenspanner
1 Gleitschuh
2 Kettenspannergehäuse
3 Filter
4 Befestigungsschrauben
5 Verschlußschraube

- Falls der Kettenspanner zerlegt wurde:
  - — Kolben und dessen Feder in den Gleitschuh («1» in Bild 37) einsetzen und den Kolben mit Hilfe des 3,0-mm-Imbußschlüssels anziehen, welcher nach rechts zu verdrehen ist.
  - — Gleitschuh in das Spannergehäuse «2» einschieben und auf Leichtgängigkeit kontrollieren.
  - — Filter «3» in die Ölbohrung einschieben.
  - — Spanner am Zylinderblock anschrauben.
  - — Schrauben «4» auf 0,75 mkp anziehen.
  - — Imbußschraube weiterhin nach rechts drehen, bis der Gleitschuh anliegt.
  - — Verschlußschraube mit einem neuen Sicherungsblech einschrauben.
- Steuergehäuse mit einer neuen Dichtung anbringen. Das Steuergehäuse muß über dem Ende der Kurbelwelle zentriert werden. Dazu steht die Führung 0.0128 zur Verfügung. Steuergehäuseschrauben auf 1,0 mkp anziehen.

> HINWEIS: Bei XM-Motoren sind zwei verschiedene Kurbelwellenriemenscheiben verwendet worden. Beim Bestellen einer neuen Scheibe deshalb die Höhe der Scheibe ausmessen (41,5 mm verglichen mit 45,4 mm). Die Scheiben lassen sich nicht untereinander austauschen.

- Kurbelwellenriemenscheibe aufstecken (Keil beachten) und die Mutter, mit dem Gewindeteil zur Riemenscheibe, auf ein Drehmoment von 17,0 mkp anziehen.
- Motor durch Einlegen eines Ganges (Wechselgetriebe) oder durch Gegenhalten am Schwungrad (Automatik) blockieren.
- Sicherungsblech umschlagen.
- Keilriemen anbringen und die Spannung einstellen.
- Kühler montieren und Kühlanlage auffüllen.
- Batterie anklemmen.
- Zeituhr einstellen.
- Zündung einstellen (wie später beschrieben).

Der 6-Zylinder-Motor

Ausbau des Motors

- Batterie abklemmen, ehe irgendwelche Arbeiten durchgeführt werden.
- Motorhaube ausbauen. Der Gelenkbolzen der Haubenbefestigungen ist dazu zu entfernen, ohne die eigentlichen Halterungen auszubauen.
- Im Motorraum den Luftmischer (das starke Rohr) und den darunterliegenden Schlauch abschließen.
- Warmluftschlauch entfernen.
- Luftfilter ausbauen.
- Kühlflüssigkeit ablassen. Dazu den Stopfen an der Unterseite des Kühlers (auf der Einfüllstutzenseite) und die beiden Ablaßstopfen am Zylinderblock herausdrehen. Ein Stopfen befindet sich über der Drehstromlichtma-

schine und der andere Stopfen oberhalb des Ölfilters. Um das Ablassen zu beschleunigen, kann der Verschlußdeckel des Ausgleichsbehälters abgenommen werden. Nicht den Kühlerverschlußdeckel abnehmen.

- Die Streben auf beiden Seiten des Kühlers abschrauben.
- Kühlerschläuche auf der Seite der Wasserpumpe abschließen.
- Ventilatorverkleidung und Kühler vollkommen ausbauen.
- Massekabel des Motors abklemmen (linke Seite).
- Steckverbindung des Impulsgeberkabels abziehen.
- Leitung vom Wärmekontaktschalter (in der Nähe des Lüfters) abklemmen.
- Schlauch des Bremskraftverstärkers motorseitig abziehen.
- Die beiden Leitungen der Kraftstoffpumpe abschließen.
- Batterie vollkommen ausbauen.
- Gasbetätigung am Vergaser abschließen.
- Unterdruckschlauch für die Zündverstellung abziehen.
- Heizungsschläuche vom Motor abschließen.
- Steckverbindung zwischen dem Kabelstrang zwischen Drehstromlichtmaschine und Anlasser trennen.
- Die oberen Befestigungsschrauben zwischen Kupplungsgehäuse und Motor lösen.
- Muttern lösen, die die vorderen Auspuffrohrflansche mit dem Krümmer verbinden.
- Befestigungsschrauben der Motoraufhängungen entfernen.
- Muttern der Lasche zwischen den beiden Rohren am Schalldämpfer lösen und ebenfalls die seitliche Befestigung entfernen.
- Schalldämpfer und Wärmeschutzblech ausbauen. Dazu ist ebenfalls die mittlere Halterung der Auspuffanlage zu lösen.
- Die Verschlußbleche des Kupplungsgehäuses abschrauben. Um an die Schrauben heranzukommen, sollte ein Kardangelenk mit einer Verlängerung und eine Knarre verwendet werden.
- Anlasser von der Unterseite des Fahrzeuges her ausbauen.
- Neben der Ölwanne befindet sich eine Befestigungslasche für die Rücklaufleitung der Servopumpe, die abgeschraubt werden muß.
- Vom Motorraum aus die Schraube des Spanngestänges für den Keilriemen der Lenkungsservopumpe lockern und die Befestigungsmutter des Spannbügels lösen.
- Die beiden Schrauben der Pumpe von der Halterung lösen, wobei die vordere Schraube in der Halterung verbleibt.
- Keilriemen abnehmen.
- Ein Seil um den Motor legen und an ein geeignetes Hebezeug anhängen.
- Motor anheben, bis das Getriebe in der Innenseite des Getriebetunnels anliegt und danach ca. 1 mm ablassen.
- Servolenkungspumpe vollkommen abnehmen und mit einem Stück Draht an geeigneter Stelle festbinden, ohne daß die Leitungen abgeschlossen werden.
- In der Innenseite des Fahrzeuges die Vordersitze zurückschieben und die Bodenteppiche und die schallisolierenden Beläge zurückschlagen.
- Von der Unterseite des Wagenbodens die Gewindestifte 8.1511 in die eingeschweißten Muttern so einschrauben, daß sie noch 90 mm herausstehen.
- Von der Wageninnenseite Unterlegscheiben auf die Stifte auflegen, je eine Mutter aufschrauben und eine zweite Mutter zum Kontern festdrehen.
- Die in Bild 38 gezeigte Halterung an den beiden Gewindestiften anschrauben.
- Muttern auf beiden Seiten gleichmäßig anziehen, bis die Halterung unter Spannung kommt.

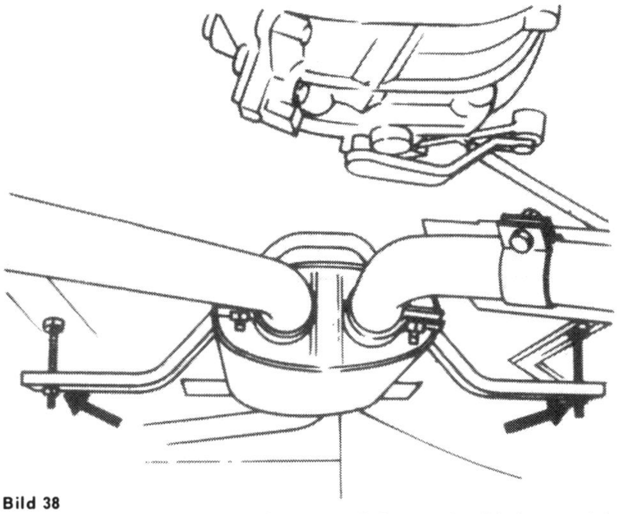

Bild 38
Die Halterung, wie gezeigt, anbringen und die mit den Pfeilen gezeichneten Muttern anziehen

- Klemmschraube der oberen Schelle der Gelenkscheibe der Lenkung entfernen oder die beiden Schrauben an der Unterseite herausdrehen.
- Die beiden hinteren Befestigungsschrauben des Vorderachsquerträgers durch Einschrauben der Spezialschrauben 8.1511 lösen und danach die Schrauben um ca. 3 cm herausdrehen, so daß sich der Querträger senken kann.
- Untere Befestigungsschrauben des Wechselgetriebes herausdrehen.
- Motor nach vorn herausheben. Darauf achten, daß die Schläuche der Servopumpe nicht am Motor hängen bleiben, während dieser herausgehoben wird.

> ACHTUNG: Die unteren Schrauben des Getriebes sind Imbußschrauben.

Einbau des Motors – Sechszylinder

Falls der Anlasser vom Motor abgebaut wurde, kann dieser vor dem Einbau des Motors wieder montiert werden. Dazu den Anlasser mit seiner hinteren Halterung befestigen. Die Schrauben aber nur mit der Hand anziehen. Das Verschlußblech über den Anlasser legen und leicht ankleben. «Dynadhere»-Klebmittel wird dazu verwendet, welches Sie bei Ihrem Peugeot-Händler erhalten. Batteriekabel und Kabelstrang mit den Schellen an der Seite des Motors befestigen.
Motor jetzt in den Flaschenzug einhängen und in den Motorraum senken. Einen Gang einlegen und den Motor so gegen das Getriebe drücken, daß die Keilverzahnungen der Kupplungswelle mit den Verzahnungen der Mitnehmerscheibe eingreifen. Als erstes die unteren Schrauben zwischen Motor und Getriebe einsetzen. Neue Federringe müssen verwendet werden. Die Halterung und die Gewindestifte können entfernt werden, nachdem der Motor wieder in seiner Einbaulage ruht. Die Schrauben an den Enden des Querträgers anziehen, bis der Querträger mit den Längsträgern in Verbindung steht. Danach der Reihe nach die beiden Spezialschrauben durch die Originalschrauben ersetzen, wobei jedoch neue Unterlegscheiben zu verwenden sind. Schrauben mit 4,25 mkp anziehen.
Die verbleibenden Arbeiten zum Einbau des Motors sind in umgekehrter Reihenfolge wie beim Ausbau durchzuführen. Die Lenkscheibenverbindung ist bei gelöster Klemmschraube mit 1,5 mkp oder bei gelösten Befestigungsschrauben des Flansches mit 2,0 mkp anzuziehen. Motoraufhängungsschrauben auf 3,5 mkp anziehen. Die oberen und unteren Schrauben zwischen Getriebe und Motor werden auf ein Anzugsdrehmoment von 4,0 mkp angezogen. Beim Befestigen des Anlassers neue Unterlegscheiben verwenden und die Kabelstranghalterung durch die obere Schraube befestigen. Diese Schraube sowie die untere Schraube mit 2,0 mkp anziehen. Die vier Schrauben der hinteren Halterung mit 1,3 mkp festziehen.

Zerlegen des Motors – Sechszylinder

- Die beiden Ablaßstopfen des Kühlwassers (am Ölfilter und der Drehstromlichtmaschine) herausdrehen.
- Ölwanne abschrauben.
- In der folgenden Reihenfolge Kupplung, Schwungrad, hinteren Öldichtringdeckel, Bügel für die Servopumpe, Lichtmaschine, Keilriemen und Öleinfüllstutzen abmontieren.
- Den Motor unbedingt so gut hinstellen, daß er nicht umfallen kann.
- Zündverteiler ausbauen.
- Alle Schläuche vom Motor entfernen.
- Ansaugkrümmer abmontieren und die sechs Gummidichtungen, die beiden aus sogenanntem «Celoron» hergestellten Platten und die Isolierplatte abnehmen.
- Wasserpumpe ausbauen. Dazu die Schlauchschellen an der Pumpe lösen und die Pumpe abschrauben (7 Schrauben). Das Schlauchstück am Ende der Pumpe freilegen und den Ansaugkrümmer zusammen mit der Pumpe herunterheben.
- Das Verbindungsrohr an der anderen Seite des Motors entfernen.
- Kraftstoffpumpe abschrauben und gerade vom Motor abziehen.

- Mutter der Kurbelwellenriemenscheibe abschrauben.
- Kurbelwelle so durchdrehen, daß die Keilnut nach oben steht.
- Riemenscheibe abziehen.
- Von der Steuerseite her den Impulsgeber ausbauen.
- Zylinderkopfhauben und Steuergehäusedeckel abschrauben.
- Unter Bezug auf Bild 39 die Zahnräder der Ölpumpe «1» und «2», den Abstandsring «3» und den Keil «4» entfernen.

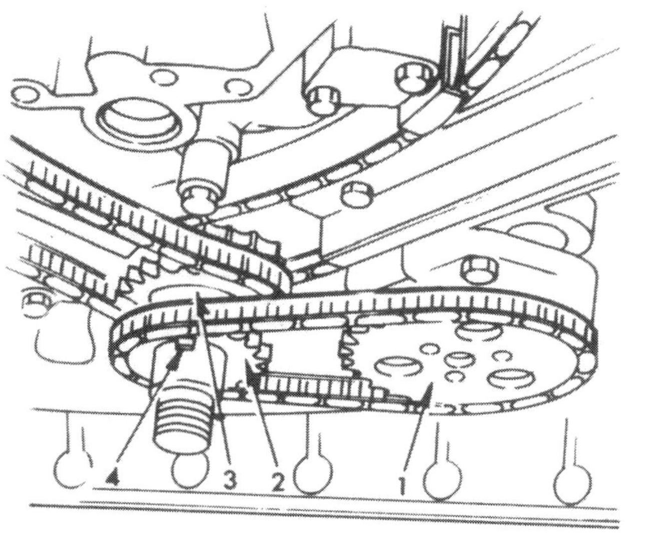

Bild 39
Ansicht des Kettenantriebs beim V6-Motor nach Abnahme des Steuerdeckels
1 Antriebsrad für Ölpumpe
2 Ölpumpenzahnrad
3 Abstandsring
4 Wellenkeil

- Ölpumpe abschrauben und nach vorn herausziehen.
- Die beiden Kettenspanner von beiden Seiten des Motors entspannen, indem die Rasten eingeschraubt werden.
- Schrauben der Nockenwellenräder lösen und die Steuerketten ausbauen, wobei zuerst die Kette auf der rechten Seite auszubauen ist. Falls die Steuerketten wieder verwendet werden sollen, sind sie vor dem Ausbau zu kennzeichnen.
- Kettenspanner, Gleitschuhe, Filter, Antriebsrad und Keil entfernen.
- Eine Zylinderreihe senkrecht ausrichten und die Kipphebelmechanismen ausbauen. Da die Kipphebelwellen gleich sind, müssen sie entsprechend ihrer Seite gekennzeichnet werden.
- Zylinderkopfschrauben gleichmäßig lösen und den Zylinderkopf abheben.
- Den anderen Zylinderkopf in der gleichen Weise abschrauben.
- Die Zylinderlaufbüchsen in ihrer Lage festklemmen, indem man Platten über die Zylinderblockfläche schraubt, die die Laufbüchsen halten können.
- Motor umkehren und von der Unterseite her die Ölwanne, das Filtersieb, das Wallungsblech, Befestigungsschrauben des unteren Gehäuses und die Muttern der Pleuellagerdeckel abschrauben.
- Der Reihe nach die Kolben und Pleuelstangen aus den Zylinderbohrungen schieben und sofort mit der Zylindernummer kennzeichnen. Um ein Beschädigen der Zylinderwandungen zu vermeiden, sollte ein Stück Plastikrohr von 10 mm ⌀ auf die Pleuelschrauben geschoben werden, während man die Pleuelstangen herausschiebt.
- Die Lagerschalen der Pleuellager sofort wieder mit dem dazugehörigen Pleuel zusammenbinden.
- Lagerdeckel der Kurbelwellenlager abschrauben.
- Die beiden Anlaufscheibenhälften aus dem hinteren Deckel entfernen.
- Kurbelwelle vorsichtig aus den Lagern heben.
- Die anderen Anlaufscheibenhälften aus dem Block nehmen.
- Lagerschalen entsprechend der Lagerzugehörigkeit kennzeichnen.

Falls die Kolben von den Pleuelstangen getrennt werden sollen, wird der Kolben unbrauchbar, da er im Preßsitz in der Pleuelaugenbüchse sitzt. Der Kolbenbolzen wird aus dem Pleuelauge ausgepreßt und muß beim Zusammenbau zusammen mit der Zylinderlaufbüchse erneuert werden.

Zusammenbau des Motors

Da zum Zusammenbau von Kolben und Pleuelstangen Spezialvorrichtungen erforderlich sind, soll hier nicht weiter auf die eigentlichen Montagearbeiten eingegangene werden. Am besten ist es vielleicht, wenn man die neuen Kolben mit den ursprünglichen Pleuelstangen in eine Peugeot-Werkstatt bringt und sie da montieren läßt.

Laufbüchsen

Beim Einbau der Zylinderlaufbüchsen ist das Überstehmaß der Büchsen über der Zylinderblockfläche auszumessen. Dieses Maß muß zwischen 0,16 und 0,23 mm liegen, sollte aber möglicherweise näher an 0,23 mm gebracht werden. Da es schwer ist, daß man den Meßblock auf die Zylinderblockfläche und die Laufbüchsenflansche aufsetzen kann, ist eine geschliffene Platte (Teil des Werkzeugsatzes 8.0132) zu verwenden, auf diese man danach den Meßblock, wie in Bild 40 gezeigt, aufsetzt. Die Meßuhr mit dem Stift durch die schlitzförmige Öffnung in der Platte auf den Laufbüchsenflansch aufsetzen und auf Null stellen. Die Messung an vier Stellen des Laufbüchsenflansches kontrollieren. Eine Abweichung von 0,02 mm darf nicht überschritten

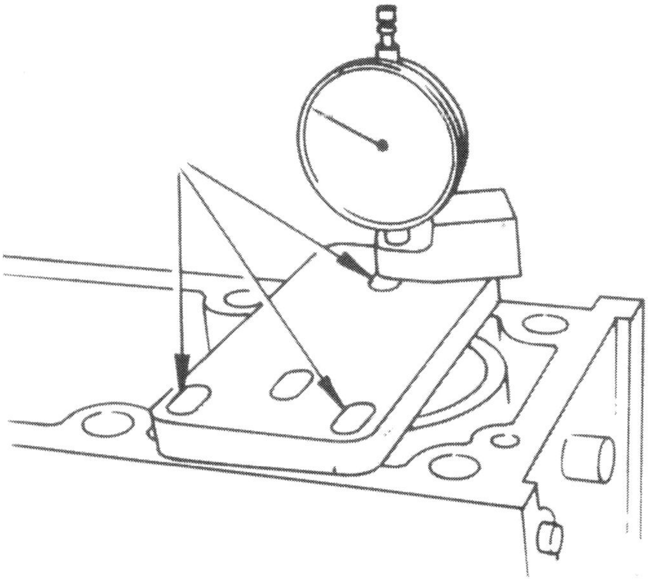

Bild 40
Zum Ausmessen des Vorstehmaßes der Laufbüchsen beim V6-Motor die gezeigte Platte auflegen und die Meßuhr durch die mit Pfeil gezeichneten Schlitze einführen

werden. Nacheinander jetzt das Überstehmaß der Laufbüchsen durch die Schlitze in der Meßplatte messen und die Meßwerte notieren. Der Unterschied zwischen den drei Messungen darf 0,05 mm nicht überschreiben. Vom größten gefundenen Maß den Meßwert von 0,23 mm abziehen, um die theoretische Stärke der Fußdichtung der Laufbüchse zu bestimmen. Sollte der größte Wert z. B. 0,10 mm betragen, ist dieser von 0,23 mm abzuziehen, ein Ergebnis von 0,13 mm. Dichtungen sind in vier verschiedenen Stärken erhältlich und an den Lappen mit Farbe gezeichnet:

Blaue Kennzeichnung	0,087 mm Stärke
Weiße Kennzeichnung	0,102 mm Stärke
Rote Kennzeichnung	0,122 mm Stärke
Gelbe Kennzeichnung	0,147 mm Stärke

Aus dem oben angeführten Beispiel kann man demnach entnehmen, daß eine Dichtung von 0,122 mm Stärke zu verwenden ist, d. h. die nächste zu 0,13 mm. Dichtring mit der Farbmarkierung nach oben weisend auf jede Laufbüchse legen, so daß die inneren Laschen in die Ringnute eingreifen. Laufbüchsen einsetzen und Dichtungen so anordnen, daß die Farblaschen sichtbar sind (siehe Bild 41).

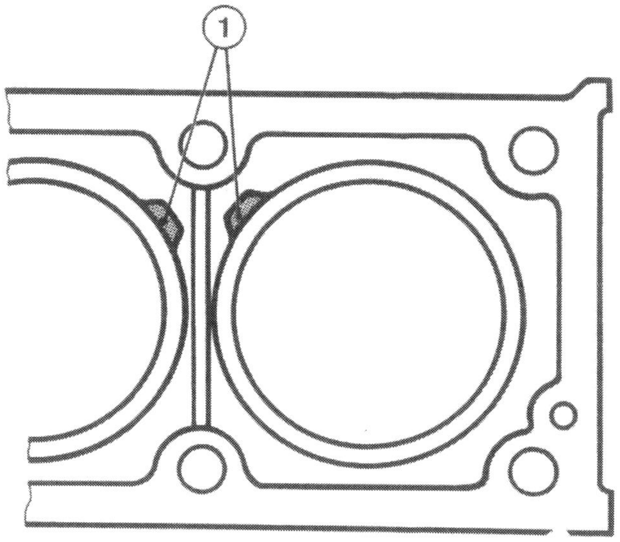

Bild 41
Anordnung der Farbkennzeichen der Dichtringe nach Einbau der Zylinderlaufbüchsen beim V6-Motor

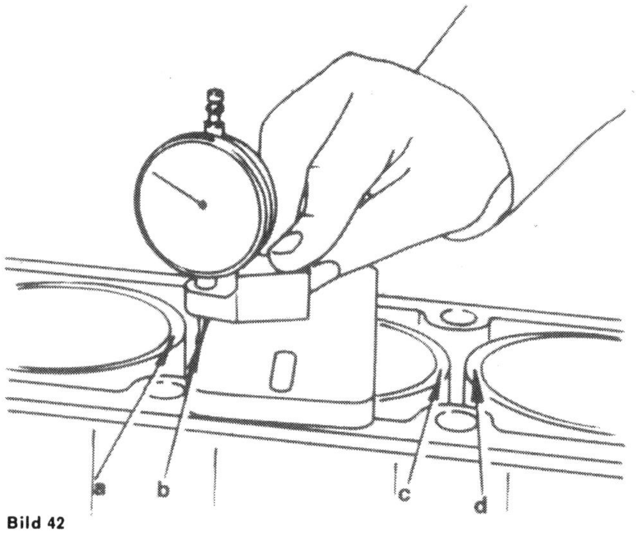

Bild 42
Ausmessen des Vorstehmaßes von zwei nebeneinanderliegenden Zylinderlaufbüchsen. Der Höhenunterschied zwischen den Punkten a und b und zwischen den Punkten c und d ist auszumessen

Nochmals die Überstehmaße der einzelnen Büchsen ausmessen und ebenfalls den Unterschied zwischen nebeneinanderliegenden Laufbüchsen ausmessen. Dieses Maß darf 0,04 mm nicht überschreiten. Nach vorschriftsmäßigem Einbau die Laufbüchsen und den Zylinderblock auf dem rechten Rand des Blocks mit der Zylindernummer markieren.

Kolbenringe

Kolbenringe an den Kolben so anbringen, daß die markierten Seiten zum Kolbenboden weisen. Den Ölabstreifring mit dem Stoß in einer Linie des Kolbenbolzens anordnen und die beiden anderen Ringstöße des Abstreifringes zwischen 20 bis 50 mm auf jeder Seite anordnen. Die Verdichtungsringe mit den Stößen um je 120° zum Stoß des Abstreifringes versetzen. Bild 43 zeigt einen Schnitt durch den Kolben mit Ansicht der Kolbenringe.

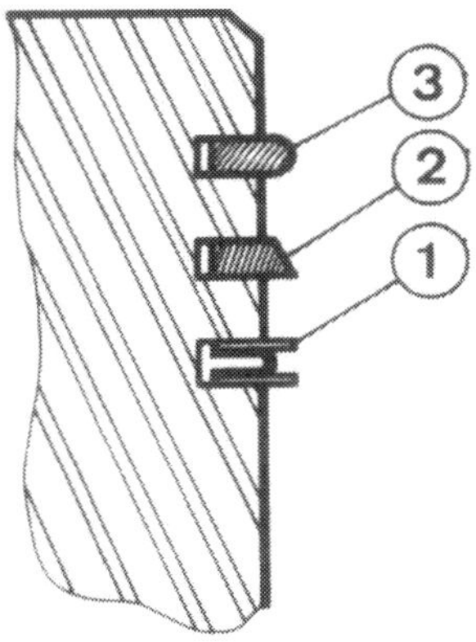

Bild 43
Schnitt durch den Kolben bei eingebauten Kolbenringen
1 Oberer Verdichtungsring
2 Zweiter Verdichtungsring
3 Ölabstreifring

Kolben und Laufbüchsen — Zusammenbau

Neue Kolben und Laufbüchsen sind auf Zusammengehörigkeit gekennzeichnet. In den Kolbenboden sind Buchstaben eingezeichnet, zu denen die folgenden Laufbüchsen gehören:

Markierung auf dem Kolben	Markierung der Laufbüchse
A	1 Fräsmarkierung
B	2 Fräsmarkierungen
C	3 Fräsmarkierungen

Zu beachten ist, daß bei einem Motor seine sechs Kolben/Laufbüchseneinheiten der gleichen Gruppe angehören. Der Kolben muß mit dem im Boden eingezeichneten Pfeil zur Vorderseite des Motors weisen.
Ein Kolbenringspannband um die Ringe legen und diese in die Nuten drücken. Die gut eingeölte Laufbüchse, wie im Bild 44 gezeigt, über den Kolben setzen, wobei der Pfeil «A» im Kolben und die Markierung «B» in der Laufbüchse ausgerichtet sein müssen. Das drunterstehende Bild zeigt einen falschen Zusammenbau. Laufbüchse beim Aufschieben nicht verdrehen. Alle Kolben auf diese Weise montieren.

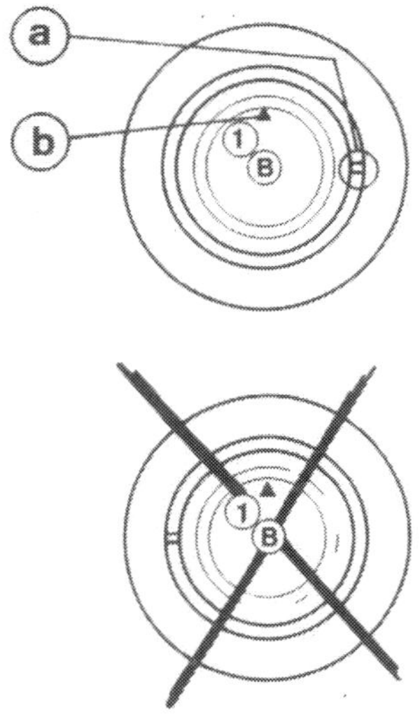

Bild 44
Das obere Bild zeigt die vorschriftsmäßige Anordnung von Laufbüchse und Kolben im Verhältnis zueinander. Das untere Bild zeigt, wie die Teile nicht zusammengesetzt werden sollten

Einbau der Kurbelwelle

Die Kurbellagerzapfen und Hauptlagerzapfen entsprechend den Angaben in den technischen Daten ausmessen. Beim Nachschleifen sind die Mindestdurchmesser zu beachten. Übergröße-Lagerschalen stehen in diesem Fall zur Verfügung.

- Lagerschalen in die Lagergrundbohrungen des Blocks einsetzen. Die Nasen dabei in die Vertiefungen eingreifen lassen. Schalen mit Schmiernuten gehören in den Block, Schalen ohne Nuten in die Lagerdeckel.
- Kurbelwelle vorsichtig in die Lager hineinheben und die Anlaufscheibenhälften am hinteren Lager einsetzen.
- Die Kupferseiten der anderen Anlaufscheibenhälften gegen die Bunde des Kurbelwellenlagers drücken.

- Deckel der Lager mit den Lagerschalen aufsetzen. Eine Zahl ist in den Deckel und daneben in den Block eingeschlagen, um den vorderen und hinteren Deckel auseinander zu halten.
- Um die Deckel anzuschrauben, sind Distanzstücke auf die vier Stiftschrauben aufzulegen. Muttern aufschrauben und mit 3,0 mkp festziehen, und dann wieder lösen.
- Meßuhr anbringen, um das Axialspiel auszumessen. Welle in eine Richtung schieben, Meßuhr auf Null stellen (Meßfinger gegen das Ende der Kurbelwelle angesetzt) und die Welle in die andere Richtung drücken. Die Anzeige ist das Axialspiel (0,07 bis 0,27 mm).
- Falls erforderlich, neue Anlaufscheibenhälften (4 Stück) mit Übergröße montieren, um das Spiel zu berichtigen.

Kolben/Laufbüchsen montieren

Der Reihe nach die Laufbüchsen mit den darin befindlichen Kolben in die Zylinderbohrungen einschieben. Kurze Plastikhülsen (10 mm ⌀) sind über die Pleuelschrauben zu schieben, damit die Wandungen nicht beschädigt werden. Lagerdeckel mit Schalen aufsetzen, aber kontrollieren, daß sich die Nummerierungen an Deckel und Pleuel gegenüberliegen. Abschließend Platten auf den Block aufschrauben, die die Laufbüchsen in ihrer Lage halten. Motor umkehren und die 12 Pleuelmuttern mit einem Anzugsdrehmoment von 4,75 mkp anziehen.

Montage des unteren Gehäuses

- Die vorher über dem vorderen und hinteren Lagerdeckel aufgelegten Abstandsstücke entfernen.
- Die Deckel Nr. 2 und 3 mit der Gußnase in Richtung Steuerseite aufsetzen. Darauf achten, daß die Kennzahlen auf der gleichen Seite liegen und übereinstimmen.
- Einen neuen «O»-Dichtring in die Zentriermuffe neben dem vorderen Deckel einsetzen.
- Die Montagefläche des Gehäuses mit «Rhodorsil CAF 33» versehen, das Gehäuse vorsichtig aufsetzen und alle Schrauben fingerfest anziehen. Die äußeren 12 Befestigungsschrauben mit neuen Unterlegscheiben versehen.
- Das Gehäuse wird jetzt in der in Bild 45 gezeigten Reihenfolge auf 3,0 mkp angezogen.

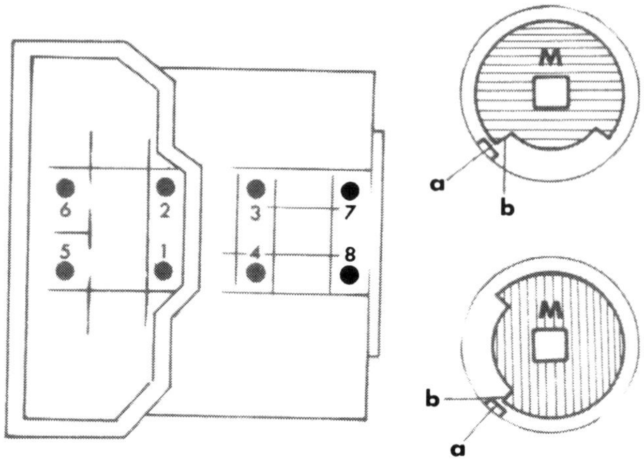

Bild 45
Anzugsreihenfolge des unteren Gehäuses beim V6-Motor

- Mit der Mutter Nr. 1 beginnen und unter Bezug auf Bild 45 mit einem Filzstift eine Markierung «a» in Höhe der Markierung «b» der Stecknuß «M» einzeichnen.
- Mutter weiterhin anziehen, bis sich die beiden Markierungen auf der gleichen Höhe befinden.
- Alle anderen Lagerdeckelmuttern in gleicher Weise anziehen und die äußeren Schrauben mit einem Anzugsdrehmoment von 1,75 mkp anziehen.
- Ölsieb und Blech montieren (1,3 mkp).
- Ölwanne mit einer neuen Korkdichtung anbringen und die Schrauben mit 1,3 mkp anziehen.
- Ölablaßstopfen einschrauben (3,75 mkp).

Einbau der Zylinderköpfe

- Kurbelwelle so durchdrehen, daß die Keilnut nach oben steht.
- Nockenwelle so durchdrehen, daß der Kipphebel des Zylinders Nr. 1 in Kippstellung steht.
- Einen Dorn von 3 mm Durchmesser in die beiden Löcher unterhalb der Zentrierbüchsen einsetzen.
- Zentrierbüchsen bis zur Auflage auf den Dornen aufschlagen.

- Die linke Zylinderkopfdichtung trocken auflegen.
- Zylinderkopf mit dem Kipphebelmechanismus aufsetzen.
- Dorne herausziehen.
- Zylinderkopfschrauben einölen und einschrauben und in der im Bild 46 gezeigten Reihenfolge auf ein Drehmoment von 6,0 mkp anziehen. Zum vorschriftsmäßigen Anziehen ist jetzt wieder der Spezialschlüssel PN50 erforderlich.

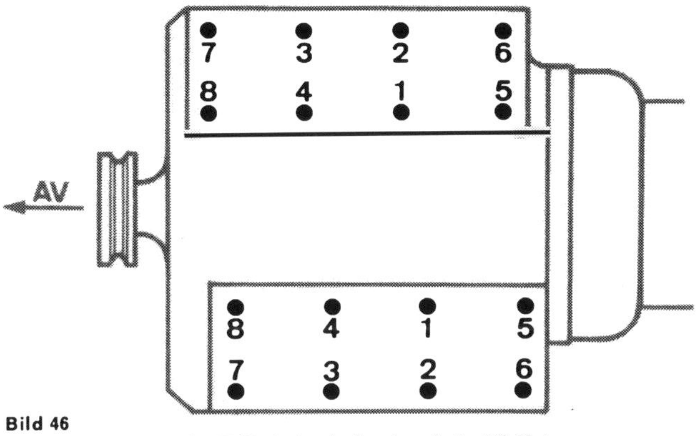

Bild 46
Anzugsreihenfolge der Zylinderkopfschrauben beim V6-Motor

- Schraube Nr. 1 vollkommen lösen und wieder auf 2,0 mkp anziehen. Die Magnetmarkierung am Schlüssel mit der Markierung an der Stecknuß auf eine Höhe bringen und danach die Schraube anziehen, bis die zweite Markierung an der Stecknuß mit der Magnetmarkierung am Schlüssel übereinstimmt.
- Alle Zylinderkopfschrauben in der Anzugsreihenfolge in der gleichen Weise anziehen.

Vor dem Einbau des rechten Zylinderkopfes die Stellung der Kurbelwelle überprüfen. Der Kolben des Zylinders Nr. 4 muß sich 15 mm nach dem oberen Totpunkt befinden. Dieses Maß mit einer Tiefenlehre ausmessen. Nockenwelle so durchdrehen, daß die Kipphebel des Zylinders Nr. 6 wechseln und danach den Kopf in gleicher Weise wie beim linken Kopf montieren.

Einbau der Steuerung

- Die beiden Filter auf der linken und rechten Seite des Motors einschieben.
- Die beiden Kettenspanner montieren.
- Die Spannschieber der Kette montieren (Schrauben mit Loctite einsetzen) und mit einem Anzugsdrehmoment von 1,3 mkp anziehen.
- Kettenführungen einbauen und mit 0,8 mkp anziehen.
- Keil in die Kurbelwelle einsetzen.
- Kurbelwellensteuerrad so aufschieben, daß die Markierung nach außen steht.

Als nächstes wird die Steuerung eingestellt, wobei zuerst mit der linken Seite begonnen wird:

- Kurbelwelle nach rechts drehen, bis die Keilnut in der Achslinie der linken Zylinderreihe liegt.
- Steuerkette auf das linke Nockenwellenrad so auflegen, daß die beiden Markierungen an der Welle genau über der Markierung am Nockenwellenkettenrad liegt (siehe Bild 47).

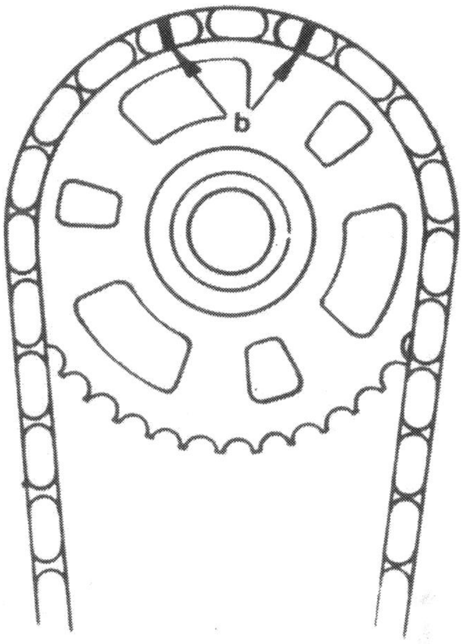

Bild 47
Die vorschriftsmäßige Auflegung der Steuerkette auf das Nockenwellenkettenrad. Die beiden markierten Kettenglieder sitzen rechts und links vom gezeichneten Zahn

- Steuerkette mit dem eingesetzten Nockenwellenrad so über das Kurbelwellenrad legen, daß das Kettenglied an der Unterseite der Kette in einer Linie mit der Markierung am Kurbelwellenkettenrad liegt.
- Nockenwellenrad festziehen (7,5 mkp).

Zur Einstellung der rechten Seite:

- Kurbelwelle durchdrehen, bis die Markierung des Kurbelwellenrades in einer Flucht mit einer durch die untere Gewindebohrung der Ölpumpe gezogenen Linie liegt.
- Kette so auf das rechte Nockenwellenrad auflegen, daß sie wieder, wie in Bild 47 gezeigt, ausgerichtet ist.
- Kette jetzt so über das Kurbelwellenrad legen, daß das Kettenglied mit der Markierung am Kurbelwellenrad ausgerichtet ist.

- Nockenwellenrad in dieser Stellung mit 7,5 mkp anziehen.
- Die beiden Kettenspanner zum Spannen zurücklassen.
- Abstandsring, Wellenkeil und das vordere Zahnrad auf die Kurbelwelle schieben.

Einbau der Ölpumpe und des Steuerdeckels

- Ölpumpe mit den 4 Schrauben montieren und mit 1,3 mkp anziehen.
- Antriebskette über das Kurbelwellenende legen.
- Ölpumpenkettenrad am Pumpenflansch anschrauben (3 Schrauben, 0,6 mkp).
- Neue Dichtungen auf den Zylinderblock auflegen und den Steuerdeckel anschrauben (1,3 mkp).
- Einen neuen Dichtring für die Riemenscheibe vorsichtig einschlagen.
- Gewinde der Kurbelwelle mit «Loctite» versehen.
- Riemenscheibenmutter mit einem Drehmoment von 17 mkp anziehen.

Als nächstes ist die Skalenplatte für die Zündeinstellung einzustellen.

- Motor durchdrehen, bis die Markierung des Nockenwellenrades in der rechten Öffnung (von vorn gesehen) erscheint.

Bild 48
Beim Einstellen der Skalenplatte die «0» gegenüber der Kerbe in der Riemenscheibe bringen

- Stopfen aus der Mitte des Motors herausschrauben.
- Den Zündeinstellstab 8.0136 in die Öffnung einführen und kontrollieren, daß er auf dem Gegengewicht aufliegt.
- Kurbelwelle langsam durchdrehen, bis der Stab in die Kerbe hineinfällt. In diesem Moment muß sich die Markierung der Riemenscheibe in einer Linie mit der Markierung «0» der Skalenplatte befinden. Bild 48 zeigt die Einstellung.

Einstellen der Ventile

- Kolben des ersten Zylinders so auf o.T. bringen, daß die Markierung in der Öffnung auf der rechten Seite des Motors (von vorn gesehen) in einer Linie liegt. Kerbe der Riemenscheibe muß mit der «0» an der Skalenplatte fluchten.
- In dieser Stellung folgende Ventile einstellen:
  - Auslaß 1
  - Einlaß 1
  - Einlaß 2
  - Auslaß 3
  - Einlaß 4
  - Auslaß 6
- Kurbelwelle durchdrehen, bis die Ventile des ersten Zylinders wechseln, d. h. um eine Umdrehung und die folgenden Ventile einstellen:
  - Auslaß 2
  - Einlaß 3
  - Auslaß 4
  - Einlaß 5
  - Auslaß 5
  - Einlaß 6
- Auslaßventile auf 0,25 mm und Einlaßventile auf 0,10 mm einstellen.

Verbleibende Arbeiten

Alle verbleibenden Arbeiten sind in umgekehrter Reihenfolge wie beim Zerlegen durchzuführen. Der Einbau des Zündverteilers, Einstellung des Impulsgebers und die Einstellung der Zündung werden im Abschnitt «Zündanlage» beschrieben.

Die Zündanlage

Die Zündanlage aller 504-Ausführungen arbeitet mit Batteriestrom. Der Zündverteiler kann entweder von Ducellier oder von SEV-Marchal hergestellt sein.
Die Spannung der Batterie wird durch die Zündspule den Unterbrecherkontakten im Verteiler zugeführt und wird innerhalb der Zündspule in die für die Zündkerzen erforderliche Hochspannung umgeformt. Das mittlere Hochspannungskabel der Zündspule ist mit dem mittleren Anschluß des Zündverteilers verbunden und der Strom wird durch den Verteilerläufer, der sich der Reihe nach über die vier (oder sechs) Segmente in der Verteilerkappe bewegt, durch die Hochspannungskabel der betreffenden Zündkerze zugeführt.
Der Zündverteiler enthält einen Kondensator, welcher einen wesentlichen Teil der Zündanlage bildet. Der Zündverteiler selbst ist mit einer Unterdruck- und Fliehkraftverstellung ausgerüstet (es soll jedoch erwähnt werden, daß für die U.S.A. bestimmte Motoren einen Zündverteiler ohne Unterdruckverstellung haben). Die Fliehkraftverstellung arbeitet mit Hilfe von Fliehgewichten, die sich beim Schnellerdrehen des Motors nach außen bewegen. Dadurch wird der Nocken des Zündverteilers so verdreht, daß die Unterbrecherkontakte sich früher öffnen, als dies normalerweise der Fall sein würde.
Die Unterdruckverstellung arbeitet durch den Unterdruck im Vergaser. Eine Membrane innerhalb der Unterdruckdose ist mit der Kontaktgrundplatte verbunden, die entsprechend des vorhandenen Unterdrucks verstellt wird. Die Unterdruckverstellung ist von der Belastung des Motors abhängig.
Es ist daran zu denken, daß der Unterbrecherkontaktabstand den Zündzeitpunkt direkt beeinflußt und aus diesem Grund immer auf dem vorgeschriebenen Wert zu halten ist. Ein Schließwinkelmesser ist das genaueste Gerät zum Ausmessen des Kontaktabstandes und Schließwinkels.
Bei V6-Motoren ist ein sogenannter Impulsgeber eingebaut, welcher sich, von vorn gesehen, auf der rechten Seite des Motors befindet und über einen elektronischen Anschluß den genauen Zündzeitpunkt angibt.

Die Zündspule

Die Zündspule besteht aus dem Eisenkern mit der Primärwicklung (wenige Wicklungen — starker Draht) und der Sekundärwicklung (viele Wicklungen — dünner Draht). Der Eisenkern ist von Vergußmasse umhüllt. Das Gehäuse besteht aus Stahlblech. Defekte Zündspulen müssen ausgewechselt werden, da es praktisch keine Reparaturmöglichkeiten gibt. Außer Sauber- und Trockenhaltung der Isolierkappe, um Überschläge und Kriechströme zu vermeiden, bedarf die Zündspule keiner Wartung. Bei schlechtem Anspringen oder unregelmäßigem Gang und Leistungsabfall ist die betriebswarme Zündspule in einem Prüfstand oder am Motor auf Gangbarkeit zu prüfen. Nachdem die Kontrolle ergeben hat, daß Stromzuführung und Zündverteiler in Ordnung sind, zieht man das mittlere Kabel aus dem Verteilerkopf und hält es um 8 bis 10 mm von Masse entfernt. Bei eingeschalteter Zündung muß beim Starten ein Funke vom Kabelende zur Masse überspringen. Zeigt sich kein Funke, ist der Kondensator zu prüfen oder die Zündspule durch eine neue zu ersetzen.

Der Zündverteiler

Der Zündverteiler hat dafür zu sorgen, daß der Zündstrom in der richtigen Folge, d. h. in der Zündfolge und im richtigen Augenblick (Zündzeitpunkt) an die richtige Zündkerze geleitet wird. Der Verteiler enthält den Unterbrechersatz mit Kondensator, den Fliehgewichtmechanismus und den Unterdruckversteller.

Wartung des Zündverteilers

Die durch den Nocken betätigten Kontakte unterbrechen den von der Batterie an die Zündspule gelieferten Primärstrom, wenn die Kerzen zünden sollen. In der Sekundärwicklung der Zündspule entsteht ein hochgespannter Strom, der über den Verteiler an die Zündkerzen geleitet wird. Verschmorte Kontakte entstehen durch die Wanderung der Kontaktstoffe vom Plus- zum Minuskontakt. Diese Krater und Höcker sind mittels Ölstein zu glätten. Es ist zu beachten, daß die Kontaktflächen eben sind und im geschlossenen Zustand parallel miteinander liegen. Nach dem Glätten der Kontaktflächen ist der Verteiler gut auszublasen. Das Gleitstück am Unterbrecherhebel ist mit Mehrzweckfett vorsichtig mit Hilfe eines Holzspanes zu schmieren. Es darf auf keinen Fall Fett auf die Unterbrecherkontakte gebracht werden. Der Finger des Verteilerläufers und die vier Messingsegmente unterliegen durch den Funkenüberschlag einer gewissen Abnutzung. Es kann sowohl das Isoliermaterial des Läufers wie des Verteilerkopfes durchschlagen. In diesem Fall muß der defekte Teil ausgewechselt werden. Ein verschmutzter Verteilerkopf begünstigt Kriechströme und verhindert das Überspringen des Funkens, so daß der Kopf innen und außen sauber gehalten wird.

Vor dem Aufsetzen des Verteilerkopfes sind Druckfeder und Schleifkohle zu kontrollieren. Anlageflächen der Schleifkohle und den Verteilerläufer glätten. Bei Erneuerung von Teilen des Zündverteilers immer anhand des Ersatzteilkataloges die Nummer des eingebauten Verteilers feststellen.

Einstellen der Unterbrecherkontakte

- Federklammern des Verteilerdeckels zurückschnappen und den Deckel herunternehmen.
- Verteilerläufer abziehen.
- Verteilerwelle durch Drehen des Motors verdrehen, bis einer der Nocken den Unterbrecherhebel vollkommen abhebt.
- Befestigungsschraube des feststehenden Kontaktes lösen.
- Bolzen («1» in Bild 49) verstellen, bis der Kontaktabstand ca. 0,40 mm beträgt. Bei eingebauter Marchal-Zündkontaktkassete beträgt dieser Abstand 0,30 mm.

> ACHTUNG: Die angeführte Beschreibung gilt nur für Vierzylindermotoren. Sechszylindermotoren werden, wie später beschrieben, eingestellt.

Auswechseln der Unterbrecherkontakte

Sind die Kontakte durch Abbrand (Kontaktwanderung) zu stark verschmort, müssen sie ersetzt werden. Selbst bei dem vorhin unter der Wartung des Zündverteilers erwähntem Glätten der Kontakte mit Hilfe eines Ölsteins kann es besser sein, wenn man neue Kontakte einbaut, da diese evtl. billiger sind, als die zum Ausbau, Glätten und Einbau notwendige Arbeitszeit.

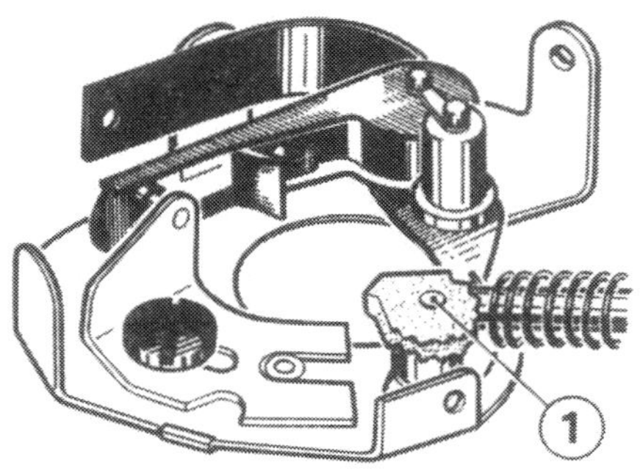

Bild 49
Ansicht der Unterbrecherkontakte. Der Abstand wird mit dem Exzenterbolzen (1) verstellt

- Verteilerdeckel abnehmen.
- Läufer herunterziehen.
- Leitung von der Klemme des Zündverteilers abschließen.
- Die Befestigungsspange vom Lagerbolzen des Unterbrechers entfernen.
- Unterlegscheibe abnehmen.
- Unterbrecherfeder und Isolierbüchse und den Unterbrecherhebel abnehmen.
- Befestigungsschraube des Festkontaktes lösen und den Festkontakt herunternehmen.

Die neuen Kontakte in umgekehrter Reihenfolge wie beim Ausbau wieder einbauen. Überzeugen, daß die Isolierscheiben an der Klemme wieder angebracht wurden, um Kurzschlüsse zu vermeiden. Unterbrecherabstand, wie bereits beschrieben, und den Zündzeitpunkt (siehe Seite 35) einstellen.

> ACHTUNG: Bei Zündkontaktkassette wird die gesamte Kassette als Ganzteil aus- und eingebaut.

Aus- und Einbau des Zündverteilers

- Unterdruckleitung vom Zündverteiler abziehen.
- Kabel von der Seite des Verteilers abklemmen.
- Verteilerdeckel und Verteilerläufer entfernen.

- Klemmschraube des Verteilers lockern.
- Verteiler herausziehen.

Der Einbau geschieht in umgekehrter Reihenfolge wie der Ausbau. Falls der Motor in der Zwischenzeit durchgedreht wurde, ist er auf den Zündzeitpunkt zu stellen.

- Zündeinstellstab in die in Bild 50 gezeigte Stellung und die Kerbe der Riemenscheibe in eine Höhe mit der Null auf der Skalenplatte bringen.

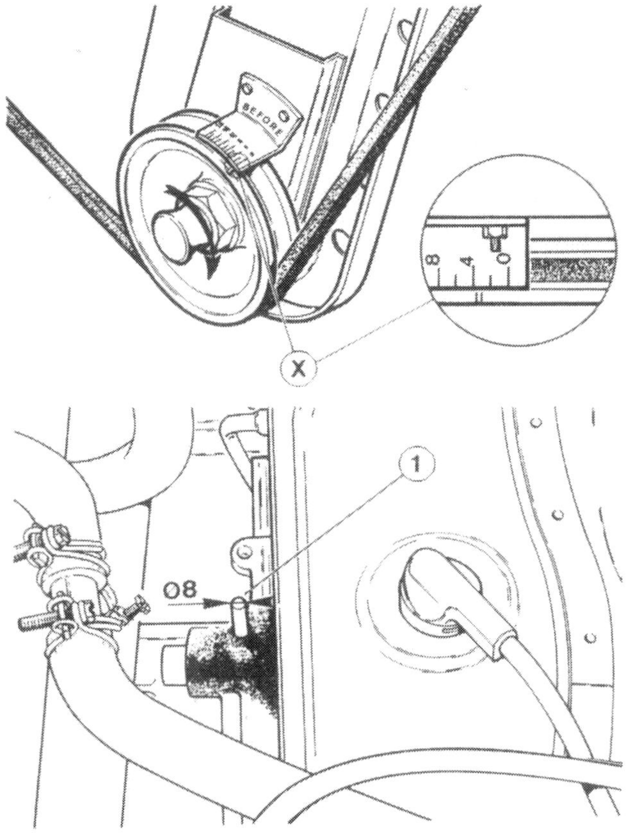

Bild 50
Bei der statischen Zündeinstellung die Kerbe in der Riemenscheibe auf die Zündeinstellmarkierung der Skala ausrichten oder den Zündzeitpunkt mit dem eingesetzten Stab ermitteln

- Zündverteiler einsetzen.
  — *Beim 4-Zylinder-Vergasermotor* den Verteiler so einführen, daß die Unterdruckdose ungefähr in einer Linie mit der Zündspule liegt.
  — *Beim 4-Zylinder-Einspritzmotor* muß die Unterdruckdose schräg zur linken Einspritzleitung weisen.
  — *Beim 6-Zylinder-Motor* die Kurbelwelle durchdrehen, bis die Markierung des rechten Nockenwellenrades in der Öffnung des Impulsgebers erscheint und die Kerbe der Riemenscheibe in eine Linie mit der «0»-Markierung an der Skalenplatte liegt. Eine neue Dichtung auf den Verteilerbund auflegen und den Verteiler so einsetzen, daß die Markierung in der Mitte des Verteilerfingers in der Mitte zwischen den Markierungen des Verteilergehäuses liegt. Falls dies bei eingesetztem Verteiler nicht der Fall ist, das Antriebsritzel um ein oder zwei Zähne verdrehen und Verteiler erneut in Eingriff bringen. Auf keinen Fall darf sich die Markierung in der Mitte des Verteilerfingers nach links versetzt hinter der Markierung am Rand des Verteilergehäuses befinden.
- Zündung mit einer Lichtblitzlampe einstellen.

Einstellen des Zündzeitpunktes

Vierzylindermotor:

- Bei richtig eingestelltem Unterbrecherabstand einen Stab vorn 8 mm Durchmesser in die Öffnung auf der rechten Seite des Kupplungsgehäuses einschieben.
- Motor durchdrehen (mit der Hand), bis der Stab in die entsprechende Vertiefung des Schwungrades hineinfällt.
- Kontrollieren, ob der Verteilerfinger auf den ersten oder vierten Zylinder weist.
- Eine Prüflampe an der Klemme des Verteilers und an einem guten Massepunkt anschließen.
- Zündung einschalten.
- Verteiler langsam nach rechts verdrehen, bis die Lampe soeben aufleuchtet.
- Verteiler in dieser Stellung festziehen.
- Stab aus der Bohrung ziehen.
- Motor um zwei Umdrehungen durchdrehen.
- Stab wieder einsetzen. In dem Moment, wo der Stab in die Vertiefung im Schwungrad fällt, sollte die Lampe aufleuchten, was auf die vorschriftsmäßige Einstellung hinweist.

Falls eine Lichtblitzlampe zur Verfügung steht:

- Schlauch von der Unterdruckdose abziehen und die Bohrung verschließen.
- Lichtblitzlampe anschließen.
- Drehzahlmesser anschließen.
- Motor anlassen und mit einem Leerlauf von 850 U/min laufen lassen.
- Falls der Motor mit einer Skalenplatte an der

Riemenscheibe versehen ist, den Blitz der Lampe auf die Platte richten. Die Kerbe der Riemenscheibe sollte bei Motoren XN1 und XN2 der 5°-Markierung auf der Platte gegenüberstehen, oder beim Motor XM7 der 10°-Markierung. Falls der Motor keine Skalenplatte besitzt, ist der Lichtstrahl in die 8-mm-Öffnung im Kupplungsgehäuse zu richten. Bei richtig eingestellter Zündung erscheint die Kerbe im Schwungrad. Falls Verstellungen notwendig sind, ist der Verteiler in die entsprechende Richtung zu verdrehen.

- Verteiler festziehen und Einstellung erneut kontrollieren.

Sechszylindermotor

Um die Zündung bei diesem Motor gewissenhaft einzustellen, sind eine Reihe von Arbeiten erforderlich:

- Impulsgeber in der rechten Bank des Motors einstellen.
  - Luftfilter und die linke Zylinderkopfhaube ausbauen.
  - Eine Fühlerlehre von 0,55 bis 0,60 mm zwischen den Impulsgeber und dem Kettenrad einschieben, wie es in Bild 51 gezeigt ist, um den Spalt auszumessen.
  - Falls erforderlich, die Klemmschraube lösen und den Impulsgeber fest gegen die eingeschobene Fühlerlehre dieser Stärke drücken.
  - Schraube wieder festziehen.

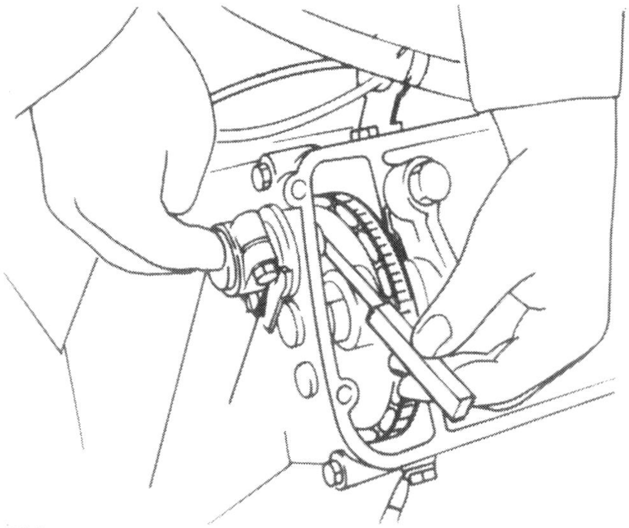

Bild 51
Einstellen des Spalts zwischen Impulsgeber und Nockenwellenkettenrad beim V6-Motor

- Zur Kontrolle der Zündverstellung bei laufendem Motor eine Lichtblitzlampe an das Zündkabel des Zylinders Nr. 1 oder 6 anschließen.
- Motor mit 950 U/min laufen lassen. Der Unterdruckschlauch muß abgezogen sein, und der Motor muß seine Betriebstemperatur haben.
- Lichtblitzlampe auf die Riemenscheibe richten und kontrollieren, ob die Kerbe in der Scheibe der 10°-Markierung an der Skalenplatte gegenübersteht.
- Falls dies nicht der Fall ist und vorausgesetzt, daß der Zündgerteiler einwandfrei eingebaut ist, die Klemmschraube des Impulsgebers lockern und den Impulsgeber in der entsprechenden Richtung verdrehen. Der Zündverteiler selbst wird nicht verstellt.

Prüfen des Fliehkraftmechanismuses

Die Funktion des Fliehkraftmechanismusses kann kontrolliert werden, indem man den Verteilerläufer mit der Hand verdreht. Beim Loslassen des Läufers muß dieser automatisch in die Ausgangsstellung zurückkehren. Falls dies nicht der Fall ist, sind die Fliehgewichte verschmutzt oder die Rückholfedern zu schwach. Falls die erforderlichen Geräte zur Verfügung stehen, kann die Verstellung folgendermaßen ausgemessen werden:

- Eine Lichtblitzlampe am Motor anschließen (entsprechend der Anweisungen des Herstellers).
- Unterdruckschlauch vom Vergaser abziehen.
- Motor anlassen und im Leerlauf laufen lassen.
- Lichtstrahl der Lampe auf die Markierung an der Kurbelwellenriemenscheibe richten, die genaue Ausfluchtung der Markierung an der Skalenplatte einprägen und den Motor beschleunigen.
- Die Markierung an der Riemenscheibe sollte «wandern».

Prüfen der Unterdruckverstellung

Die Unterdruckverstellung kann ebenfalls mit der Lichtblitzlampe kontrolliert werden, nachdem der Fliehkraftmechanismus, wie vorhin beschrieben, überprüft wurde. Zur Kontrolle als erstes bei laufendem Motor den Schlauch vom Anschluß des Verteilers abziehen. Motor leicht beschleunigen und den Schlauch wieder aufstecken. Die Motordrehzahl sollte sich wahrnehmbar erhöhen. Falls keine Erhöhung stattfindet, könnte es sein, daß die Unterdruckplatte festhängt oder eine Leckstelle in der Unterdruckleitung oder in der Unterdruckdose vorliegt.

Einstellen des Schließwinkels

- Verteilerdeckel abnehmen.
- Läufer herunterziehen.
- Unterbrecherabstand, wie bereits beschrieben, einstellen.
- Einen Schließwinkelmesser anschließen und den Schließwinkel auf $63 \pm 3^\circ$ einstellen. Der Unterbrecherabstand ist zu verstellen, um den Schließwinkel zu berichtigen. Ist der Schließwinkel zu groß, den Unterbrecherabstand kleiner stellen. Ist der Schließwinkel zu klein, den Unterbrecherabstand größer stellen. Der Abstand darf jedoch nicht zu klein eingestellt werden.
- Motor nochmals laufen lassen und kontrollieren, daß die Abweichung nicht mehr als 3° beträgt.
- Abschließend immer den Zündzeitpunkt nachkontrollieren, da dieser durch Verstellung des Kontaktabstandes sich verändert.

Zündkerzen

Die folgenden Zündkerzen werden bei den verschiedenen Motorentypen verwendet:

— Motoren XM und XM7:
Marchal 35 HS, AC 44XL, Champion N9Y
— Motor XN1:
Marchal 35 HS, AC 44 XL, Champion N7Y
— Motor XM. KF.6:
Marchal GT 34 HD, Champion N6Y
— Motoren XM.KF5 und XN2:
Marchal GT 34 HD, AC 42 XL, Champion N6Y
— Sechszylindermotor:
Champion BN9Y

Der Elektrodenabstand aller Zündkerzen beträgt 0,6 mm.

Die Motorschmierung

Die Schmierung des beweglichen Teiles des Motors geschieht mit Hilfe einer Zahnradpumpe, die bei den Vierzylindermotoren über eine Welle von der Nockenwelle und bei Sechszylindermotoren über einer Kette von einem Kettenrad auf der Kurbelwelle aus angetrieben wird.

Die Ölpumpe

Beim Vierzylindermotor befindet sich die Ölpumpe im Unterteil des Kurbelgehäuses und wird durch drei Schrauben gehalten. Beim Sechszylindermotor befindet sich die Pumpe an der Unterseite der Stirnseite des Motors und wird ebenfalls durch Schrauben gehalten. Der Ausbau und Einbau beider Ölpumpenausführungen wurde bereits bei der Zerlegung des Motors (Seite 6 + 26) beschrieben und soll hier nicht noch einmal erwähnt werden. Beim Sechszylindermotor kann die Pumpe nach Ausbau des Steuerdeckels und beim Vierzylindermotor nach Abnahme der Ölwanne ausgebaut werden.

Ölfilter

Das von der Ölpumpe geförderte Öl läuft durch einen Ölfilter. Der Filtereinsatz sollte alle 10 000 km ausgewechselt werden.

Die Kühlanlage

Die Kühlanlage besteht aus den folgenden Hauptteilen:
— Kühler
— Schleuderwasserpume
— Thermostat
— Elektro-magnetisch betätigter Lüfter
Sie alle zusammen halten den Motor auf seiner Betriebstemperatur.

Aus- und Einbau der Wasserpumpe

- Batterie abklemmen.
- Kühlanlage ablassen.
- Kühler ausbauen.
- Oberen Kühlerschlauch abschließen.
- Keilriemen der Lichtmaschine abnehmen.
- Heizungsleitung von der Wasserpumpe abschließen.
- Kohlebürstenhalter des Lüfters abschrauben.
- Die vier Befestigungsschrauben der Wasserpumpe lösen.
- Pumpe abnehmen.
- Dichtflächen der Pumpe und des Zylinderkopfes einwandfrei reinigen.
- Eine neue Dichtung auf den Zylinderkopf auflegen.
- Wasserpumpe in umgekehrter Reihenfolge wie beim Ausbau wieder montieren.
- Keilriemen spannen.
- Kühlanlage mit Wasser oder Frostschutz füllen.

Überholen der Wasserpumpe

Obwohl die Wasserpumpe überholt werden kann, soll hier nicht weiter darauf eingegangen werden, da es wirtschaftlicher ist, wenn man diese ersetzt. Wasserpumpen halten im allgemeinen eine sehr lange Zeit. Falls aber eine Pumpe durch allgemeinen Verschleiß ausgefallen ist, wird es zweckmäßiger sein, wenn eine neue Pumpe eingebaut wird.

Thermostat

Das Thermostat befindet sich im Auslaß der Wasserpumpe und kann nicht repariert oder eingestellt werden, falls es schadhaft ist. Ein Thermostat kann folgendermaßen auf seine Funktion überprüft werden:
Einen Behälter mit angewärmtem Wasser auf eine Kochplatte setzen. Das Thermostat mit einem Stück Draht in der Mitte des Behälters in das Wasser einhängen und ebenfalls ein Thermometer in ähnlicher Weise aufhängen. Weder das Thermostat noch das Thermometer dürfen die Seitenwände oder den Boden des Behälters berühren, da andernfalls falsche Anzeigen zustandekommen. Wasser allmählich erwärmen und kontrollieren, ob das Thermostat bei 75° C öffnet und bei 87° C vollkommen geöffnet ist. Falls dies nicht der Fall ist, das Thermostat erneuern.

Die Kraftstoffanlage

Die Vergaser

Der Vierzylindermotor ist entweder mit einem «einflutigen» Vergaser (Motoren XM und XM7) oder einem Registervergaser (Motor XN) ausgerüstet. Die Vergaser sind von Solex hergestellt. Der Sechszylinder ist mit einem Einfach-Vergaser Solex 34 TBIA und einem Doppelvergaser 35 CEEI ausgerüstet. Die diesbezüglichen Vergaserbestückungen sind in der Maß- und Einstelltabelle (Seite 98) angeführt. Die «einflutigen» Vergaser besitzen ein Saugrohr, während die Registervergaser zwei Saugrohre besitzen.

Aus- und Einbau des Vergasers

Da der Ausbau des Einzelvergasers und des Registervergasers ungefähr gleich ist, gelten die folgenden Anweisungen für beide Ausführungen:

- Luftfilter vom Vergaser abmontieren.
- Kraftstoffschlauch und den Unterdruckschlauch vom Vergaser abschließen.
- Gasbetätigungszug abklemmen.
- Starterzug abklemmen.
- Vergaser durch Abschrauben der Muttern am Flansch des Krümmers lösen und herunterheben.

Der Einbau des Vergasers geschieht in umgekehrter Reihenfolge wie der Ausbau. Eine neue Dichtung auf den Vergaserflansch auflegen und alie abgeschlossenen Teile wieder einwandfrei anschließen.

Zerlegen des Vergasers

- Außenseite des Vergasers gründlich reinigen.

- Die Schlitzschrauben aus dem Vergaserdeckel drehen.
- Deckel abnehmen.
- Dichtung entfernen.
- Halterung der Schwimmerspindel herausnehmen.
- Spindel herausziehen.
- Schwimmer entfernen.
- Schwimmernadelventil mit einem Ringschlüssel aus der Unterseite des Deckels herausschrauben.
- Die beiden Muttern der Betätigungsstange der Beschleunigungspumpe entfernen.
- Pumpe vom Vergasergehäuse abschrauben.
- Pumpenmembrane und Feder entfernen.
- Hauptdüsenstopfen aus dem Vergasergehäuse herausdrehen.
- Düse aus dem Stopfen schrauben.
- Starterkraftstoffdüse herausdrehen (Sechskant).
- Pumpendüse herausschrauben (Sechskant).
- Leerlaufgemischregulierschraube und Leerlaufeinstellschraube herausschrauben und Federn abnehmen.

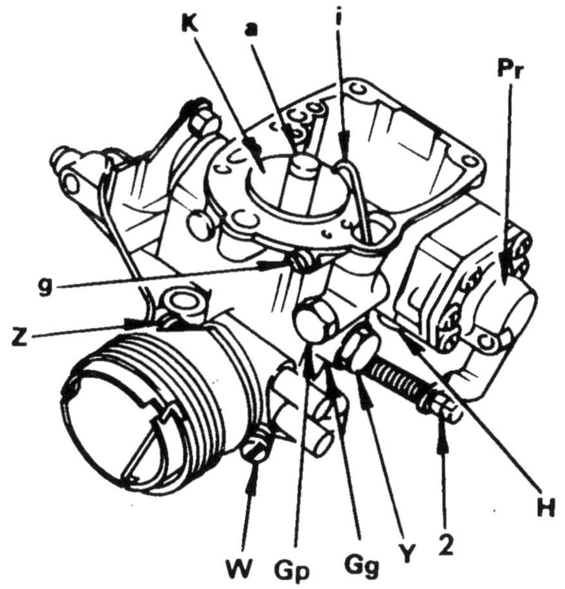

Bild 52
Ansicht eines Solex-34-PBICA-Vergasers mit Lage verschiedener Düsen und Teile des Vergasers
2 Einstellmutter der Beschleunigungspumpe
a Luftkorrekturdüse
Gg Hauptdüse
Gp Pumpendüse
g Leerlaufdüse
H Ventil und Sieb der Beschleunigungspumpe
i Einspritzrohr mit Papierdichtung
K Luftfilter
Pr Beschleunigungspumpe
W Gemischregulierschraube
Y Hauptdüsenträger
Z Leerlaufeinstellschraube

Die Zerlegung des Registervergasers findet in ähnlicher Weise statt, mit dem Unterschied, daß die zweite Stufe ebenfalls zu zerlegen ist. Außerdem die Verbindungsgestänge zwischen den Drosselklappen entfernen.
Bilder 52 und 53 zeigen Ansichten der beiden Vergaser der Vierzylindermotoren und sollten beim Zerlegen hinzugezogen werden. Die Luftkorrekturdüsen («a» in Bild 53) dürfen auf keinen Fall herausgeschraubt werden. Da dieser Vergaser mit einigen werkseingestellten Schrauben versehen ist, sollte man eine vollkommene Zerlegung im allgemeinen vermeiden. Meistens genügt es, wenn man den Vergaserdeckel abnimmt, so daß man alle Bohrungen und alle ausgebauten Düsen mit Preßluft ausblasen kann.

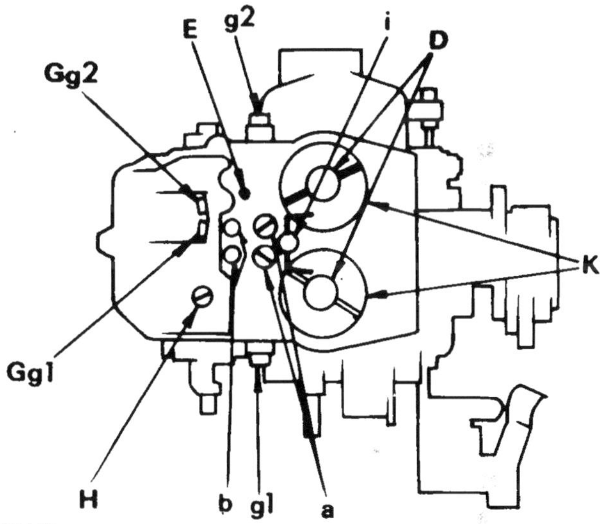

Bild 53
Draufsicht auf den Solex-32/35-SEIEA-Vergaser bei abgenommenem Vergaserdeckel
Gg2 Hauptdüse, 2. Stufe
E Spardüse
g2 By-Paß-Düse
i Einspritzrohr (doppelt)
D Vorzerstäuber
K Lufttrichter
a Luftkorrekturdüse
g1 Leerlaufdüse, 1. Stufe
b Bohrungen der Mischrohre
H Ventil der Membranpumpe
Gg1 Hauptdüse, 1. Stufe

Zusammenbau des Vergasers

Der Zusammenbau findet in umgekehrter Reihenfolge wie das Zerlegen statt. Vor dem Zusammenbau die folgenden Teile überprüfen, falls sie wieder verwendet werden sollen:

— Schwimmernadelventil auf Leckstellen kontrollieren. Die Nadel im Ventil muß sich einwandfrei bewegen lassen. Wenn die Nadel leicht nach innen gedrückt wird, darf keine

Luft durch das Ventil gelangen. Der Dichtring unter dem Schwimmernadelventil muß in gutem Zustand sein und nicht zusammengepreßt sein.

— Starterklappe und Drosselklappe auf Leichtgängigkeit kontrollieren. Die Deckeldichtung muß in einwandfreiem Zustand sein. Andernfalls Dichtung erneuern.
— Schwimmer auf Undichtheiten kontrollieren, indem man ihn in heißes Wasser einlegt. Falls Luftblasen aufsteigen, ist der Schwimmer undicht und muß erneuert werden.
— Kontrollieren, ob alle Düsen den Angaben der Vergaserbestückung entsprechen, die in der Maß- und Einstelltabelle (Seite 98) angegeben ist. Dies ist besonders bei einem erstandenen Gebrauchtwagen wichtig.

Einstellungen am Solex-34-PBICA-Vergaser

Hub der Membranpumpe

Bei ausgebautem Vergaser einen Spiralbohrer vom Vergaserflansch aus zwischen die Drosselklappe und die Vergaserbohrung einsetzen. Der Bohrer muß den unten angeführten Durchmesser für verschiedene Vergaser haben. Die Mutter am Ende des Gestänges der Pumpe lösen (welches durch die Feder umgeben ist) und danach wieder aufschrauben, bis sie gegen den Hebel anliegt. Die folgenden Spiralbohrer sind erforderlich:

34 PBICA.5	=	3,0 mm
34 PBICA.7	=	3,0 mm
34 PBICA.9	=	3,5 mm
34 PBICA.8	=	4,0 mm
34 PBIC.8	=	6,0mm
34 PBICA.6	=	6,5 mm

Leerlaufeinstellung

Unter Bezug auf Bild 52:

- Schraube «Z» verdrehen, bis der Motor mit ca. 860 U/min läuft.
- Leerlaufgemischregulierschraube «W» verstellen, bis die höchste Leerlaufdrehzahl erhalten wird.
- Schraube «Z» verstellen, um den Leerlauf auf 840 U/min zurückzubringen.
- Schraube «W» verstellen, bis eine Motordrehzahl von 800 U/min bei gleichmäßigem Leerlauf erhalten wird.

Einstellungen am Solex-32/35-SEIA-Vergaser

Einstellen des Membranpumpenstößels

Leerlauf in gleicher Weise einstellen, wie es soeben für den anderen Vergaser beschrieben wurde und die Schraube am Ende des Pumpenhebels lockern, bis ein Spiel zwischen Schraube und Stößel vorhanden ist. Danach die Schraube wieder hineinschrauben, bis sie gegen den Stössel anstößt.

Es sollten keine weiteren Einstellungen durchgeführt werden.

Die Kraftstoffeinspritzanlage

Arbeitsweise der Einspritzpumpe

(Siehe Bild 54)
Die Nockenwelle «7» dreht sich mit der Hälfte der Drehzahl des Motors und besitzt die gleiche Anzahl Nocken wie die Zylinderzahl des Motors. Der Nocken «6» wirkt auf den Stößel «4», welcher durch die Wirkung der Feder «5» auf dem Nocken gehalten wird. Der Stößel hebt das halbrunde Ende des Kolbens «1», welcher durch die Wirkung der Feder «2» auf dem Kipphebel «3» gehalten wird.
Der untere Totpunkt des Kolbens verändert sich, da er durch die Stellung des Kipphebels bestimmt wird, dessen beide Enden beweglich sind. Der Kipphebel wird an seinem hinteren Ende auf einer Exzenterwelle geführt, die durch einen Anreicherungshebel «14» betätigt wird. Der Hebel liegt während Normalbetrieb gegen den Anschlag «13» an.
Das vordere Ende des Kipphebels bewegt sich durch die Wirkung einer Stößelstange «12», die gegen einen Nocken mit veränderlichem Profil anliegt und das Hauptregelelement der Einspritz-

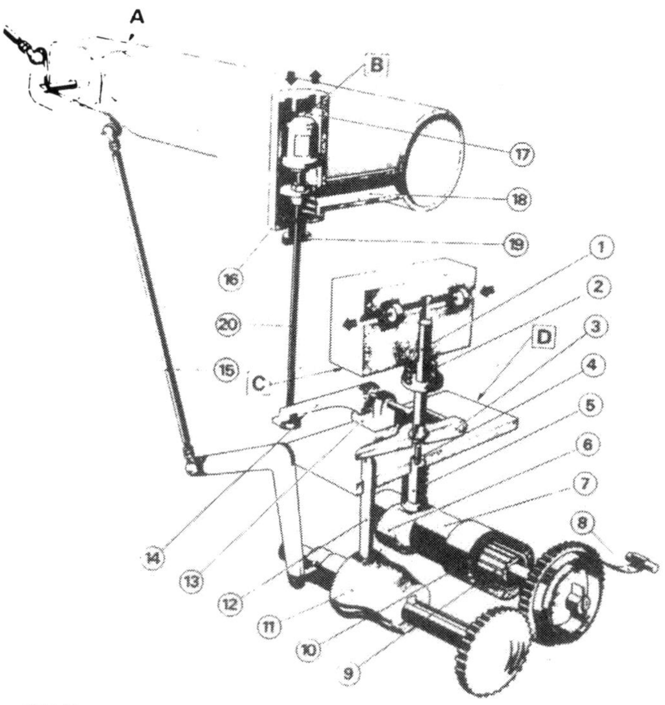

Bild 54
Funktionsdiagramm der Kraftstoffeinspritzpumpe

1	Kolben	14	Anreicherungshebel
2	Kolbenfeder	15	Verbindungsgestänge
3	Kipphebel	16	Thermostatelementfeder
4	Stößelstange	17	Verteilerwasserkammer
5	Stößelstangenfeder	18	Zusatzluftansaugrohr
6	Nocken	19	Ventil
7	Nockenwelle	20	Betätigungshebel
8	Feder	A	Luftverteiler – Drosselklappengehäuse
9	Magnetkern	B	Thermostatelement
10	Magnetgehäuse	C	Hydraulikkopf
11	Förderreguliernocken	D	Einspritz- und Betätigungssystem
12	Stößelstange		
13	Anschlag		

anlage bildet. Die eingespritzte Kraftstoffmenge wird durch die Veränderung der Hublänge des Kolbens «1» gesteuert. Je niedriger der Kolben durch die Wirkung des Steuerprofils des Nokkens «11» oder durch Senken des Drehpunktes des Kipphebels «3» gebracht wird, um so größer ist die geförderte Kraftstoffmenge. Dies bedeutet mit anderen Worten, daß die Kraftstoffmenge erhöht wird, wenn der Radius des Nockens «11» sich verringert oder wenn der Drehpunkt des Kipphebels «3» gesenkt wird. Der Nocken «11» beschreibt zwei gleichzeitige Bewegungen:

— Eine Winkelversetzung von ca. 300°
— Eine seitliche Versetzung

Die Winkelversetzung wird durch einen magnetischen Korrektor gesteuert, welcher sich aus den folgenden Bauteilen zusammensetzt:

— Einer magnetischen Laufbüchse (einem Hohlzylinder) «10», welcher durch die Nokkenwelle der Einspritzpumpe angetrieben wird.
— Einem Magnetkern, durch einen Zahnradantrieb mit dem Nocken «11» verbunden. Die Anzugskraft des Kerns, welche durch die magnetischen Kräfte hergestellt wird, steht im Verhältnis zur Drehzahl des Motors.
— Eine Feder «8» setzt sich den Zugkräften des Magnetkerns entgegen, um das System im Gleichgewicht zu halten solange die Bedingungen gleich bleiben und keine Veränderung der einzuspritzenden Kraftstoffmenge erforderlich ist. Der Nocken dreht sich entsprechend mit dem erforderlichen Winkel einer konstanten Motordrehzahl.

Die seitliche Versetzung des Nockens «11» wird durch das Gaspedal erwirkt, mit anderen Worten durch die Belastung, da die Verbindungsstange «15» mit dem Betätigungshebel der Drosselklappe verbunden ist.

Wenn die Temperatur des Kühlmittels unterhalb 50° C beträgt, so findet automatisch eine Anreicherung statt, die entsprechend der im Augenblick vorhandenen Temperatur weniger oder mehr ist.

Kaltlauf

Die Anreicherung wird durch die Bewegung des Hebels «14» unter der Wirkung des Betätigungsgestänges «20», das durch die Feder «16» gedrückt wird, hergestellt. Die Bewegung des Gestänges «20» führt zum Öffnen des Ventils «19», so daß zusätzliche Luft einströmen kann.

Warmlauf

Wenn der Motor seine normale Betriebstemperatur erhält, so dehnt sich die im Thermosteuerelement «B» in der Wasserkammer «17» befindliche Kapsel aus und schiebt das Betätigungsgestänge «20» langsam nach unten, bis das Ventil «19» geschlossen und der Anreicherungshebel «14» außer Betrieb gesetzt wird.

Luftansaugsystem

Die angesaugte Luft strömt der Reihe nach durch die folgenden Teile (Bild 55):

— Ölbadluftfilter
— Drosselklappenmechanismus

— Luftverteiler
— Ansaugkrümmer

Der Ölbadluftfilter hat ein Ölfassungsvermögen von 0,27 Liter und sollte alle 5000 km gereinigt werden. Dazu den Filter in Waschbenzin reinigen und nach dem Abtropfen in sauberes Motorenöl tauchen. Öl im Filtergehäuse wechseln und Gehäuse gut säubern.

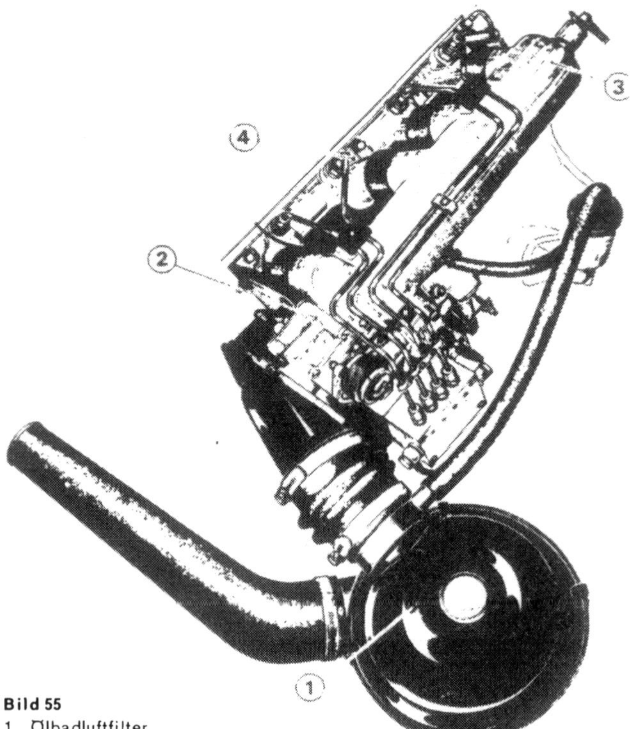

Bild 55
1 Ölbadluftfilter
2 Drosselklappengehäuse
3 Luftverteiler
4 Ansaugkrümmer

Die Filter der Kraftstoffeinspritzanlage

Die eigentliche Benzineinspritzanlage setzt sich aus den folgenden Filtern zusammen:

— Filter im Kraftstofftank
— Vorfilter der Kraftstoffpumpe, am Eingang der Pumpe
— Hauptfilter
— Vorfilter im Einlaßanschluß der Einspritzpumpe
— Saugfilter in der Einspritzpumpe

Im allgemeinen ist es nur erforderlich, daß man dem Vorfilter der Kraftstofförderpumpe und dem Hauptfilter Aufmerksamkeit schenkt. Der am Eingang der Benzinförderpumpe befindliche Vorfilter wird nach den ersten 1000 km und danach alle 15 000 km ausgewechselt, eher natürlich, falls der Filter sich verstopfen sollte.

HINWEIS: Dieser Filter kann nicht mit Preßluft gereinigt werden und ist bei Wartung zu erneuern. Zu beachten ist, daß der Filter während der Produktion geändert wurde und daß bei Erneuerungen nur die von Bosch hergestellte, zweite Ausführung geliefert wird.

Hauptfilter

Der Hauptfilter ist zu reinigen, indem man einen Behälter unter den Ablaßstopfen setzt, den Stopfen lockert und den Kraftstoff aus dem Filtergehäuse abläßt. Schraube schließen und auf 0,75 mkp anziehen. Falls die im Kraftstoff enthaltene Wassermenge mehr als 10 ccm beträgt, Filtergehäuse abschrauben und reinigen. Alle Leitungen ausblasen. Falls erforderlich, den eigentlichen Filtereinsatz erneuern.

Kraftstofförderpumpe

Die Förderpumpe kann entweder von Kugelfischer (KF6-Motor) oder von Bosch (KF5- und XN2-Motor) hergestellt sein. Beide Pumpen arbeiten elektrisch und haben eine Förderleistung von 50 Litern/Min, bei einem Druck von 1,2 atü.

Zum Ausbau der Kraftstoffpumpe:

- Das elektrische Kabel von der Pumpe abschließen.
- Kraftstoffeinlaßleitung entfernen.
- Auslaßleitung abziehen und beide Leitungen zustopfen, um ein Auslaufen von Kraftstoff zu vermeiden.
- Die beiden Muttern lösen und die Pumpe herausheben.

Der Einbau geschieht in umgekehrter Reihenfolge. Kupferscheiben der Hohlschrauben jedes Mal erneuern.

Prüfen und Kontrollen

Hydraulische Leckprüfungen

Es sollten keine Leckstellen an den Anschlüssen oder am Pumpengehäuse vorhanden sein. Falls dies der Fall ist, sind die Imbußschrauben an der

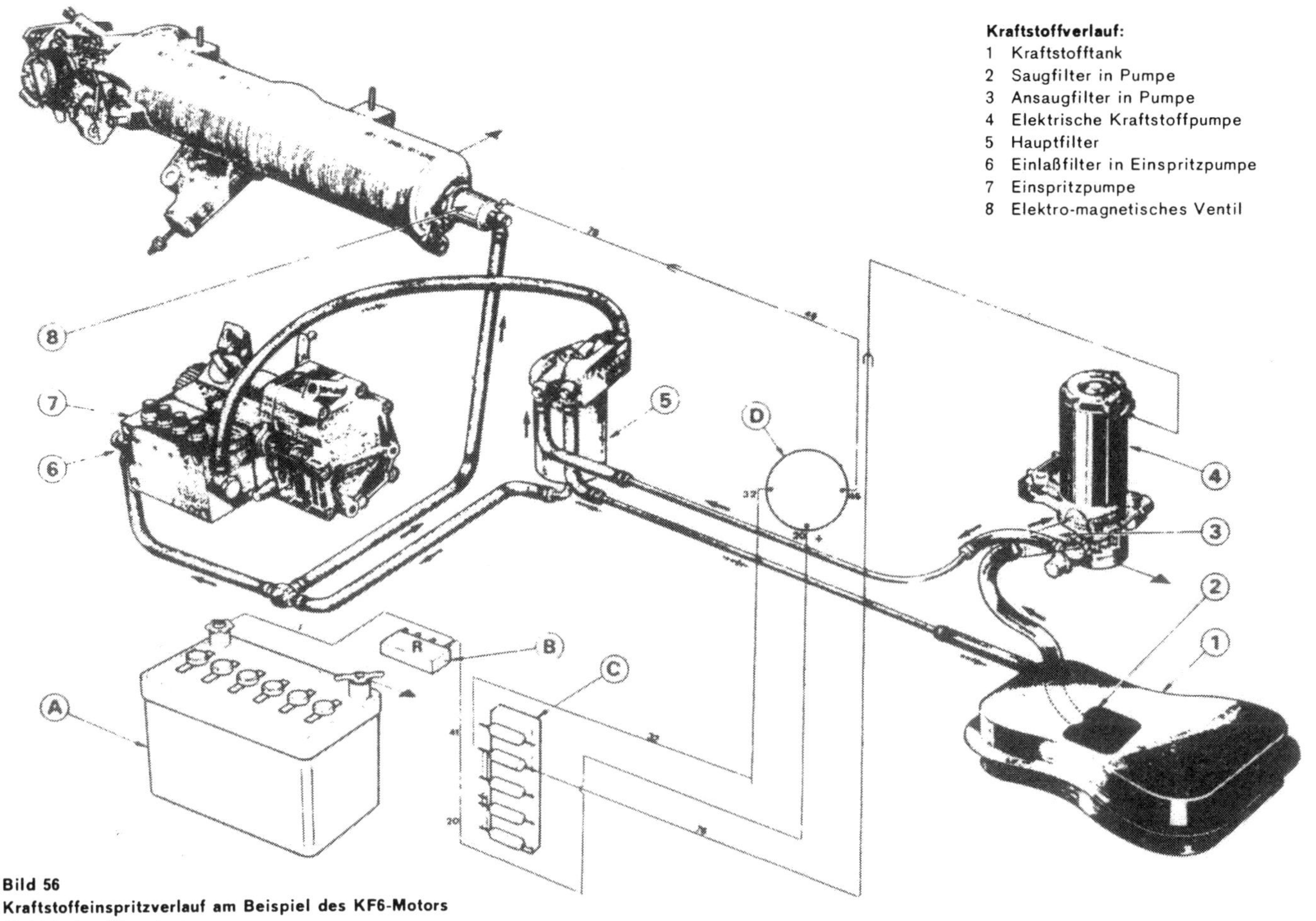

Kraftstoffverlauf:
1 Kraftstofftank
2 Saugfilter in Pumpe
3 Ansaugfilter in Pumpe
4 Elektrische Kraftstoffpumpe
5 Hauptfilter
6 Einlaßfilter in Einspritzpumpe
7 Einspritzpumpe
8 Elektro-magnetisches Ventil

Bild 56
Kraftstoffeinspritzverlauf am Beispiel des KF6-Motors
Elektrischer Stromkreis:
A Batterie
B Relais
C Sicherungskasten
D Zündschalter

unteren Platte der Pumpe nachzuziehen. Wenn die Leckstelle an den Anschlüssen aufgetreten ist, können die Dichtscheiben erneuert werden. Die Schrauben sollten nicht übermäßig angezogen werden, um Leckstellen zu beseitigen.

Drückprüfung

Den Ringanschluß für den Kraftstoffeinlaß vom elektro-magnetischen Ventil abschließen und an den Einlaß eines Druckmanometers anschließen. Die Druckanzeige am Manometer sollte zwischen 1,1 und 1,7 kg/cm² bei älteren Ausführungen oder bei 1,0 bis 2,5 kg/cm² bei neueren Ausführungen liegen.

Zündung abstellen und den Ringanschluß wieder befestigen. Falls der Druck unterhalb 1,0 kg/cm² liegt, folgendes überprüfen:

— Kraftstoffmenge im Tank kontrollieren (mindestens 5 Liter müssen vorhanden sein).
— Anschluß der Leitungen am Tank.
— Zustand des Einsatzes vom Kraftstoffhauptfilter, und des Vorfilters an der Kraftstoffpumpe. Beide müssen sauber sein.
— Spannungszufuhr zur Förderpumpe. Diese sollte bei 12 Volt ± 0,1 Volt liegen.
— Dichtheit der Kraftstoffleitungen kontrollieren.

Nach Kontrolle der angegebenen Punkte den Druck erneut überprüfen, wie es soeben beschrieben wurde.

Falls der Druck über der angebenen Höchstgrenze liegt, so wird das einwandfreie Funktionieren der Einspritzpumpe nicht verhindert, jedoch kann die folgende Prüfung zum Herausfinden des Fehlers durchgeführt werden:

— Den Filter («1», Bild 57) im Einlaßanschluß der Einspritzpumpe auf Sauberkeit kontrollieren.
— Die Düse «2» im Hydraulikkopf der Einspritzpumpe auf Sauberkeit kontrollieren.
— Die Rücklaufleitungen auf Sauberkeit kontrollieren.

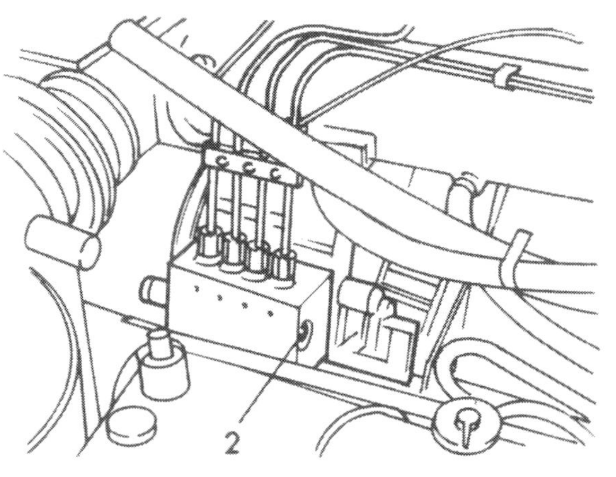

Bild 57
Prüfen des Drucks der Förderpumpe. Die Düse im Pumpengehäuse ist mit (2) gezeichnet. Unterschiedliche Drücke gelten für die zwei verschiedenen Einspritzsysteme

Elektrische Prüfungen
Falls der Motor der Pumpe nicht arbeitet, den Zustand der betreffenden Sicherung kontrollieren und den elektrischen Stromkreis im allgemeinen sowie den Massekreis überprüfen. Falls der Fehler in der Pumpe liegt, muß sie erneuert werden.

Elektro-magnetisches Ventil (zur Anreicherung während Kaltstarts)

Das Ventil ist von Jaeger hergestellt und ist in Bild 58 gezeigt. Das Magnetventil erlaubt die Zerstäubung einer zusätzlichen Kraftstoffmenge im Ansaugluftverteiler während des Durchdrehens des Anlassers. Damit wird das Anlassen des Motors erleichtert. Das Auswechseln des Magnetventils bringt keinerlei Schwierigkeiten mit sich. Immer einen neuen Dichtring verwenden und Ventil auf 0,75 mkp anziehen.

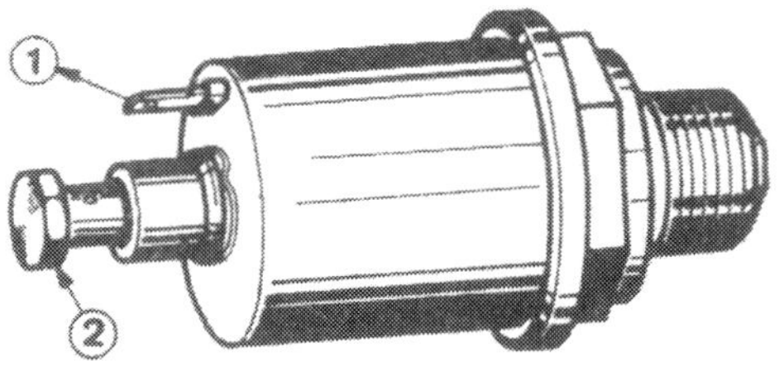

Bild 58
Ansicht des elektro-magnetischen Ventils
1 Anschlußklemme
2 Kraftstoffanschluß

Einspritzpumpe

Prüfen der Einspritzmenge

Diese Prüfung sollte vorgenommen werden, wenn der Leerlauf des Motors ungleichmäßig wird. Folgendermaßen vorgehen:
Der Reihe nach die Anschlüsse an den Einspritzventilen lockern, um den für die Leerlaufstörung zuständigen Zylinder herauszufinden. Das Einspritzventil dieses Zylinders mit dem danebenliegenden Zylinder vertauschen. Falls der Fehler jetzt in diesem Zylinder liegt, so sollte das Einspritzventil ausgetauscht werden. Ist die Störung nicht mehr vorhanden, nachdem das Einspritzventil in den nächsten Zylinder geschraubt wurde, so sollte das Druckventil kontrolliert werden.

Entlüften eines Druckventils

- Einspritzleitung abschrauben.
- Mutter des Druckventils vom betreffenden Zylinder mit dem Spezialschlüssel 8.0112G lockern.
- Zündung einschalten und warten, bis der Kraftstoff aus dem Druckventil fließt.
- Druckventilmutter in diesem Moment auf 5,0 mkp anziehen.
- Einspritzleitung wieder anschrauben und die Überwurfmutter auf 2,5 mkp anziehen.
- Abschließend die Anlage auf Zeichen von Leckstellen kontrollieren.

Druckventile auf Undichtheit kontrollieren

Zündung einschalten, um die Förderpumpe zu betätigen. Bei abgeschraubten Einspritzleitungen sollten sich die Vertiefungen der Druckanschlüsse nicht innerhalb 30 Sekunden füllen. Falls dies der Fall ist, Ventile erneuern.

Auswechseln eines Druckventils

- Oberfläche des Pumpenkörpers gründlich reinigen, um ein Eindringen von Schmutz zu vermeiden.
- Druckventilmutter mit Spezialschlüssel 8.0112G lockern und das Ventil entfernen.

- Preßluft in den Ventilsitz hineinblasen und etwas Öl in den Sitz eingießen, ehe das neue Ventil eingeschraubt wird.
- Das neue Ventil zusammen mit dem Ausgleichsring so anbringen, daß die Nase im Ventilsitz in die Rille des Ventils eingreift.
- Mutter auf 5,0 mkp anziehen.
- Einspritzleitung auf 2,5 mkp anziehen.
- Abschließend Anschlußstelle auf Leckstellen kontrollieren.

Ausbau der Einspritzpumpe

- Batterie abklemmen.
- Unterdruckschlauch vom Zündverteiler abziehen.
- Lufteintrittsschlauch vom Verteiler entfernen.
- *Bei der KF6-Pumpe* die Öldunstrücksaugleitung auf der Luftfilterseite und den Unterdruckschlauch vom Bremskraftverstärker entfernen. Ebenfalls die Leitung und das Kabel des Magnetventils abschließen und den Gaszug aushängen.
- Einspritzrohrflansche vom Luftverteiler und die vier Einspritzleitungen (Spezialschlüssel 8.0112HZ) abhängen. Die Anschlüsse für Kraftstoffzufuhr und die Rücklaufleitungen mit geeigneten Schutzkappen versehen, um Fremdkörper fernzuhalten.
- *Bei der Pumpe von KF5- und XN2-Motoren* den Rückleitungsanschluß am Hauptfilter abschließen sowie die 4 mit Gewebe umwickelten Rohre und die beiden Vorwärmleitungen des Warmlaufgebers abschließen.
- *Bei der Pumpe des KF6-Motors* den Luftverteiler ausbauen und auf der Zylinderkopfhaube umdrehen.
- Keilriemen der Drehstromlichtmaschine abnehmen.
- Mutter der Kurbelwellenriemenscheibe lösen.
- Riemenscheibe abziehen.
- Schrauben des Stirndeckels entfernen.
- Deckel abnehmen.
- Pumpenrad abmontieren (ein geeigneter Abzieher) und mit dem Zahnriemen entfernen.
- Hinteren Befestigungsbügel der Pumpe entfernen und die Einspritzpumpe herausnehmen.

> WICHTIG: Nach dem Ausbau darf der Zahnriemen nicht zusammengedrückt werden, so daß der Radius an den Enden nicht kleiner als 20 mm wird.

Einbau der Einspritzpumpe

- Pumpe an das Steuergehäuse anbringen, nachdem die Flächen mit Dichtungsmasse eingeschmiert wurden.
- Schrauben mit einem Anzugsdrehmoment von 2,0 mkp anziehen.
- Hinteren Befestigungsbügel an der Pumpe anbringen.
- Die folgenden Anweisungen sind nun bei KF6-Pumpen durchzuführen, um die vordere Befestigung nicht unter Spannung zu setzen:
  - Montagebügel an den Zylinderblock so anbringen, daß der Bügel fest gegen die Rückseite des Pumpengehäuses gedrückt wird.
  - Die beiden Schrauben auf 2,0 mkp anziehen.
  - Die beiden Schrauben der Pumpe in den Montagebügel einsetzen und auf 0,75 mkp anziehen. Falls Schwierigkeiten beim Einsetzen dieser Schrauben auftreten sollten, ist die vordere Befestigung wieder zu lösen, um die Pumpe zu verschieben, damit die Löcher an der Rückseite sich mit den Löchern im Montagebügel decken.

Bild 59
Zur Steuereinstellung der Einspritzpumpe (siehe Text)

— Vordere Schrauben und danach hintere Schrauben anziehen.
— Pumpe mit Essolube 10W füllen. Die Füllmenge beträgt 0,4 Liter.

- *Bei der KF5- und XN2-Pumpe* die hintere Halterung zwischen Pumpengehäuse und Ölfilter mit einem Anzugsdrehmoment von 2,0 mkp anziehen. Pumpe mit 0,15 Liter des oben angeführten Schmieröls füllen.
- Kurbelwellenriemenscheibe provisorisch aufstecken.
- Nach Abnahme der Zündverteilerkappe den Motor durchdrehen, bis der Verteiler zur Vorderseite des Motors weist und zwischen Zündkabel Nr. 1 und Nr. 3 steht.
- Kontrollieren, ob die Markierung im Nockenwellenrad sich in der Mitte der beiden Kettenschlösser befindet.
- Keil der Pumpenwelle durch Drehen der Welle so ausrichten, daß er bei der KF6-Pumpe genau an die Unterseite des Hydraulikkopfes und bei den anderen Pumpen zum Mittelpunkt des Leitungsanschlusses an der Seite des Hydraulikkopfes weist.
- Pumpenriemenrad so anbringen, daß die Markierung am Riemenrad zwischen den beiden Markierungen am Riemen liegt. Auf der anderen Seite des Riemens sollte sich die Riemenmarkierung mit der Nockenwellenradmarkierung decken.
- Pumpenrad über die Pumpenwelle schieben, aber darauf achten, daß die Keilnut sich genau gegenüber des Keils befindet.
- Motor sehr langsam in beiden Richtungen hin- und herdrehen, bis der Keil mit der Keilnute fluchtet.
- Rad erst aufdrücken. Nachdem dies durchgeführt wurde, den Motor um eine vollkommene Umdrehung entgegengesetzt der Drehrichtung zurückdrehen und die Fluchtmarkierungen kontrollieren, nachdem der Motor wieder um eine Umdrehung in Drehrichtung durchgedreht wurde.
- Mutter des Pumpenrades auf 3,5 mkp anziehen.
- Zündverteilerdeckel wieder aufsetzen.
- Riemenscheibe wieder abmontieren.

- Steuerdeckel anbringen. Der Deckel muß sorgfältig mit dem Öldichtring über der Kurbelwelle zentriert werden (Spezialhülse 0.0128).
- Riemenscheibe aufstecken und die Mutter mit einem Drehmoment von 17,0 mkp anziehen.
- *Beim KF6-Motor* den Luftverteiler montieren, aber kontrollieren, ob das Betätigungsgestänge für den Warmlaufgeber in der Befestigungsöse des Anreicherungshebels eingreift. Schrauben mit 2,0 mkp anziehen.

Alle anderen Arbeiten in umgekehrter Reihenfolge wie beim Ausbau durchführen. Nach dem Einbau die betreffenden Einstellungen durchführen.

Einstellungen an der KF-6-Pumpe

Zuordnung Pumpe/Drosselklappe:

- Das Blechrohr zwischen dem Luftfilter und dem Luftverteiler ausbauen.
- Verbindungsgestänge zwischen der Einspritzpumpe und der Drosselklappe ausbauen.
- Das Maß zwischen den Kugelgelenken des Verbindungsgestänges mit einem Meßlineal oder einer Schiebelehre ausmessen. Das Maß sollte 97,3 mm ± 0,1 mm betragen. Falls dies nicht der Fall ist, die Länge des Gestänges nach Lockern der Muttern einstellen.

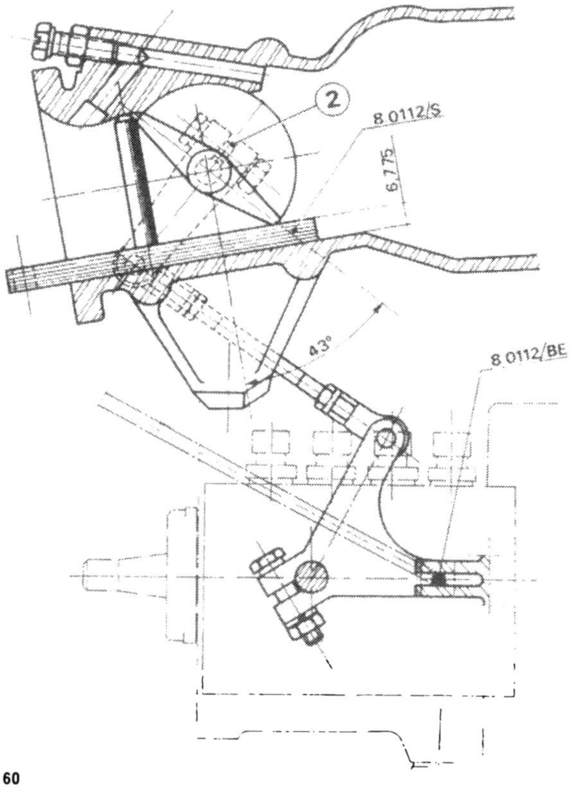

Bild 60
Einstellung der Koordinierung zwischen Einspritzpumpe und Drosselklappe
2 Klemmschraube für Drosselklappenhebel

Muttern wieder anziehen und Länge erneut kontrollieren.

- Ein Stück Rundeisen von 5 mm ⌀ in die Bohrung des Pumpenhebels einsetzen (siehe Bild 60) und durch das entsprechende Loch in der Einspritzpumpe einführen.
- Befestigungsschraube des Betätigungshebels der Drosselklappe lockern.
- Lehre 8.0112/S in die Nut im Luftverteiler einführen, wobei der Stift der Lehre die Drosselklappe berührt und das Loch in der Lehre nach außen gerichtet ist.
- Schraube «2» des Drosselklappenhebels so anziehen, daß ein Spiel von 2 mm zwischen dem Hebel und dem Luftverteiler vorhanden bleibt. Während des Anziehens der Schraube «2» einen Druck auf die eingesetzte Lehre ausüben.
- Rückzugfeder für das Gaspedal aushängen.
- Imbußschraube («1» in Bild 61) an der Gasbetätigungstrommel lockern.

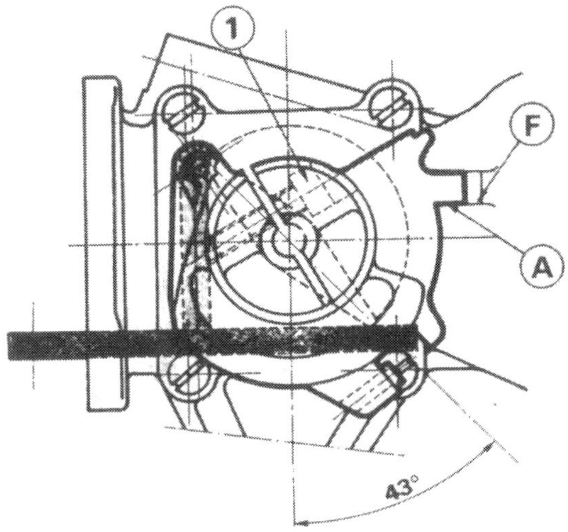

Bild 61
Koordinierung zwischen Einspritzpumpe und Drosselklappe
1 Imbußschraube zur Steuertrommelbefestigung
Markierung «A» muß wie im Text beschrieben mit Markierung «F» in einer Linie liegen

- Die Markierung «A» der Trommel (43°) mit der Markierung «F» am unteren Rand des Drosselgehäuses ausrichten.
- Imbußschraube wieder anziehen, aber darauf achten, daß ein Spiel von 1,0 mm zwischen Gasbetätigungstrommel und Drosselgehäuse besteht.
- Lehre und Rundstab entfernen.

Maximal-Öffnung der Drosselklappe (siehe Bild 62)

- Bei abgestelltem Motor das Gaspedal vollkommen öffnen.
- Kontermutter «3» lockern.
- Schraube «4» verstellen, um die Kennzeichnung «B» (94°) an der Betätigungstrommel höher zu bringen, bis sie mit der Unterkante «F» des Zapfenstutzens am Luftverteiler in einer Höhe liegt.

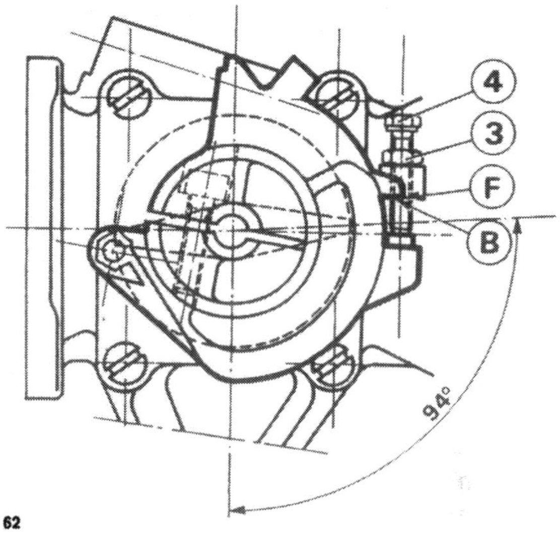

Bild 62
Einstellung der Maximalöffnung der Drosselklappe
2 Kontermutter
4 Einstellschraube
Durch Verstellen der Schraube (4) die Markierung (B) am Steuersegment in eine Linie mit der Markierung «F» bringen

- Kontermutter wieder festziehen, ohne die Einstellung zu verändern.
- Rückzugfeder des Gaspedals einhängen und kontrollieren, ob die Maximal-Öffnung der Drosselklappe einwandfrei eingestellt ist.

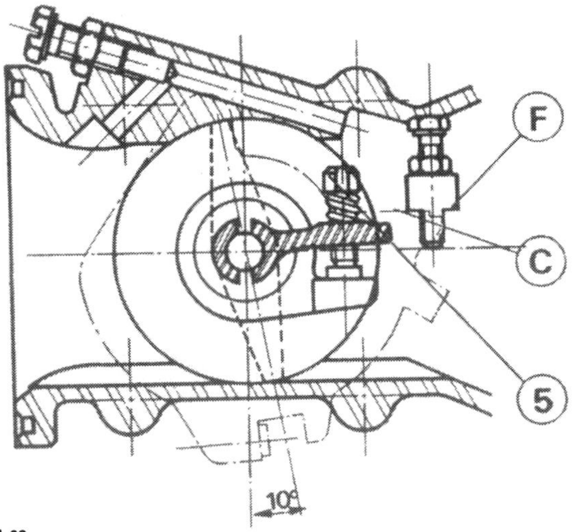

Bild 63
Einstellung der Minimalöffnung der Drosselklappe
5 Einstellschraube
C 10°
F Markierung (siehe Text)

Minimum-Öffnung der Drosselklappe (siehe Bild 63)

Schraube «5» verstellen, bis die Markierung «C» in einer Linie mit der Markierung «F» am Zapfenstutzen des Luftverteilers liegt.

Falls der Leerlauf des Motors unregelmäßig ist, kann die Mindestöffnung auf 12° eingestellt werden (anstelle der obigen Einstellung von 10°). Falls die Einstellung auf 12° jedoch Fehlzündungen verursacht, wird es erforderlich, die Einstellung auf 10 bis 12° zu bringen.

Anreicherungshebel

- Das Spezialthermometer 8.0112C mit geöffnetem Hahn in das Rohr zur Wasserpumpe einsetzen, wie in Bild 64 gezeigt.
- Zündung einschalten und die Förderpumpe einige Minuten arbeiten lassen.
- Motor anlassen und mit Hilfe der By-Paßschraube für den Leerlauf (an der Seite der Pumpe) einstellen, bis der Motor mit 1000 U/min läuft.
- Das Ansteigen der Temperatur ist zu verhindern, indem man den Wasserumlauf um das Drehstoffelement mit Hilfe des Absperrhahns reduziert, um eine Temperatur von 50° C beizubehalten.
- Jetzt sofort das Luftregulierventil einstellen.

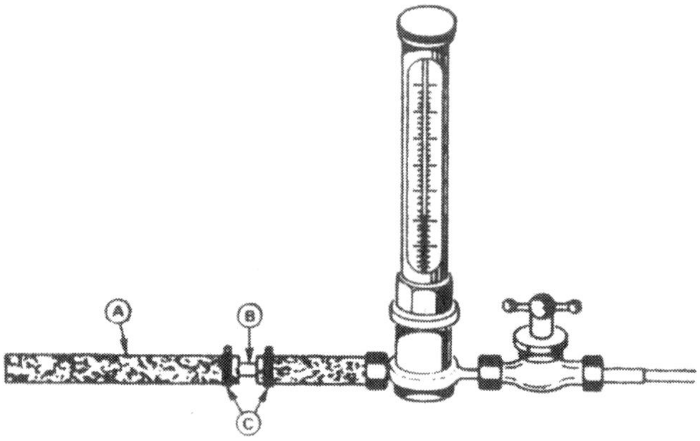

Bild 64
Thermometer 8.0112C zur Einstellung der Anreicherung
A Schlauch B Kupferrohr, 8 mm Ø C Klemmschellen

Luftventileinstellung (siehe Bild 65)

- Zugstange «6» mit einem Schlüssel gegenhalten und die Mutter «7» lockern, bis eine Fühlerlehre von 1,0 mm zwischen die Mutter «7» und den Verschlußstopfen «8» eingeschoben werden kann.
- Mutter in dieser Stellung festziehen.
- Das erforderliche Spiel von 1,0 ± 0,1 mm wird durch die eingeschobene Lehre hergestellt. Die Lehre nicht herausziehen, da sie bei der folgenden Einstellung gebraucht wird.
- Motor abstellen und den Hahn des Thermometers schließen.

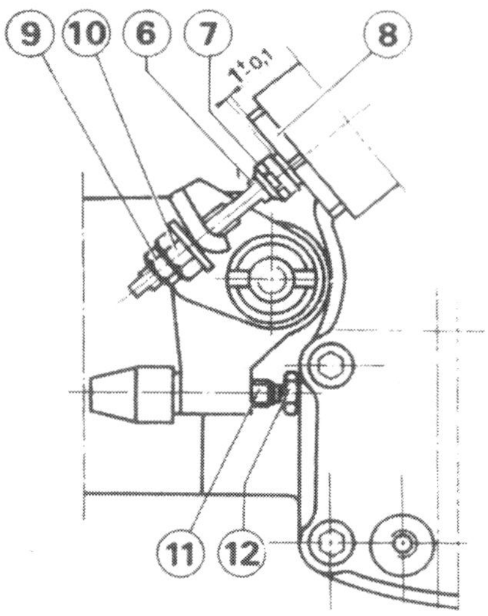

Bild 65
Luftventil und Anreicherungseinstellung
6 Zugstange
7 Einstellmutter
8 Verschlußstopfen
9 Kontermutter
10 Mutter für Anreicherungshebel
11 Anreicherungshebel
12 Hebelanschlag

Einstellung des Anreicherungshebels (siehe Bild 65)

- Kontermutter «9» lockern.
- Mutter «10» lösen, um den Anreicherungshebel «11» zu befreien, so daß dieser gegen den Anschlag «12» anliegen kann.
- Mutter «10» hineinschrauben, bis diese gegen den Anreicherungshebel anliegt.
- Kontermutter «9» anziehen.
- Fühlerlehre und Thermometer entfernen.
- Blechstutzen zwischen Luftfilter und Luftverteiler anbringen.
- Motor anlassen.

Einstellen des Leerlaufs

Diese Einstellung ist bei betriebswarmem Motor durchzuführen. Der Lüfter sollte eingekuppelt sein. Kontermutter (13) in Bild 66 lockern. Durch Verstellen der By-Paß-Schraube (14) die Motordrehzahl auf 800 bis 850 U/min einstellen. Durch Hineinschrauben wird der Leerlauf verringert, durch Herausdrehen beschleunigt. Abschließend Kontermutter (13) wieder festziehen.

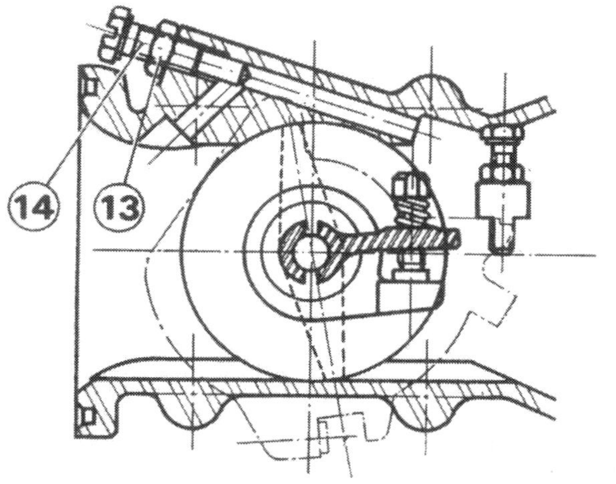

Bild 66
Zur Leerlaufeinstellung
13 Kontermutter für By-Paß-Schraube 14 By-Paß-Schraube

Einstellungen an der KF-5- und XN2-Pumpe

Bei diesen Pumpen sind die folgenden Einstellungen in der beschriebenen Reihenfolge durchzuführen. Vor der Einstellung die Öldunstrücksaugleitung auf der Luftfilterseite und den Lufteintrittsschlauch des Luftverteilers abnehmen und das Thermometer 8.0112C in die Rücklaufleitung des Warmlaufgebers (zum unteren Anschluß der Wasserpumpe einsetzen), wie es bereits in Bild 64 gezeigt wurde.

Einstellung 1

- Die Verschlußschraube (mit dem Vierkantloch) aus der Vorderseite des Einlaßdruckreglers herausschrauben.
- Eine an der Batterie angeschlossene Prüflampe in die Öffnung einführen und einen Taschenspiegel so unter den Luftverteiler halten, daß die Drosselklappe im Spiegel erscheint.
- Bei abgestelltem Motor die Drosselklappe betätigen und kontrollieren, ob im Spiegel ein sehr feiner Lichtstrahl der Prüflampe erscheint. Kontrollieren, ob die Schraube neben der Öffnung des Luftverteilers in Anschlag mit der Scheibe auf dem Luftverteiler steht. Falls erforderlich, die Kontermutter der Schraube lockern und die Schraube verstellen, bis der Lichtstrahl im Spiegel erscheint.
- In diesem Moment die Schraube bis zum Verschwinden des Lichtstrahls wieder langsam lösen und sie darauf hin um höchstens $^1/_{10}$-Umdrehung erneut anziehen.
- Kontermutter anziehen.

Einstellung 2

- Motor so warmlaufen lassen, daß die Temperatur ca. 65° C beträgt.
- Auf der Seite der Schläuche der Einspritzpumpe die Kontermutter der Ventilmutter lockern und Motor im Leerlauf drehen lassen.
- Lehre 8.0112P zwischen die Ventilmutter und dem Finger des Anreicherungshebels einsetzen.
- Wenn das Thermometer 80° C anzeigt, den Motor abstellen und innerhalb der nächsten 2 Minuten die korrekte Leerlaufeinstellung vornehmen (ca. 850 U/min).

Einstellung 3

Die nächste Einstellung ist die Einstellung des Luft/Kraftstoffgemisches. Dazu werden die By-Paß-Schraube gegenüber der Zündspule, an der Oberseite des angebrachten Schlauchs, und die Anschlagschraube an der Rückseite der Pumpe, in der Nähe des letzten Einspritzleitungsanschlusses verwendet. Durch Einschrauben der zweiten Schraube wird das Gemisch angereichert. Durch Herausdrehen wird das Gemisch abgemagert.

- Durch Verstellen der By-Paß-Schraube den Leerlauf auf 850 U/min einstellen (das Erregerkabel der Drehstromlichtmaschine ist dabei abzuschließen).
- Einen Imbußschlüssel, wie in Bild 67 gezeigt, in das Ende der Schraube einführen (3 mm ⌀) und den Anreicherungshebel «3» leicht anheben.

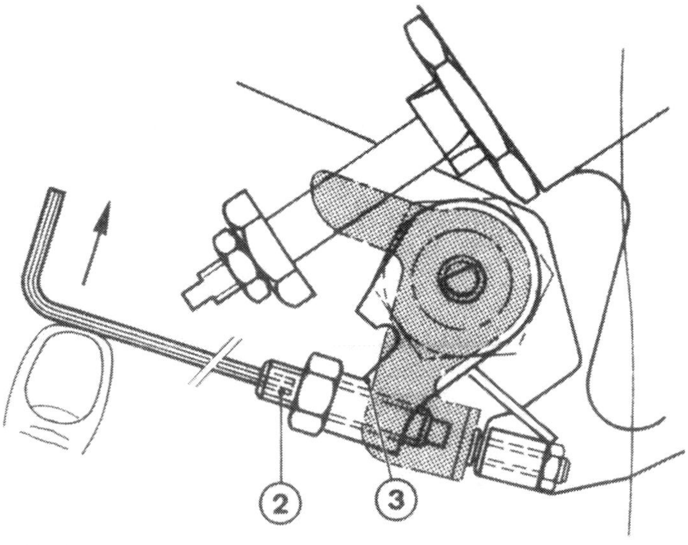

Bild 67
Zur Einstellung der Gemischzusammensetzung bei KF5- und XN2-Motoren
2 Schraube 3 Gemischanreicherungsseil

- Kontrollieren, ob die Anzeige des verwendeten Drehzahlmessers auf 950 bis 970 U/min ansteigt. Ist die Drehzahl höher, die Anschlagschraube (2) um $^1/_4$ Umdrehung einschrauben. Ist die Drehzahl zu niedrig, die Schraube um $^1/_4$ Umdrehung lösen.
- Nach jeder Einstellung wieder die By-Paß-Schraube nachstellen.

Die Kupplung

Aus- und Einbau der Kupplung

- Getriebe ausbauen, wie es auf Seite 52 beschrieben ist.
- Kupplungsdruckplatte im Verhältnis zum Schwungrad markieren.
- Schrauben gleichmäßig übers Kreuz lockern.
- Druckplatte und Mitnehmerscheibe abnehmen.
- Kupplung und Innenseite des Schwungrades gründlich reinigen und alle Teile wie erforderlich erneuern.
- Reibfläche des Schwungrades («a» in Bild 68) kontrollieren und, falls erforderlich, die Reibfläche in einer Drehbank nacharbeiten lassen. Darauf achten, daß die Reibfläche nach dem Ausdrehen im gleichen Verhältnis zur Fläche «b» steht, d. h. Fläche «b» muß um den gleichen Wert wie Fläche «a» abgedreht werden, um den Druckwert der Kupplungsplatte nicht zu verändern.
- Mitnehmerscheibe so in das Schwungrad einsetzen, daß die Federnabe zur Getriebeseite weist.
- Kupplung über das Schwungrad und die Mitnehmerscheibe setzen.
- Eine gebrauchte Kupplungswelle oder den Spezialdorn 8.0207 in die Keilverzahnungen der Mitnehmerscheibe einführen.
- Kupplungsdruckplatte so ausrichten, daß die eingezeichneten Markierungen in einer Linie liegen.
- Schrauben übers Kreuz anziehen.

Kupplungsausrückmechanismus

Kupplungsdrucklager

Das Kugellager ist über einer Nabe geführt und wird durch eine Spange gehalten. Das Lager kann nicht zerlegt werden und erfordert keinerlei Wartungsarbeiten.
Beim Ausbau des Lagers wird dieses nach links verdreht und vor der Führungsmuffe heruntergezogen. Vor dem Einbau des neuen Lagers die Führungsmuffe mit Molykote-Paste einschmieren und so über die Muffe schieben, daß die Haltenase (« 1», Bild 69) zur Öffnung des Ausrückhebels weist. Das Lager in dem Hebel in Eingriff bringen und nach rechts verdrehen.

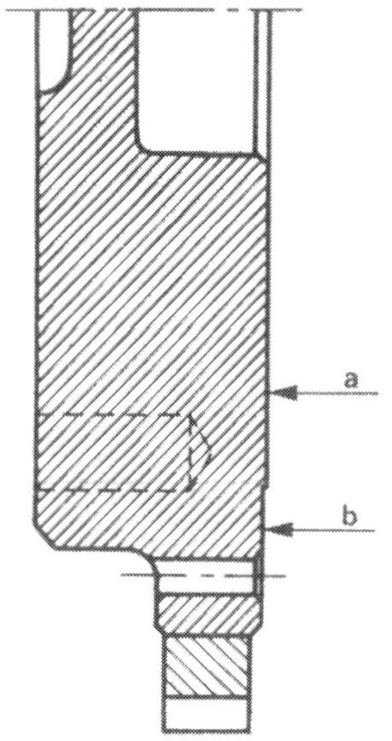

Bild 68
Schnitt durch das Schwungrad. Wenn Fläche «a» nachgedreht wird, muß die Fläche «b» um den gleichen Wert abgedreht werden

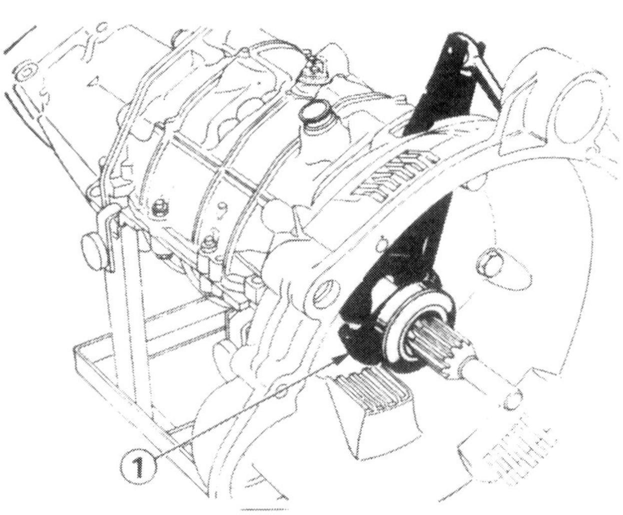

Bild 69
Befestigung des Kupplungsausrücklagers
1 Haltearm

Kupplungsausrückhebel

Kupplungslager ausbauen, wie vorhin beschrieben, und die Ausrückgabel von der Innenseite des Kupplungsgehäuses herausziehen. Unter Bezug auf Bild 70, Gummikappe «1» und Kugelsitz «2» ausbauen und diese Teile, falls erforderlich, neuern.

Der Einbau der Ausrückgabel geschieht in umgekehrter Reihenfolge wie der Ausbau. Gummikappe mit geeignetem Fett einschmieren. Haltefeder mit einem Schraubenzieher anheben und mit dem Kugelsitz verbinden. Feder gegen die Gummikappe anlegen. Abschließend Kupplungslager wieder montieren, wie vorhin beschrieben.

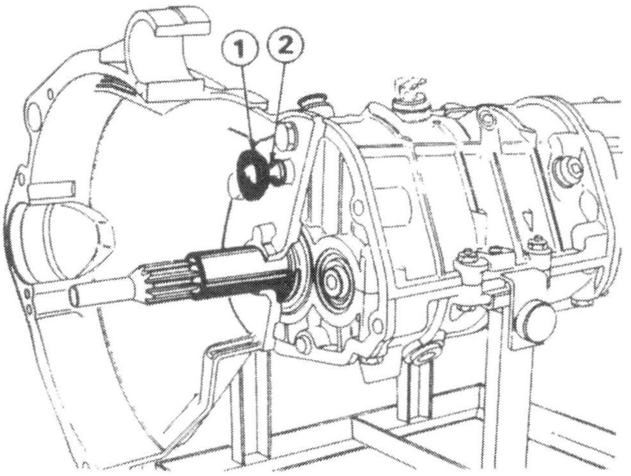

Bild 70
Teile zur Lagerung des Kupplungsausrückhebels sind der Kugelbolzen (2) und die Gummikappe (1)

Entlüften der hydraulischen Anlage

Das Entlüften der hydraulischen Anlage kann entweder mit oder ohne Entlüftungsgerät durchgeführt werden.

- Vorratsbehälter des Hauptzylinders auffüllen.
- Bereich um die Entlüftungsschraube reinigen.
- Staubschutzkappe entfernen.
- Ein Ende eines Entlüftungsschlauchs über die Schraube stecken und das andere Ende in einen mit etwas Bremsflüssigkeit gefüllten Behälter einhängen.
- Entlüftungsschraube öffnen.
- Kupplungspedal einige Male durchtreten. Die in das Gefäß einströmende Flüssigkeit muß bei gut entlüfteter Anlage blasenfrei sein.
- In diesem Moment die Entlüftungsschraube schließen (wenn das Pedal auf den Boden durchgetreten ist).
- Schraube anziehen, nicht zu übermäßig.
- Entlüftungsschlauch abziehen.
- Staubschutzkappe aufsetzen.
- Vorratsbehälter füllen.

Bei Verwendung eines Druckgerätes ist ein Gummischlauch zwischen Entlüftungsschraube und Gerät anzuschließen. Flüssigkeitsdruck auf ungefähr 1,8 atü bringen. Entlüftungsschraube öffnen. Der Vorratsbehälter sollte mit Flüssigkeit gefüllt sein. Entlüftung beenden, wenn der Flüssigkeitsstand im Vorratsbehälter auf dem gleichen Spiegel verbleibt. Nur Lockheed-55-Bremsflüssigkeit zum Entlüften verwenden.

Haupt- und Nehmerzylinder der Kupplung

Bei älteren 504-Ausführungen (bis zu Chassis-Nr. 504A01—1014917 und 504A02—1012917) war der Hauptzylinder mit einer Feder und einem Restdruckventil ausgerüstet. Dieses Ventil gewährleistete, daß das Ausrücklager in ständigem Kontakt mit dem Ausrückmechanismus war. Der Nehmerzylinder ist mit einer Gummikappe versehen und besitzt keine Feder in der Innenseite. Bild 71 zeigt diese Ausführung.

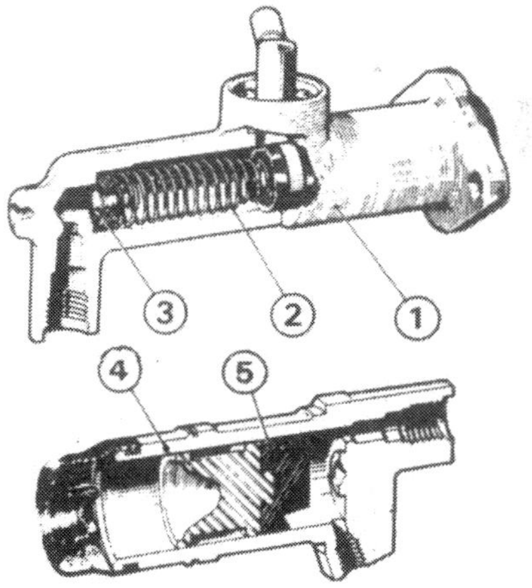

Bild 71
Ansicht von Kupplungshaupt- und Nehmerzylinder. Diese Ausführung ist bei älteren Modellen eingebaut
1 Hauptzylinder
2 Feder
3 Restdruckventil
4 Nehmerzylinder
5 Gummimanschette

Seit der vorhin erwähnten Chassis-No. und seit Serienbeginn der Modelle 504 B02 und 504 C02 wurde ein neuer Hauptzylinder eingebaut. Der Zylinder ist wie vorher mit einer Feder, jedoch ohne Restdruckventil versehen. Der Nehmerzylinder hat eine Gummimanschette, aber zusätzlich eine Rückzugfeder für den Kolben, die einen ständigen Druck des Ausrücklagers auf die Kupplungsdruckplatte gewährleistet. Wenn ein neuer Hauptbremszylinder verwendet wird, ist es aus diesem Grund wichtig, daß man ebenfalls einen neuen Nehmerzylinder einbaut, d. h. einen mit einer Rückholfeder. Bild 72 zeigt diese Ausführung.

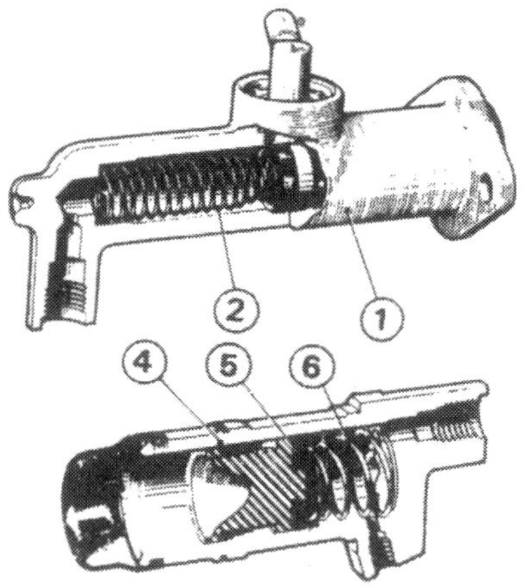

Bild 72
Ansicht von Kupplungs-Haupt- und Nehmerzylinder. Diese Ausführung ist bei neueren Modellen eingebaut
1 Hauptzylinder
2 Feder
4 Nehmerzylinder
5 Gummimanschette
6 Feder

Auf der anderen Seite kann der neue Nehmerzylinder anstelle der alten Ausführung eingebaut werden, ohne daß der Hauptzylinder erneuert werden muß.

Das Getriebe

Das eingebaute Getriebe, Typ BA7 ist mit vier synchronisierten Vorwärtsgängen und einem Rückwärtsgang versehen. Die folgenden Übersetzungsverhältnisse sind im Getriebe vorhanden:

Erster Gang	3,555 : 1
Zweiter Gang	2,104 : 1
Dritter Gang	1,366 : 1
Vierter Gang	1,000 : 1
Rückwärtsgang	3,634 : 1

Bild 73 zeigt ein ausgeschnittenes Getriebe, aus welchem die Lage der einzelnen Gänge ersichtlich ist.

Ausbau des Getriebes

- Fahrzeug, falls möglich, auf eine Hebebühne oder über eine Grube fahren.
- Batterie und Zündspule abklemmen.
- Die obere Kühlerbefestigung lösen und die beiden Schrauben entfernen, die den Kühler an den vorderen Querträger halten.
- Schrauben des Anlassers lösen und den Anlasser herausziehen. Es ist nicht erforderlich, die elektrischen Leitungen des Anlassers abzuklemmen.

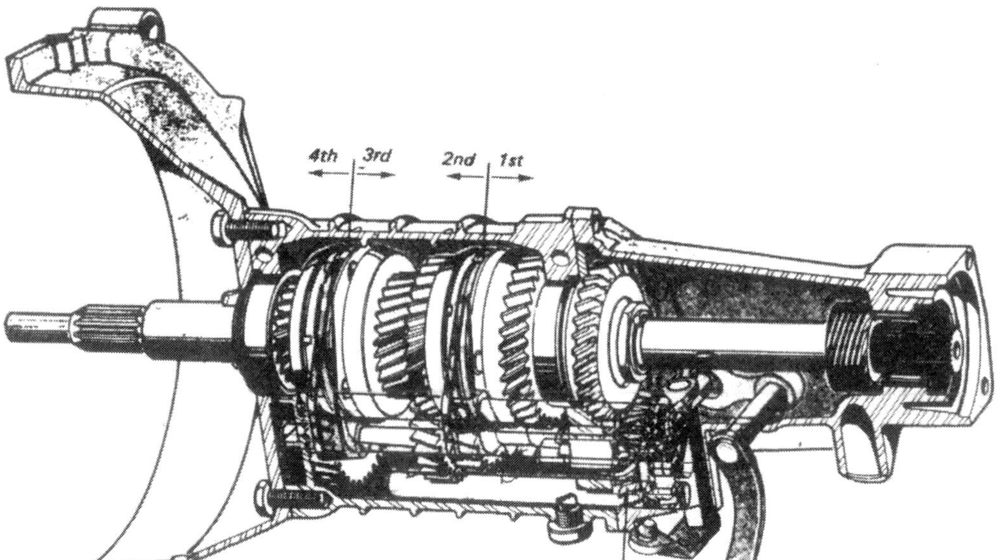

Bild 73
Schnitt durch das Vierganggetriebe, Typ BA 7

- Abdeckblech abnehmen.
- Die drei Befestigungsschrauben des Auspuffrohres vom Krümmer lösen.
- Mutter des Schalldämpfers vom Schutzrohr der Gelenkwelle entfernen.
- Eine weitere Mutter befindet sich an der Lasche an der Oberseite des Schutzrohres.
- Hintere Befestigung an der Karosserie lösen.
- Räder so nach rechts einschlagen, daß die gesamte Anlage herausgenommen und auf dem Hinterachsträger abgelegt werden kann.
- Wärmeschutzblech ausbauen.
- Einen Wagenheber unter das Kupplungsgehäuse setzen (mit Holzklotz).
- Die Befestigungsschrauben der Gelenkwelle vom Getriebe lösen. Diese Arbeit kann erleichtert werden, wenn man eine Stecknußverlängerung mit einem Gelenk zur Verfügung hat. Eine dieser Schrauben ist mit einem abgekröpften Imbußschlüssel zu lösen. Die Schraube jedoch noch nicht vollkommen entfernen, ehe die beiden Imbußschrauben des Hinterachsantriebs vom Aufhängungsquerträger gelöst wurden.
- Das Getriebe um ungefähr 20 mm von dem Schutzrohr der Gelenkwelle abdrücken.
- Die in Bild 74 gezeigte Platte zwischen Getriebegehäuse und Rohr einschieben, um die Gelenkwelle in ihrer Lage zu halten. Die Platte wird an der Unterseite mit zwei Schrauben an das Rohr geschraubt.

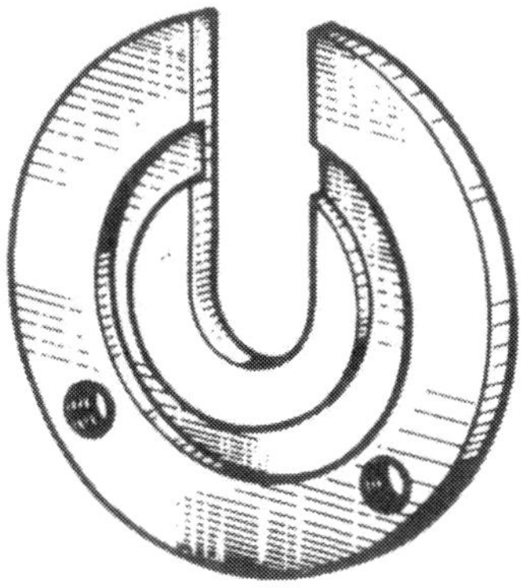

Bild 74
Halteplatte 8.0403S für die Gelenkwelle nach Ausbau des Getriebes

- Gelenkwelle voll aus dem Fahrzeug heben.
- Kupplungsnehmerzylinder vom Kupplungsgehäuse abschrauben, ohne den Schlauch abzuschließen.
- Alle Schaltgestänge von der Seite des Getriebes abschließen.
- Tachometerwelle abschrauben.
- Leitung des Schalters für die Rückfahrlampe abklemmen.
- Massekabel vom Getriebe lösen.
- Die Klemmschraube der Lenkungsscheibe entfernen.
- Schrauben des Lenkgetriebes lösen.
- Lenkung nach unten senken, ohne die Spurstangen von den Enden abzuschließen.
- Wagenheber unter dem Fahrzeug hervorziehen.
- Die drei Imbußschrauben zur Befestigung des Motors vom Kupplungsgehäuse lösen.
- Ein geeignetes Hebeseil um den Motor legen und diesen mit einem Flaschenzug (Kran) anheben, bis er so weit wie möglich von den Gummilagern abgehoben ist.
- Getriebe nach hinten herausziehen, wobei es gleichzeitig um 1/4 Umdrehung so nach links zu schwenken ist, daß das Getriebe unter dem Tunnel herausgezogen werden kann.
- Ein Stück Holz sollte unter den Kühler untergelegt werden, um die Kühlerröhren zu schützen.
- Abschließend das Kupplungsausrücklager aus dem Kupplungsgehäuse ausbauen.

Einbau des Getriebes

- Keilverzahnungen und die Vorderseite der Kupplungswelle sowie die Führungsmuffe für das Ausrücklager mit Fett schmieren.
- Kupplungsausrücklager mit dem Ausrückhebel verbinden.
- Getriebe gegen den Motor schieben und gleichzeitig die Keilverzahnungen der Kupplungswelle mit der Mitnehmerscheibe in Eingriff bringen. Ein Gang kann eingelegt werden, so daß sich die Welle nicht so leicht durchdreht. Das Gewicht des Getriebes darf dabei auf keinen Fall auf der Kupplungswelle ruhen bleiben, da dieses entweder verbogen werden kann, oder die Mitnehmerscheibe wird beschädigt.
- Die drei Imbußschrauben zwischen Getriebe und Motor einsetzen und auf ein Anzugsdrehmoment von 5,5 mkp anziehen. Die Schrauben müssen mit Federringen versehen werden.
- Den vorher eingesetzten Holzklotz wieder entfernen.

- Einen Wagenheber unter das Getriebe setzen und das Getriebe anheben, bis es in einer Linie mit der Gelenkwelle liegt.
- Verzahnungen der Welle mit Fett einschmieren.
- Gelenkwelle lose am Getriebe anbringen.
- Die in Bild 74 gezeigte Platte herausziehen.
- Gelenkwelle vollkommen mit dem Getriebe verbinden.
- Die vier Imbußschrauben mit einem Anzugsdrehmoment von 6,0 mkp anziehen.
- Wagenheber unter dem Fahrzeug hervorziehen.
- Elektrische Leitung am Schalter der Rückfahrlampe anklemmen.
- Masseband anschließen.
- Tachometerwelle befestigen.
- Schaltgestänge anbringen.
- Falls der Ablaßstopfen ausgeschraubt wurde, sollte er jetzt auf Festigkeit kontrolliert werden (2,8 mkp).
- Kupplungsnehmerzylinder am Kupplungsgehäuse montieren.
- Lenkung montieren.
- Kühler am vorderen Querträger anschrauben und die Muttern auf ein Drehmoment von nicht mehr als 1,0 mkp anziehen.
- Wärmeschutzschild anbringen.
- Auspuffrohr am Auspuffkrümmer anschrauben, jedoch eine neue Dichtung zwischen den Flächen verwenden.
- Gehäuse des Hinterachsantriebs mit den Imbußschrauben an der Aufhängungstraverse befestigen. Schrauben auf ein Anzugsdrehmoment von 3,75 mkp anziehen.

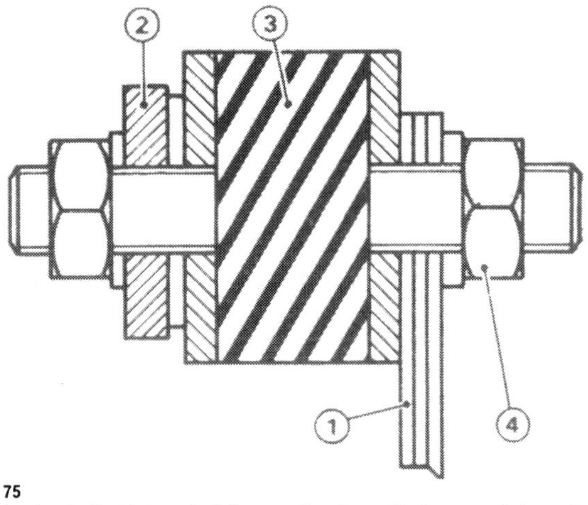

Bild 75
Schnitt durch die hintere Aufhängung des Auspuffrohres am Schutzrohr der Gelenkwelle
1 Befestigungsbügel
2 Lasche an Schutzrohr
3 Gummilager
4 Mutter

- Die hintere Aufhängung der Auspuffanlage gemäß Bild 75 montieren. Darauf achten, daß die Gummibüchse sich beim Anziehen der Mutter nicht durchdrehen kann.
- Oberteil des Kühlers montieren.
- Das obere Schließblech auf der linken Seite des Kupplungsgehäuses befestigen.
- Anlasser montieren. Schrauben mit 2,0 mkp anziehen.
- Die verbleibenden Teile in umgekehrter Reihenfolge wie beim Ausbau wieder einbauen.
- Getriebe mit 1,15 Liter 20 W 30/40 Motorenöl füllen. Einfüllstopfen mit 2,75 mkp anziehen.
- Getriebe durchschalten, um alle Gänge zu kontrollieren und probefahren.
- Nach der Probefahrt alle Dichtflächen auf Leckstellen kontrollieren.

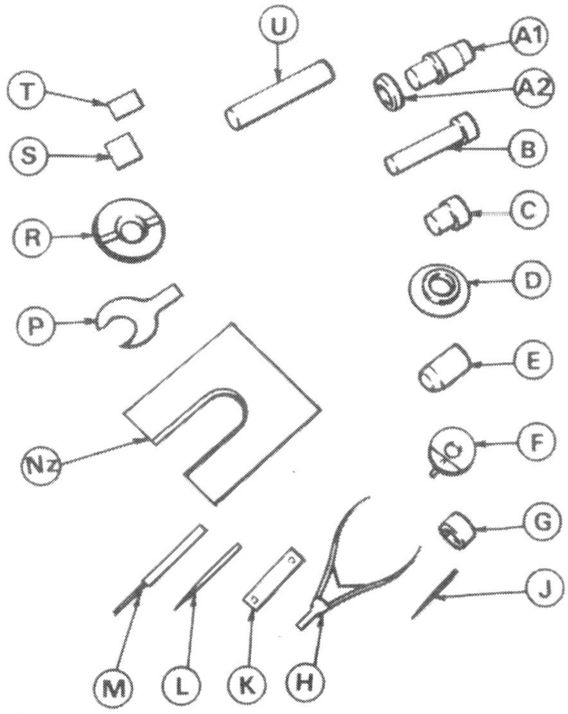

Bild 76
Spezialwerkzeugsatz zum Zerlegen und Zusammenbauen des Getriebes
A1 Auszieh-/Einziehdorn für Nadelrollenlager
A2 Abstandsring für Erneuern des Öldichtringes (Getriebeverlängerung)
B Meßlehre für Gangrad des 2. Ganges
C Meßlehre für Synchronkörper des 4. Ganges
E Montagewerkzeug für Hauptwellensprengring
F Meßuhrhalter
G Abstandsbüchse
H Zange, Ausbau/Einbau des Tachometerantriebs
J Verlängerung für Meßuhrfinger
K Befestigungsplatte
L Körner für Mutternverstemmung
M Durchschlag
Nz Preßplatte
P Schlüssel für Hauptwellenmutter
R Ausziehwerkzeug für Vorgelegewellenlager
S Einziehwerkzeug für Vorgelegewellenlager
T Abstandsbüchse
U Montagewerkzeug für Lager und Öldichtring der Hauptantriebswelle (Kupplungswelle)

Getriebe bei Einspritzmotoren

Bei eingebautem Einspritzmotor die Förderleitung des Magnetventils und den Gummischlauch zwischen Luftfilter und Luftverteiler entfernen. Ebenfalls den Öleinfüllstopfen des Motors ausbauen, ohne die Gummianschlüsse abzuschliessen. An der Unterseite des Fahrzeuges die elektrische Benzinpumpe ausbauen, so daß die Achse nach hinten versetzt werden kann.

Zerlegen des Getriebes

- Öl ablassen.
- Kupplungsausrücklager ausbauen.
- Ausrückgabel abmontieren.
- Rückfahrschalter herausschrauben.
- Schraube des Tachometerantriebsritzels lösen und das Ritzel komplett mit einer geeigneten Zange («H» in Bild 76) herausziehen.
- Schalthebel in die Leergangstellung bringen (den längeren und geraderen) und den zweiten Hebel so weit wie möglich nach hinten ziehen.
- Die sieben Schrauben der Getriebeverlängerung lösen und die Verlängerung vom Getriebegehäuse abziehen. Falls notwendig, einen Gummihammer zum Abschlagen verwenden.
- Die vier Schrauben der Halteplatte («3» in Bild 77) lösen.

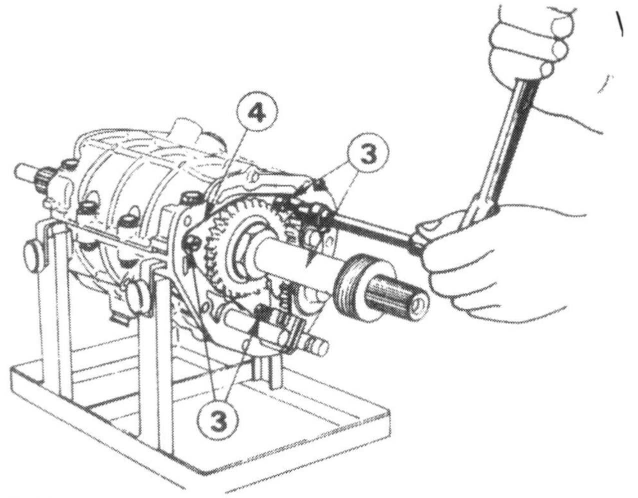

Bild 77
Zum Ausbau des hinteren Getriebedeckels
3 Schrauben der Lagerhalteplatte
4 Lagerhalteplatte

- Die acht Verbindungsschrauben zwischen den beiden Getriebegehäusehälften entfernen.
- Obere Gehäusehälfte herunterheben.
- Den kompletten Zahnradsatz aus der anderen Gehäusehälfte herausnehmen, wie in Bild 78 gezeigt.

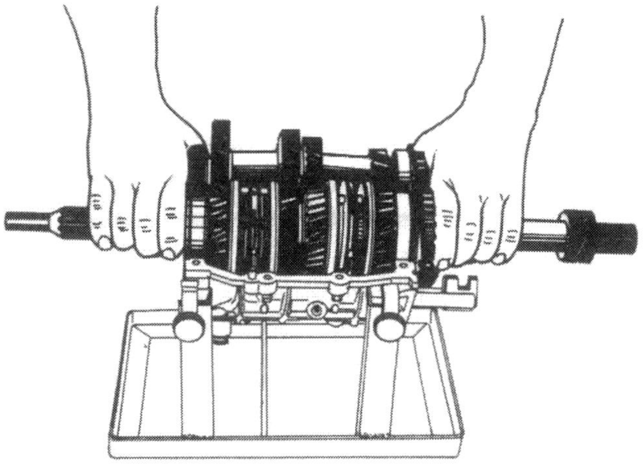

Bild 78
Beim Zerlegen des Getriebes den kompletten Zahnradsatz, wie gezeigt, herausheben

Vorgelegewelle

- Vorgelegewelle in einen Schraubstock einspannen.
- Sprengring des Rückwärtsgangrades mit einer Sprengringzange entfernen.

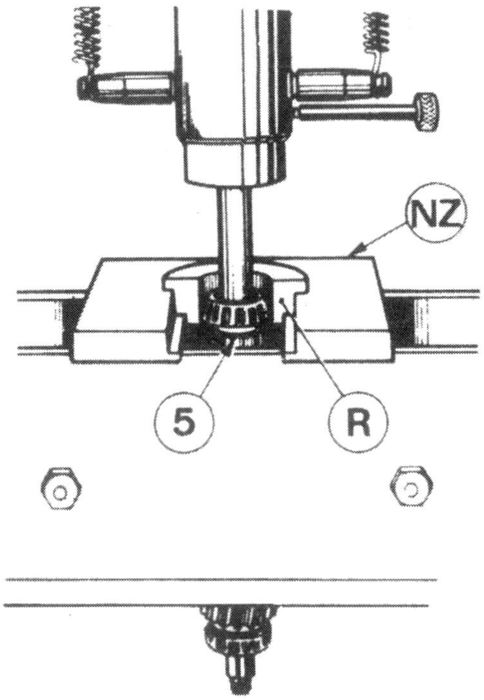

Bild 79
Auspressen des vorderen Lagers der Vorgelegewelle
Nz Preßplatte
R Preßstück
5 Ausgleichsscheibe

- Wellenscheibe herunternehmen.
- Zahnrad abziehen.
- Äußeren Lagerring des Kegelrollenlagers abziehen.
- Das vordere Kegelrollenlager zusammen mit der Ausgleichscheibe herunterziehen und das hintere Lager in gleicher Weise abziehen. Diese Arbeit kann, wie in Bild 79 gezeigt, unter einer Presse durchgeführt werden.

Getriebeantriebs- und Hauptwelle

- Schiebemuffe des 3./4. Ganges zum Synchronring des 3. Ganges drücken und in dieser Stellung halten.
- Antriebswelle von der Hauptwelle trennen.
- Nadelrollenlager aus dem Ende der Antriebswelle herausnehmen. Bild 80 zeigt Einzelheiten der Teile.

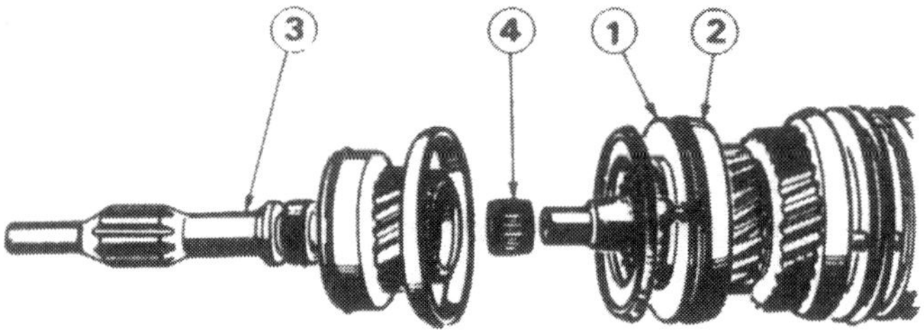

Bild 80
Ansicht von Kupplungswelle und Hauptwellenende
1 Schiebemuffe, Synchronkörper 3./4. Gang
2 Synchronring
3 Kupplungswelle
4 Nadelrollenlager

- Alle Teile des Synchronkörpers für den 3./4. Gang gründlich reinigen, ohne dabei die Schiebemuffe abzunehmen.
- Hauptwelle in einen Schraubstock spannen.
- Stellung und Drehrichtung der Schiebemuffe im Verhältnis zur Synchronnabe kennzeichnen.
- Schiebemuffe herunterziehen.
- Sprengring vom Ende der Welle entfernen.
- Die elastische Scheibe von der Welle ziehen.
- Mutter des Rückwärtsgangrades mit einem geeigneten Schlüssel vom anderen Ende der Welle lösen.
- Synchronnabe für 3./4. Gang und das Gangrad des 3. Ganges von der Hauptwelle pressen.

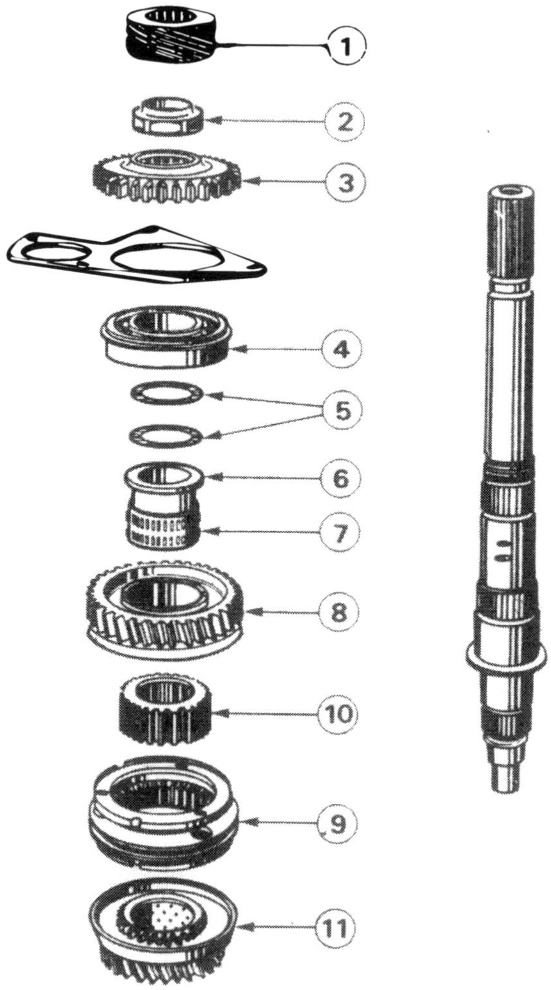

Bild 81
Montagebild der Hauptwelle
1 Tachometerschnecke
2 Mutter
3 Rückwärtsgangrad
4 Hinteres Lager
5 Ausgleichsscheibe
6 Abstandsring für 1. Gangrad
7 Nadelrollenlager
8 Gangrad, 1. Gang
9 Schiebemuffe, Synchronkörper 1./2. Gang
10 Synchronkörper
11 Gangrad, 2. Gang

- Unter Bezug auf Bild 81 die folgenden Teile in der genannten Reihenfolge von der Welle abmontieren:
  — Tachometerschnecke
  — Mutter
  — Rückwärtsgangrad
  — Halteplatte des hinteren Lagers
  — Hinteres Kugellager
  — Ausgleichscheiben
  — Abstandsring für 1. Gangrad
  — Nadelkäfig
  — Zahnrad des 1. Ganges
  — Synchronkörper für 1./2. Gang
  — Gangrad des 2. Ganges
- Zahnräder der Synchronkörper abpressen.
- Die elastische Scheibe von der Kupplungswelle entfernen.
- Sprengring abnehmen.

- Kugellager abpressen.
- Ölleitscheibe und Ausgleichscheiben abnehmen.

Schaltgabeln und Schaltsperren

- 2. Gang einlegen.
- Federspannstift aus der Schaltgabel des 1./2. Ganges mit einem geeigneten Durchschlag heraustreiben.
- Schaltschiene in die Leergangstellung zurückbringen.
- 4. Gang einschalten.
- Federspannstift für die Schaltgabel des 3./4. Ganges austreiben.
- Schaltung in die Leergangstellung zurückbringen.
- Verschlußschraube für die Verriegelung von der Innenseite des Schaltmechanismus her herausdrehen.
- Schaltschienen herausziehen.
- Verschlußschraube der Schaltgabel von der Seite des Getriebegehäuses für den Rückwärtsgang entfernen.
- Schaltgabel zusammen mit dem Rücklaufrad herausnehmen.
- Druckfedern der Schaltsperren einsammeln.
- Die vier Sperrkugeln und den Sperrfinger herausnehmen.
- Die Sperrnadel aus der Schaltschiene für den 3./4. Gang herausnehmen.
- Den Federspannstift aus der Rücklaufwelle mit einem passenden Dorn herausschlagen und die Welle zur Innenseite des Getriebegehäuses drücken.

Zusammenbau des Getriebes

Alle Teile gründlich reinigen und mit Preßluft trockenblasen oder mit einem flusenfreien Lappen abreiben. Zum Entfernen von Dichtungsmasseresten einen in Benzin eingetauchten Lappen verwenden. *Unter keinen Umständen Schmirgelleinwand oder scharfe Werkzeuge an den Getriebedichtflächen verwenden.*

Die folgenden Teile sollten erneuert werden, falls das Getriebe vollkommen zerlegt wurde:

— Alle Wellensprengringe
— Wellenscheiben
— Federspannstifte
— Hauptwellenmutter
— Dichtung des Getriebegehäuses
— «O»-Dichtring des Tachometerantriebs
— Alle Sicherungsscheiben und Federringe
— Ölabweisscheibe des Lagers der Kupplungswelle

Alle Teile vor dem Zusammenbau mit dünnflüssigem Motorenöl einschmieren.

Vorbereitung des Kupplungsgehäuses

- Kupplungsgehäuse auf eine Richtplatte auflegen und mit einer Meßuhr mit einem geeigneten Halter die vordere und hintere Fläche auf Planflächigkeit kontrollieren. Die Abweichung zwischen den beiden Flächen sollte 0,1 mm nicht überschreiten.

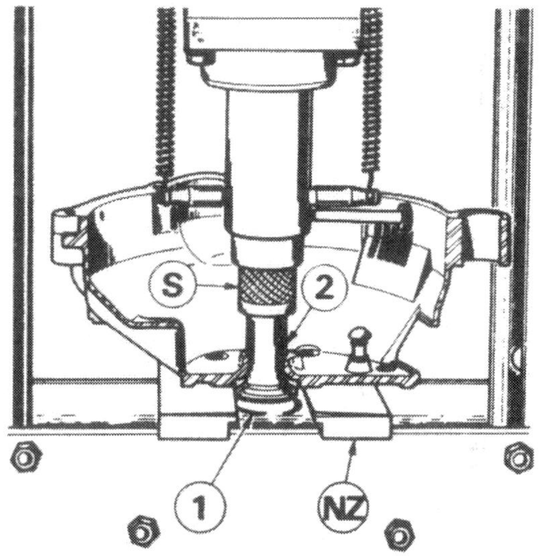

Bild 82
Ausbau der Führungshülse für das Kupplungsausrücklager
1 Sprengring
2 Führungshülse
NZ Preßplatte
S Abstandsbüchse

- Falls es erforderlich ist, die Muffe des Ausrücklagers zu erneuern, folgendermaßen unter Bezug auf Bild 82 vorgehen:
  — Sprengring «1» von der Muffe «2» entfernen (Schraubenzieher).
  — Muffe unter einer Presse abdrücken. Dazu eine gezeichnete Preßplatte «NZ» unterlegen und einen passenden Preßdorn «S» verwenden.
  — Beim Einbau die Muffe mit einem passenden Dorn einschlagen und einen neuen Sprengring anbringen.

Vorbereitung der Getriebeverlängerung

- Zum Erneuern des Öldichtringes in der Getriebeverlängerung die Platte «K» in Bild 76 am Gehäuse anschrauben.
- Mit einem geeignet abgekröpften Hebel den Öldichtring herausdrücken.
- Nadelrollenlager nach innen herauspressen.

> HINWEIS: Falls der Umschalthebel in der Getriebeverlängerung oder der Gangwählhebel ausgeschlagen sind, muß eine neue Getriebeverlängerung eingebaut werden, da sich diese Teile nicht einzeln erneuern lassen.

- Nadelrollenlager mit der gezeichneten Seite nach oben weisend in die Getriebeverlängerung einpressen. Dazu einen passenden Preßdorn verwenden.
- Öldichtring so weit wie möglich in das Gehäuse einschlagen oder einpressen.
- Die Sperrwirkung der Kugel in der Leergangstellung kontrollieren. Falls Schwierigkeiten beim Betätigen des Wählhebels festgestellt werden können, kontrollieren, ob die Verschlußschraube für die Druckkugel bündig mit der Getriebefläche abschließt. Falls der Druck zu wenig ist, die Schraube herausdrehen, bündig in das Getriebe einschrauben und in dieser Lage verstemmen. Die Schraube ist mit Dichtungsmasse einzusetzen.

Vorbereitung des Schaltmechanismuses

- Rücklaufwelle so in die linke Getriebegehäusehälfte einschlagen, daß die Löcher für den Sicherungsstift in einer Linie liegen.
- Einen neuen Federspannstift einschlagen.
- Rücklaufrad und Schaltgabel montieren.
- Getriebegehäuse zu ausrichten, daß die Öffnung für den Ölablaßstopfen sich an der Oberseite befindet und die Kugel, die Feder und den Verschlußstopfen in die Verriegelbohrung für den Rückwärtsgang einschrauben.
- Verschlußstopfen mit Dichtungsmasse einschrauben und mit 1,0 mkp anziehen.
- Schaltwelle des R.W.-Ganges in die Leergangstellung bringen.
- Getriebegehäuse auf die andere Seite drehen.
- Sperriegel für den 3./4. Gang und den Rückwärtsgang einschieben.
- Sperrnadel der Schaltschiene für den 3./4. Gang mit Talkum einschmieren und in die Bohrung der Schiene einschieben (Bild 83).

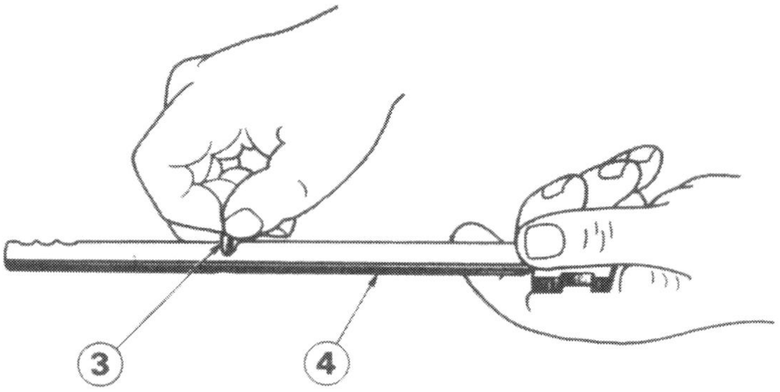

Bild 83
Die Sperrnadel (3) ist nach Einreiben mit Talkum in die Schaltschiene des 3./4. Ganges einzusetzen.

- Getriebegehäuse so hinsetzen, daß die Schaltung sich an der Oberseite befindet.
- Schaltgabel für 1./2. Gang (die längere der beiden) und die Schaltgabel der anderen beiden Gänge montieren.
- Schaltschiene in das Getriebegehäuse und durch die Schaltgabeln einführen, bis sie gegen den Rand der Bohrung («7» in Bild 84) ansitzt.

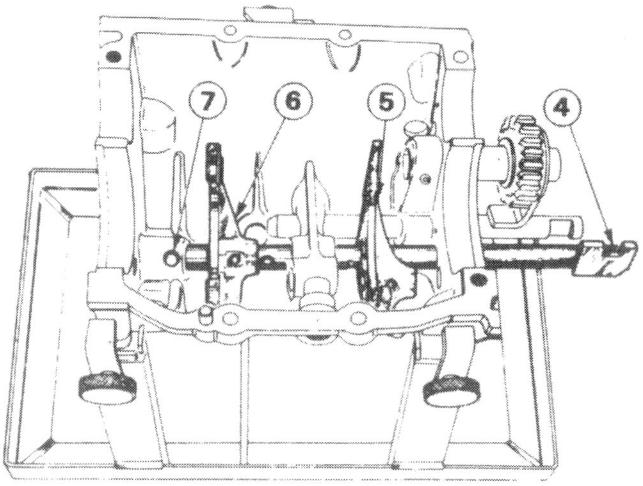

Bild 84
Zum Einbau der Schaltgabeln und -schienen
4 Schaltschiene
5 Schaltgabel, 1./2. Gang
6 Schaltgabel, 3./4. Gang
7 Bohrung für Sperrkugel

- Eine Feder und eine Sperrkugel einschieben, die Teile mit einem dünnen Dorn nach unten drücken und die Schaltschiene vollkommen hineinschieben. Dorn erst loslassen, wenn die Schaltschiene über der Kugel sitzt.
- Schaltschiene in die Leergangstellung schalten und die Schaltgabel für den 3./4. Gang mit einem neuen Federspannstift befestigen.
- Betriebsgehäusehälfte auf die rechte Seite drehen und eine Sperrkugel in die Verriegelbohrung für den 1./2. Gang einsetzen. Die Kugel muß nach unten gedrückt werden, bis sie in Berührung mit der Schaltschiene des 3./4. Ganges steht.
- Schaltschiene des 1./2. Ganges einschieben, bis sie in der Leergangstellung steht.
- Sperrkugel und Feder des 1./2. Ganges einsetzen.
- Verschlußstopfen mit Dichtungsmasse einschrauben und mit einem Anzugsdrehmoment von 1,0 mkp anziehen.
- Schaltgabel an der Schaltschiene befestigen.

Vorbereitung der Wellen

- Kugellager auf die Kupplungswelle pressen und die Zwischenbüchse aufsetzen. Das Kugellager sollte gegen den Bund anliegen.
- Hauptwelle zusammenbauen. Das Zahnrad für den 1. Gang, die Synchronnabe des 1. Gang und das Kugellager in dieser Reihenfolge von der Rückseite der Welle aufpressen und mit einem neuen Sprengring befestigen.

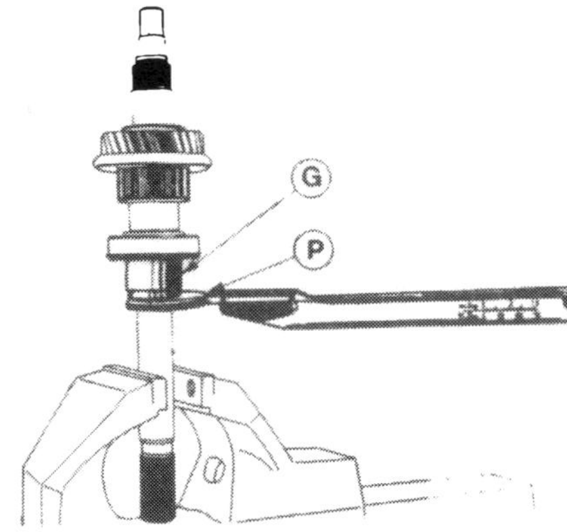

Bild 85
Vorbereitung der Hauptwelle zu Einstellzwecken
G Abstandsbüchse P Spezialschlüssel

- Das keilverzahnte Ende der Hauptwelle in einen Schraubstock einspannen, wie es Bild 85 zeigt, und die Mutter auf ein Anzugsdrehmoment von 5,5 mkp anziehen. Die Abstandshülse «G» in der Abbildung muß dazwischen eingesetzt sein.
- Das vordere und hintere Kegelrollenlager an der Vorgelegewelle montieren. Wenn das hintere Lager aufgepreßt ist, das Rückwärtsgangrad der Vorgelegewelle aufstecken und einen neuen Sicherungsring mit einer neuen, elastischen Wellenscheibe darunter, anbringen. Der Sicherungsring muß so mit einem passenden Dorn aufgeschlagen werden, daß die elastische Scheibe zusammengedrückt wird und der Sprengring gleichzeitig in die Nute springt.

Einstellung des Synchronisierringes des 4. Ganges

- Getriebe auf eine Werkbank aufsetzen (mit der flachen Seite des Kupplungsgehäuses).
- Kupplungswelle in das Kupplungsgehäuse einsetzen.
- Die rechte Getriebegehäusehälfte am Kupplungsgehäuse anschrauben (2,0 mkp).

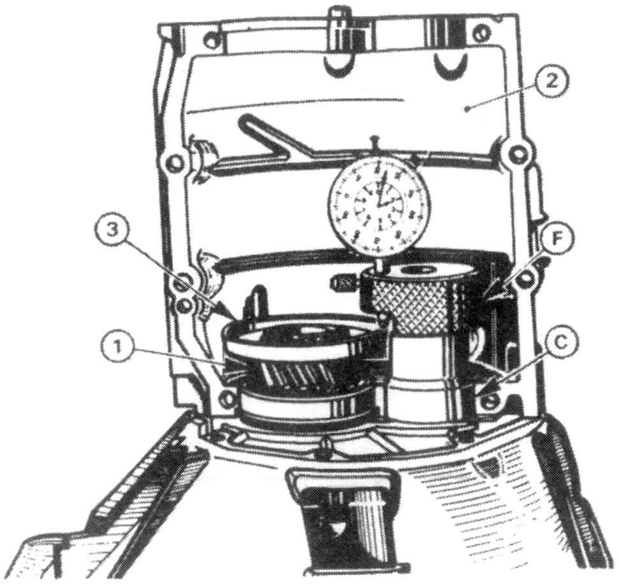

Bild 86
Einstellen der Stellung des Synchronisierkonuses für 4. Gang
1 Kupplungswelle
2 Rechte Gehäusehälfte
3 Synchronisierkonus
C Meßlehre
F Meßuhrhalter

Vorbereitung der Getriebeverlängerung

- Zum Erneuern des Öldichtringes in der Getriebeverlängerung die Platte «K» in Bild 76 am Gehäuse anschrauben.
- Mit einem geeignet abgekröpften Hebel den Öldichtring herausdrücken.
- Nadelrollenlager nach innen herauspressen.

> HINWEIS: Falls der Umschalthebel in der Getriebeverlängerung oder der Gangwählhebel ausgeschlagen sind, muß eine neue Getriebeverlängerung eingebaut werden, da sich diese Teile nicht einzeln erneuern lassen.

- Nadelrollenlager mit der gezeichneten Seite nach oben weisend in die Getriebeverlängerung einpressen. Dazu einen passenden Preßdorn verwenden.
- Öldichtring so weit wie möglich in das Gehäuse einschlagen oder einpressen.
- Die Sperrwirkung der Kugel in der Leergangstellung kontrollieren. Falls Schwierigkeiten beim Betätigen des Wählhebels festgestellt werden können, kontrollieren, ob die Verschlußschraube für die Druckkugel bündig mit der Getriebefläche abschließt. Falls der Druck zu wenig ist, die Schraube herausdrehen, bündig in das Getriebe einschrauben und in dieser Lage verstemmen. Die Schraube ist mit Dichtungsmasse einzusetzen.

Vorbereitung des Schaltmechanismuses

- Rücklaufwelle so in die linke Getriebegehäusehälfte einschlagen, daß die Löcher für den Sicherungsstift in einer Linie liegen.
- Einen neuen Federspannstift einschlagen.
- Rücklaufrad und Schaltgabel montieren.
- Getriebegehäuse zu ausrichten, daß die Öffnung für den Ölablaßstopfen sich an der Oberseite befindet und die Kugel, die Feder und den Verschlußstopfen in die Verriegelbohrung für den Rückwärtsgang einschrauben.
- Verschlußstopfen mit Dichtungsmasse einschrauben und mit 1,0 mkp anziehen.
- Schaltwelle des R.W.-Ganges in die Leergangstellung bringen.
- Getriebegehäuse auf die andere Seite drehen.
- Sperriegel für den 3./4. Gang und den Rückwärtsgang einschieben.
- Sperrnadel der Schaltschiene für den 3./4. Gang mit Talkum einschmieren und in die Bohrung der Schiene einschieben (Bild 83).

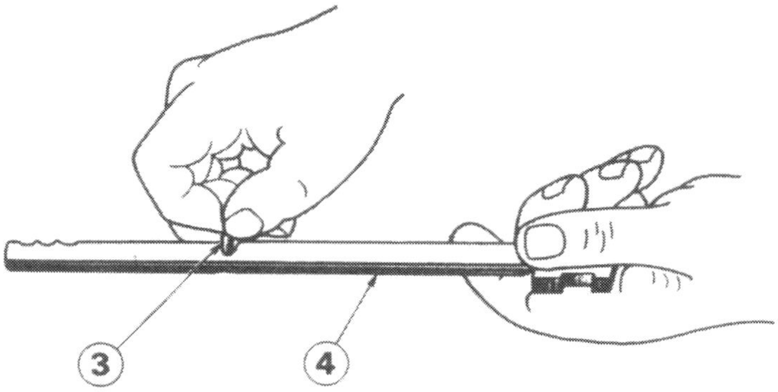

Bild 83
Die Sperrnadel (3) ist nach Einreiben mit Talkum in die Schaltschiene des 3./4. Ganges einzusetzen.

- Getriebegehäuse so hinsetzen, daß die Schaltung sich an der Oberseite befindet.
- Schaltgabel für 1./2. Gang (die längere der beiden) und die Schaltgabel der anderen beiden Gänge montieren.
- Schaltschiene in das Getriebegehäuse und durch die Schaltgabeln einführen, bis sie gegen den Rand der Bohrung («7» in Bild 84) ansitzt.

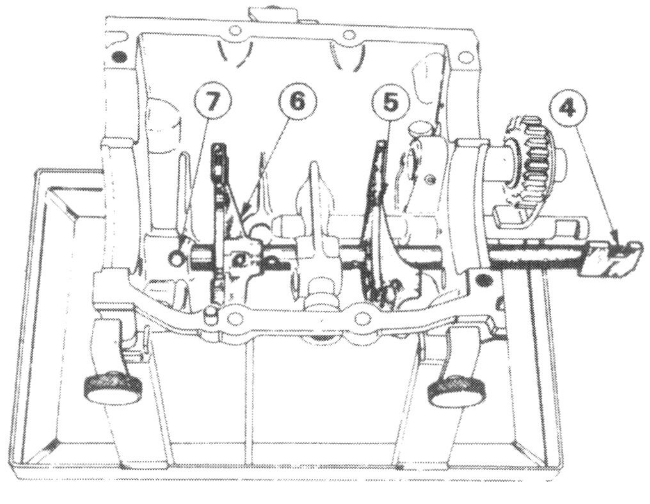

Bild 84
Zum Einbau der Schaltgabeln und -schienen
4 Schaltschiene
5 Schaltgabel, 1./2. Gang
6 Schaltgabel, 3./4. Gang
7 Bohrung für Sperrkugel

Einstellung der Vorspannung der Vorgelegewellenlager

- Vorgelegewelle zusammen mit den Kegelrollenlagern in die linke Getriebehälfte einlegen.
- Rechtes Gehäuse darüber setzen und die Schrauben leicht anziehen.
- Die hintere Befestigungsplatte leicht anschrauben.
- Das Getriebe so hinsetzen, daß die Stirnfläche nach oben weist.
- Werkzeug «S» in Bild 76 auf das vordere Lager aufsetzen und nach unten drücken. Gleichzeitig die Vorgelegewelle verdrehen, um die Lager einzuspielen.
- Kupplungsgehäuse anschrauben und alle Schrauben auf 1,0 mkp abziehen.
- Kupplungsgehäuse wieder abschrauben.
- Die beiden Getriebegehäusehälften müssen einwandfrei miteinander fluchten. Dies kann mit dem Meßblock «F» in Bild 76 durchgeführt werden, indem man den Meßfinger abwechselnd über die beiden Gehäusefugen schiebt. Die Abweichung darf 0,02 mm nicht überschreiten. Falls der Unterschied größer ist, Kupplungsgehäuse wieder anschrauben und die Schrauben lösen und erneut anziehen, um die Abweichung zu korrigieren.
- Meßblock so über das Ende der Vorgelegewelle setzen, daß der Meßfinger auf der Aussenseite des vorderen Lagers aufsitzt, wie es Bild 88 zeigt.

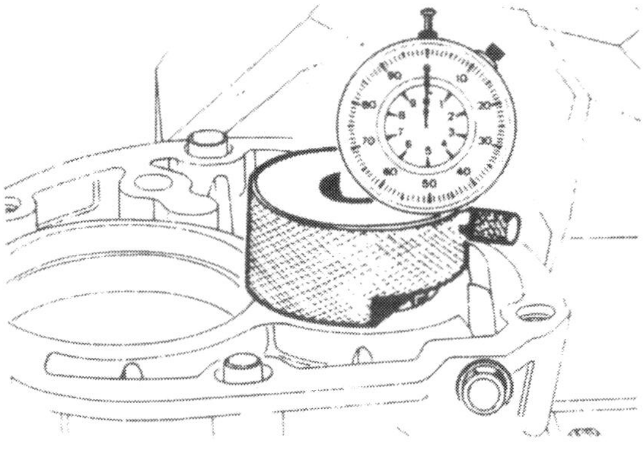

Bild 88
Ausmessen des Höhenunterschiedes zwischen dem vorderen Vorgelegewellenlager und der Stirnfläche der Gehäusehälften

- Indem man den Meßblock in kreisförmigen Bewegungen um den äußeren Lagerring verschiebt, ist zu kontrollieren, ob der Lagerring und die Getriebefläche parallel miteinander liegen. Die zulässige Abweichung beträgt 0,02 mm.
- Falls das Maß überschritten wird, das Spezialwerkzeug «S» (Bild 76) und einen Gummihammer benutzen und den äußeren Lagerring weiterhin hineinschlagen, bis das Maß innerhalb der Angaben liegt. Dies muß mit der größten Sorgfalt durchgeführt werden, um die Vorgelegewellenlager nicht vorzuspannen. Falls erforderlich, die beiden Getriebegehäuseschrauben in der Nähe des vorderen Lagers lockern.
- Meßuhr mit dem Finger gegen den äußeren Lagerring ansetzen, die große Nadel auf «Null» stellen und die kleine Nadel auf «2».
- Meßblock seitlich so verschieben, daß der Meßfinger auf der Stirnfläche des Getriebes aufsitzen kann. Der erhaltene Wert ist der Abstand zwischen dem Lager bis zur Stirnfläche. Dieses Maß aufschreiben und eine Vorspannung von 0,10 mm für die Lager hinzufügen.

Beispiel:

Anzeige am Getriebegehäuse	4,52 mm
Anzeige am Lager	—2,00 mm
4,52 — 2,00 = 2,52 mm	

Die Stärke der einzusetzenden Scheiben beträgt 2,60 mm. Scheiben stehen in Stärken von 2,35 mm bis 3,40 mm in Abstufungen von je 0,05 mm zur Verfügung.

- Wenn die Einstellung stimmt: Vorgelegewelle ausbauen und das Lager der Welle herausschlagen. Ausgerechnete Scheibe so einlegen, daß die Abschrägung zum Zahnrad weist. Schrägrollenlager wieder montieren.

Zusammenbau der Hauptwelle

- Hinteres Lager zusammen mit den Ausgleichscheiben montieren.
- Danach in der folgenden Reihenfolge anbringen:
  — 2. Gangrad
  — Synchronkörper mit Schiebemuffe
  — 1. Gangrad
  — Nadelrollenlager

— Abstandsring
— Die für den Synchronkonus des 2. Ganges ausgerechnete Ausgleichscheibe

- Kugellager über das Ende der Welle pressen. Die Nute für den Befestigungsring muß zur Rückseite weisen.
- Hauptwelle durch die größere Öffnung in der Stützplatte einführen.
- Rückwärtsgangrad so über die Welle schieben, daß die angeschrägten Zähne zur Rückseite weisen.
- Welle in einen Schraubstock einspannen und eine neue Mutter auf 5,5 mkp anziehen.
- Mutter sichern.
- Auf der anderen Seite die Tachoschnecke aufpressen.
- Auf das Zapfenende der Hauptwelle das Gangrad des 3. Ganges und die Synchronnabe für 3./4. Gang aufsetzen.
- Die elastische Scheibe und den Sprengring anbringen, wobei darauf zu achten ist, daß der Sprengring gut eingreift und die Schiebemuffe über die Synchronnabe setzen (auf die Markierungen beim Zerlegen achten).

Zusammenbau der Kupplungswelle

- Das vorher auf die Welle zu Einstellzwecken aufgepreßte Lager wieder herunterziehen und die festgelegte Scheibenstärke und die Ölleitscheibe über die Welle schieben.
- Lager wieder aufpressen und mit der elastischen Scheibe und dem Sprengring befestigen.
- Zum Einsetzen des Sprengringes muß die Welle unter eine Presse gesetzt werden. Mit einem passenden Rohr die elastische Scheibe zusammendrücken, bis sich der Sprengring in die Nute einsetzen läßt. Sprengring zusammendrücken, bis er vollkommen eingegriffen hat.

Endgültiger Zusammenbau

Der Zusammenbau wird mit der linken Getriebegehäusehälfte fortgesetzt.

- Nadelrollenlager in die Vertiefung der Kupplungswelle einsetzen.
- Kupplungswelle mit der Hauptwelle in Eingriff bringen.
- Schiebemuffe des Synchronkörpers des 3./4. Ganges in die Leergangstellung bringen.
- Vorgelege in Eingriff mit den anderen Gangrädern bringen.
- Rückwärtsgangrad durch die Stützplatte einsetzen.

- Zahnradsatz zusammenhalten und zusammen in das linke Getriebegehäuse senken, jedoch darauf achten, daß die Schaltgabeln in die Rillen der Schiebemuffen eingreifen.
- Äußeren Lagerring für das vordere Vorgelegewellenlager montieren.
- Beide Flächen der Getriebegehäusehälften mit «Perfect Seal»-Dichtungsmasse einschmieren und die vier Schrauben mit einem Anzugsdrehmoment von 0,5 mkp anziehen.
- Kupplungsgehäuse anbringen (Dichtungsmasse vorher auftragen) und die Schrauben mit 2,75 mkp anziehen.
- Hintere Platte anschrauben und die Schrauben mit 1,0 mkp anziehen.
- Die vier Gehäuseschrauben werden jetzt wieder gelockert.
- Mit einem Holzhammer die beiden Gehäusehälften zusammenklopfen und gleichzeitig die Getriebewellen durchdrehen.
- Wenn sich die Wellen ohne schwere Stellen durchdrehen lassen, die vier Schrauben auf ein Anzugsdrehmoment von 1,5 mkp anziehen.
- Meßuhrhalter «F» in Bild 76 verwenden und eine Meßuhr einsetzen.
- Gehäusehälften auf genaue Flucht an der Fuge ausmessen, indem man die Meßuhr von einer Seite auf die andere schiebt. Die Abweichung darf nicht mehr als 0,02 mm betragen.
- Die verbleibenden vier Schrauben der Getriebegehäusehälften auf 1,0 mkp anziehen.
- Dichtflächen der Getriebeverlängerung mit Dichtungsmasse einstreichen.
- Getriebeverlängerung anbringen und die Stiftschrauben und Schrauben mit einem Anzugsdrehmoment von 1,5 mkp anziehen.
- Tachometerantriebsritzel einsetzen und mit der Schraube an der Seite befestigen.
- Wie bereits in Bild 70 gezeigt, einen Gummiring «1» in die Nute hinter dem Kugelbolzen «2» anbringen.

- Gleitmuffe des Ausrücklagers mit Fett einschmieren.
- Ausrückhebel einsetzen und mit einem Schraubenzieher die Stützfeder der Ausrückgabel über den Kugelbolzen heben.
- Ausrückgabel von der Innenseite her durch das Kupplungsgehäuse einsetzen.
- Schalter der Rückfahrlampe einschrauben (neue Dichtung) und auf 125 mkp festziehen, falls der Schalter aus Kupfer besteht oder auf 2,75 mkp festziehen, falls der Schalter aus Stahl besteht.

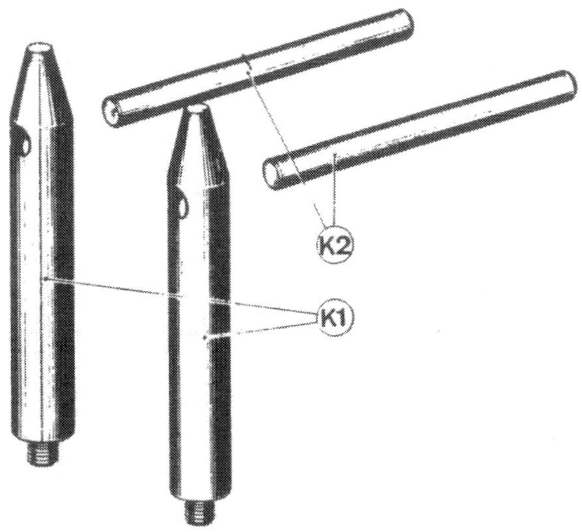

Bild 89
Spezialwerkzeuge zum Ausbau des hinteren Querträgers (siehe Text)
K1 Führungsstifte K2 Knebel

Die Gelenkwelle

Ausbau der Gelenkwelle

- Fahrzeug über eine Montagegrube fahren oder auf Böcke stellen.
- Auspuffrohr von der hinteren Aufhängung lösen und auf den hinteren Querträger absenken. Ein Unterstellbock kann ebenfalls zum Abstützen des Rohres benutzt werden.
- Wärmeschutzschild abschrauben.
- Die zwei Befestigungsschrauben zur Befestigung des Hinterachsantriebs lösen.
- Den hinteren Teil des Gelenkrohres auf den Hinterachsquerträger absenken.
- Einen Wagenheber unter den linken Seitenträger fahren.
- Hinteres Sitzkissen ausbauen.
- Die drei Befestigungsmuttern des hinteren Querträgers lösen.
- Vordere Befestigungsmutter lösen.
- Sicherungsblech anheben.
- Kunststoffstopfen herausnehmen, welcher nach Anheben des Sicherungsbleches frei wird und einen der Gewindestifte («K1» in Bild 89) in den hinteren Querträger einschrauben.
- Führungsstift mit Hilfe des Knebels «K2» anziehen (siehe ebenfalls Bild 90). Knebel in dem Führungsstift lassen.
- Die beiden hinteren Muttern des Querträgers lösen und den Querträger langsam ablassen, bis das Gewicht des Trägers von dem Knebel im Führungsstift gehalten wird.
- Die gleichen Arbeiten sind jetzt auf der rechten Seite der Radaufhängung durchzuführen.
- Hinterachsantrieb von dem Gelenkwellenrohr abschrauben, nach hinten herausziehen und auf einen untergelegten Holzklotz ablegen.

Bild 90
Der hintere Querträger wird mit Hilfe der Führungsstifte und Knebel (Bild 89) von der Innenseite des Fahrzeuges aufgehängt

- Die in der Innenseite der Gelenkwelle eingesetzte Feder entfernen.
- Die vier Imbußschrauben herausdrehen, die das Gelenkwellenrohr mit dem Getriebe verbinden.
- Rohr ungefähr 20 mm vom Getriebe abdrükken und die in Bild 74 gezeigte Halteplatte 8.043S zwischen das Getriebe und das Gelenkwellenrohr einschieben. Unterteil der Platte am Gelenkwellenrohr anschrauben.
- Auspuffrohr vollkommen ausbauen.
- Gelenkwelle vollkommen vom Getriebe abziehen und nach vorn aus dem Fahrzeug herausziehen.

Prüfen der Gelenkwelle und des Schutzrohres

Schutzrohr

Schutz zwischen die Spitzen einer Drehbank einspannen und mit Hilfe einer Meßuhr in Höhe des Schmiernippels kontrollieren, ob der Schlag einen Wert von 2,0 mm nicht überschreitet. Nadel der Meßuhr gegen eine der Endflächen des Rohres ansetzen und das Rohr drehen. Der Schlag der Fläche darf 0,05 mm nicht überschreiten. Die gleiche Arbeit an der gegenüberliegenden Fläche durchführen.

Gelenkwelle

Gelenkwelle zwischen die Spitzen einer Drehbank einspannen und mit Hilfe einer Meßuhr in der Höhe des mittleren Lagers kontrollieren, daß der Schlag an dieser Stelle 0,2 mm nicht übersteigt.

Einbau der Gelenkwelle

Zum Einbau der Gelenkwelle das Vorderteil der Welle mit Hilfe der Halteplatte 8.043S am Schutzrohr anbringen. Keilverzahnungen am vorderen Ende der Gelenkwelle einfetten und die Gelenkwelle mit der Hauptwelle des Getriebes in Eingriff bringen. Halteplatte entfernen, die vier Imbußschrauben einschrauben und mit einem Anzugsdrehmoment von 6,0 mkp anziehen. Den Hinterachsantrieb in umgekehrter Reihenfolge wie beim Ausbau wieder montieren und die beiben Imbußschrauben auf ein Anzugsdrehmoment von 3,75 mkp anziehen. Alle anderen Arbeiten in umgekehrter Reihenfolge durchführen.

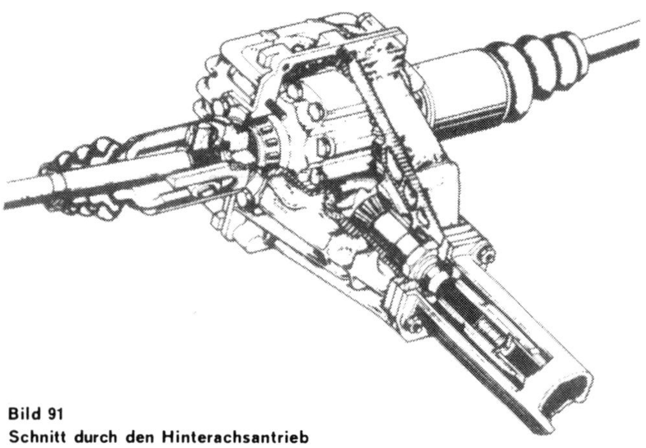

Bild 91
Schnitt durch den Hinterachsantrieb

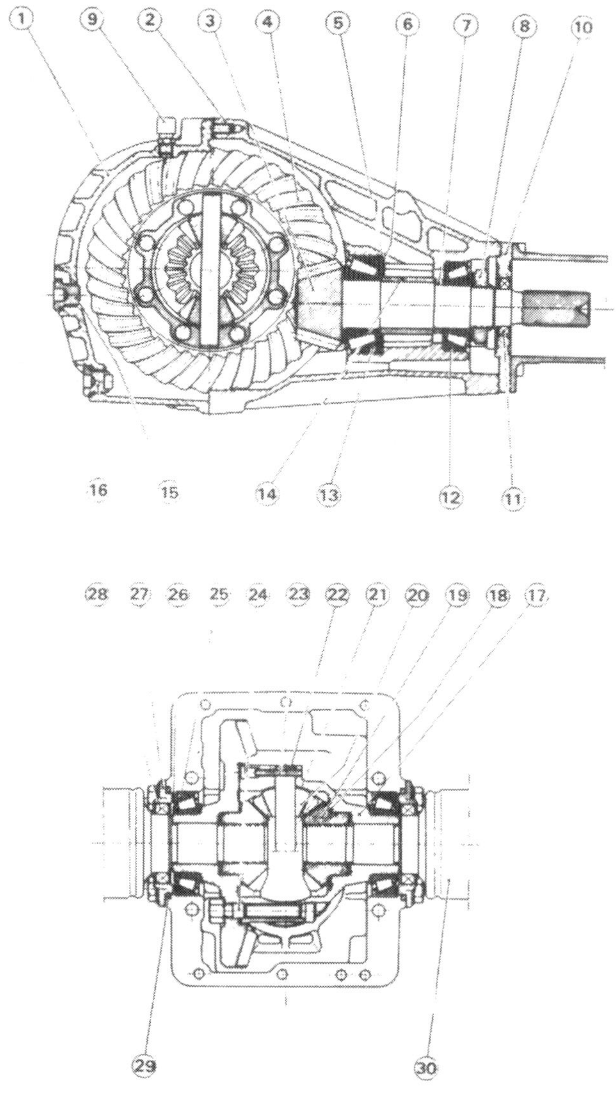

Bild 92
Schnittansicht des Hinterachsantriebs

1 Hinterer Deckel
2 Achsantriebsgehäuse
3 Antriebskegelrad
4 Tellerrad
5 Einstellscheibe für Eingriff
6 Abstandsscheibe für hinteres Kegelradlager
7 Abstandsring für Vorspannung der Kegelradlager
8 Mutter
9 Lüfterrohr
10 Vordere Öldichtringplatte
11 Vorderer Öldichtring
12 Vorderes Kegelradlager
13 Hinteres Kegelradlager
14 Lagerabstandsstück
15 Öleinfüllstopfen
16 Ölablaßstopfen
17 Differentialgehäuse
18 Anlaufscheibe für Seitenrad
19 Differentialseitenrad
20 Differentialausgleichsrad
21 Anlaufscheibe für 20
22 Differentialachse
23 Sicherungsstift
24 Tellerradschraube
25 Differentiallager
26 Einstellscheibe
27 Differentiallagerdeckel
28 Öldichtring
29 «O»-Dichtring
30 Achsantriebswelle

Achsantrieb und Hinterachse

Hinterachswelle aus- und einbauen

- Rückseite des Fahrzeuges aufbocken.
- Einen geeigneten Unterstellbock unter die hinteren Aufhängungsarme unterstellen.
- Rad abnehmen und Nabenmutter lockern.
- Hintere Bremszange ausbauen und an geeigneter Stelle an der Karosserie festbinden. Unbedingt darauf achten, daß der Bremsschlauch frei von jeglicher Spannung ist.
- Bremsscheibe ausbauen.
- Lagerdeckel der Achswelle abschrauben, indem man die vier Imbußschrauben löst. Dazu den Steckschlüssel durch die Bohrungen in der Radnabe einführen, zwei der Schrauben lösen, Nabe um 90° durchdrehen und die anderen beiden Schrauben lösen.
- Nabenflansch/Lagerdeckel/Achswelle zusammen von der Hinterradaufhängung abnehmen. Falls erforderlich, müssen die Abdrückschrauben B1 und B2 in Bild 93 in die diagonal gegenüberliegenden Bohrungen und die Druckplatte B3 eingesetzt werden, so daß sie gegen den Nabenflansch anliegen. Danach die Abdrückschrauben abwechselnd einige Umdrehungen anziehen, bis die Welle herausgezogen werden kann. Die beiden Abdrückschrauben und die Druckplatte abschließend abnehmen.
- Nabenmutter vollkommen lösen.
- Nabenflansch/Lagerdeckel mit einer Presse von der Achswelle abdrücken.

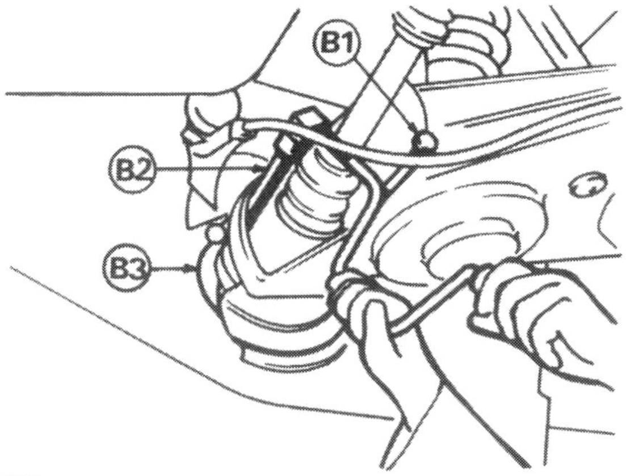

Bild 93
Ausbau von Hinterradnabe/Lagerdeckel von der Hinterachse
B1 Ausziehschraube
B2 Ausziehschraube
B3 Abdrückplatte

Alle Teile gründlich reinigen und kontrollieren. Beim Zusammenbau folgendermaßen vorgehen:

- Nabenflansch/ Lagerdeckel in einen Schraubstock spannen.
- Keilverzahnungen der Radseite der Achswelle mit Fett einschmieren und die Welle in die Nabe/Lagerdeckeleinheit einsetzen.
- Eine neue Nabenmutter mit Scheibe anbringen und fingerfest anziehen.
- Den Zustand des Öldichtringes im Differentialgehäuse kontrollieren und, falls er noch in Ordnung ist, etwas Fett in die Lippe des Dichtringes schmieren.
- Verzahnungen der Differentialseite der Welle einfetten und die Welle durch die Öffnung im Aufhängungsarm in das Ausgleichsseitenrad so einschieben, daß die Keilverzahnungen von Welle und Zahnrad in Eingriff kommen.
- Lagerdeckel am Aufhängungsarm anschrauben und die Imbußschrauben mit einem Anzugsdrehmoment von 4,0 mkp anziehen, wobei der Nabenflansch erneut durchzudrehen ist, um Zugang an die Schrauben zu erhalten.
- Bremsscheibe und Bremssattel montieren und die Befestigungsschrauben mit einem Anzugsdrehmoment von 4,25 mkp anziehen.
- Nabenflansch mit einem geeigneten Reifenhebel gegenhalten und die Nabenmutter mit einem Anzugsdrehmoment von 25,0 mkp anziehen. Das Rad kann auch vorher angeschraubt werden, so daß die Arbeit durchgeführt werden kann, wenn das Fahrzeug auf dem Boden steht.
- Ölstand in der Hinterachse kontrollieren und, falls erforderlich, Öl nachfüllen.

Aus- und Einbau des Hinterachsantriebs Limousine

- Linke und rechte Achswelle ausbauen, wie es vorhin beschrieben wurde.
- Öl aus dem Hinterachsgehäuse ablassen.
- Gelenkstift des Bremsausgleichhebels herausziehen und den Hebel an der Feder hängen lassen.
- Die vier Muttern lösen, die das Gelenkwellenrohr am Hinterachsgehäuse halten.
- Die beiden Imbußschrauben an der Oberseite des Achsantriebs vom Querträger lösen.

- Achsantrieb von der Gelenkwelle trennen, indem man den Antrieb zuerst nach hinten und danach zur linken Seite drückt.
- Feder aus der Innenseite der Gelenkwelle herausziehen.

Der Einbau des Hinterachsantriebs geschieht in umgekehrter Reihenfolge wie der Ausbau, jedoch sind die folgenden Punkte zu beachten: Zustand des Öldichtringes im Differentialgehäuse kontrollieren und falls erforderlich erneuern. Falls der Dichtring noch gut aussieht, die Dichtlippe mit Fett füllen. Keilverzahnungen der Achswellen einfetten.
Feder in den Sitz in der Innenseite der Gelenkwelle einsetzen und das Gelenkwellenrohr am Achsantrieb anschrauben. Die vier Muttern auf ein Anzugsdrehmoment von 6,0 mkp anziehen. Achsantrieb mit den beiden Imbußschrauben und unter Verwendung von neuen Sicherungsblechen auf 3,75 mkp anziehen. Achswellen einbauen, wie es bereits beschrieben wurde.

> HINWEIS: Der Achsantrieb kann ebenfalls ausgebaut werden, wenn nur einer der Achswellen ausgebaut wurde. Die Arbeiten sind dann entsprechend abzustellen.

Bremsausgleichshebel mit einer neuen Spange anbringen. Achsantrieb mit 1,2 Liter SAE 90 G.P.-Öl füllen und den Einfüllstopfen auf 2,75 mkp anziehen. Wagen probefahren und den Hinterachsantrieb auf Leckstellen kontrollieren.

Aus- und Einbau des Hinterachsantriebs Coupé

Bei dieser Ausführung braucht nur eine Achswelle ausgebaut zu werden. Die Arbeiten sind außerdem auch in anderen Hinsichten unterschiedlich.

- Fahrzeug hinten auf Böcke stellen.
- Öl ablassen.
- Handbremsseil vom hinteren Längslenker entfernen.
- Bremsseil von der Bremse abschließen.
- Die beiden Lagerbolzen des Längslenkers an der Querträgerseite entfernen.
- Gelenke des Lenkers mit einem Hebel lösen.
- Bolzen von der Verbindungsstange des Drehstabes lösen.
- Längslenker mit Achswelle aus dem Achsantrieb seitlich herausziehen. Der Stoßdämpfer darf auf keinen Fall ausgebaut werden.
- Bolzen des Bremskraftreglerhebels an der Karosserie lösen und den Hebel an seiner Feder hängen lassen.
- Die Befestigungsschrauben des Gelenkwellenrohres entfernen.
- Die beiden Imbußschrauben des Achsantriebs lösen.
- Achsantrieb ca. 15 mm vom Rohr abdrücken.
- Halteplatte 8.0403S zwischen das Gelenkwellenrohr und den Hinterachsantrieb einschieben.
- Befestigungsschrauben der Platte anziehen.
- Achsantrieb herausziehen.

Der Einbau erfolgt in umgekehrter Reihenfolge wie der Ausbau. Zuerst die ausgebaute Achswelle wieder anschließen und danach die Gelenkwelle anschrauben. Die Muttern der Lagerschrauben des Längslenkers sind auf ein Anzugsdrehmoment von 6,5 mkp anzuziehen, wenn das Fahrzeug auf dem Boden steht, während zwei Personen sich auf die hintere Sitzbank setzen, um die Silentblöcke vorzuspannen. Der Bolzen der Verbindungsstange für den Drehstab wird mit 4,5 mkp angezogen.

Zerlegung des Achsantriebs

> HINWEIS: Die Zerlegung des Achsantriebs erfordert die Verwendung von Spezialwerkzeugen. Die folgende Beschreibung wird nur gedruckt, im Fall, daß diese Spezialwerkzeuge zur Verfügung stehen.

- Öldichtringabdeckung vom Antriebskegelrad des Antriebs entfernen.
- Antrieb mit einer geeigneten Platte in einen Schraubstock spannen.
- Die vorderen Befestigungsschrauben der Differentiallagerdeckel entfernen.

- Die beiden Hälften des Achsantriebsgehäuses trennen. Die hintere Hälfte wird zusammen mit dem Differential herausgehoben. Falls erforderlich, einen Kunststoffhammer zum Abklopfen verwenden.
- Vordere Hälfte des Gehäuses in waagrechter Lage in einen Schraubstock spannen, wie es in Bild 94 gezeigt ist.

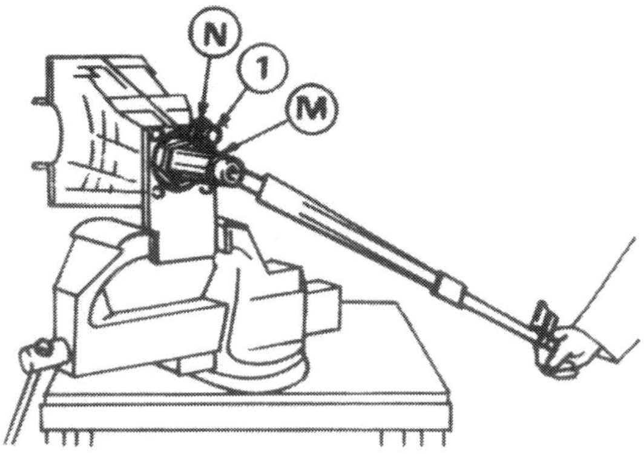

Bild 94
Ausbau der Kegelradmutter
1 Mutter für Gegenhalterung N
M Mutternschlüssel
N Gegenhalterung

- Kegelradmutter lösen. Der Flansch muß in geeigneter Weise gegengehalten werden. Mutter nach rechts lockern (Linksgewinde). Ein Spezialschlüssel steht dazu zur Verfügung, ebenfalls ein Werkzeug zum Gegenhalten.
- Kegelradmutter abschrauben und das Kegelrad zur Innenseite der Gehäusehälfte herausdrücken.

Die Nummernangaben in der folgenden Beschreibung beziehen sich auf Bild 92.

- Äußeren Lagerring des hinteren Kegelradlagers «13» aus dem Differentialgehäuse ausbauen.
- Ausgleichscheiben «5» für die Kegelradeingriffstiefe entfernen.
- Ausgleichsscheibe «6» für das hintere Kegelradlager herausnehmen.
- Äußeren Lagerring für das vordere Kegelradlager «12» ausbauen.
- Kegelrad unter eine Presse setzen und das hintere Lager «13» abpressen.
- Die acht Tellerradschrauben «24» lösen und das Differential vom Tellerrad trennen.
- Das linke Ausgleichsseitenrad zusammen mit der Anlaufscheibe entfernen.
- Tellerrad über ein geeignetes Rohrstück setzen («C» in Bild 95) und vier Stiftschrauben «H3» in gleichmäßigen Abständen in die Gewindebohrungen des Tellerrades einschrauben.

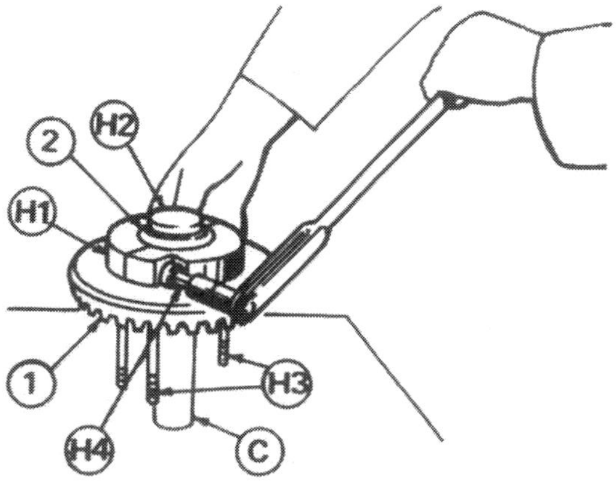

Bild 95
Vorbereitung zum Ausbau des Tellerrades
1 Tellerrad
2 Lager
C Rohrstück
H1 Ausziehschale
H2 Druckstück
H3 Stiftschraube
H4 Imbußschlüssel

- Den Abzieher «H1» um die Differentiallager «2» legen und die Imbußschrauben auf ein Anzugsdrehmoment von 2,0 mkp anziehen.
- Druckstück «H2» in die Mitte des Lagers legen und das Tellerrad unter einer Presse aus dem Lager drücken.
- Rechtes Differentiallager in gleicher Weise vom Differential entfernen.
- Sicherungsstift aus der Kegelradachse herausschlagen.
- Alle Teile aus dem Differentialgehäuse herausnehmen.

Zusammenbau des Achsantriebs

Alle Teile gründlich reinigen. Dichtflächen des Achsantriebs mit Schmirgelleinwand oder Sandpapier abziehen. Das Antriebsgehäuse darf auf keinen Fall angewärmt werden.

Falls das Kegelrad und das Tellerrad erneuert wurden, so sind die folgenden Teile ebenfalls zu ersetzen:

— Die Differentiallager
— Kegelradlager
— Sicherungsbleche
— Kegelradmutter
— Tellerradschrauben
— Öldichtring des Kegelrades
— «O»-Dichtringe
— Öldichtringe der Differentialseitendeckel

Kontrollieren, daß sich das vordere Kegelradlager einsetzen läßt, ohne daß es zu schwer auf dem Ende der Kegelradwelle sitzt. Falls Kraftaufwand zum Aufstecken des Lagers erforderlich ist, sollte die Sitzfläche der Kegelradwelle mit sehr feinem Sandpapier abgezogen werden, bis sich das Lager aufschieben läßt, ohne jedoch übermäßiges Spiel zu haben.
Stirnfläche des Kegelrades abziehen, bis alle Grate oder andere Unebenheiten entfernt sind. Die Fläche muß glatt sein, da sie beim Zusammenbau zum Einstellen dient.

Einbau des hinteren Kegelradlagers

- Einen Bleiklotz auf den Pressentisch auflegen.
- Kegelrad mit dem Zahnrad aufsetzen.
- Das hintere Kegelradlager auf die Welle stecken (großen Durchmesser zum Zahnrad).
- Ein geeignetes Rohrstück gegen den inneren Lagerring ansetzen, um das Lager auf die Welle zu pressen.

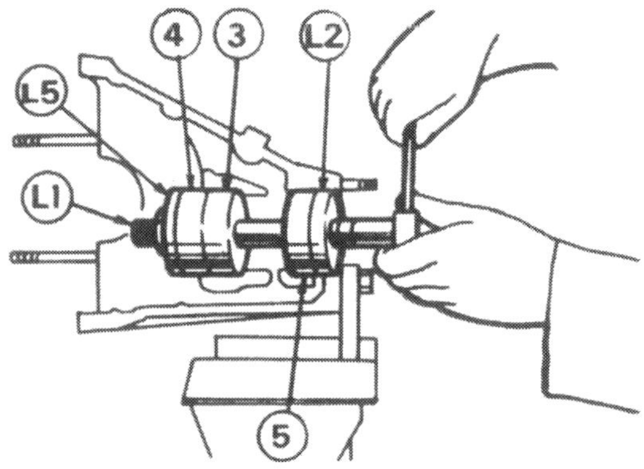

Bild 96
Einziehen der äußeren Lagerringe der Kegelradlager
3 Druckring für hinteres Kegelradlager
4 Äußeren Ring des hinteren Lagers
L1 Spannschraube
L2 Druckring für vorderes Kegelradlager
L5 Mutter

Äußere Kegelradlagerringe montieren

- Achsantriebsgehäuse in einen Schraubstock einspannen, wie es aus Bild 96 ersichtlich ist.
- Eine Scheibe «3» in die Gehäusehälfte so einsetzen, daß sie gegen das hintere Lager ansitzt.
- Die beiden Lagerlaufringe «4» und «5» anbringen und mit Hilfe der Schraube «L1», dem Druckstück «L2» und der Mutter «L5» die Lagerringe in die richtige Lage ziehen. Mutter dabei auf ein Anzugsdrehmoment von 14,0 mkp anziehen.

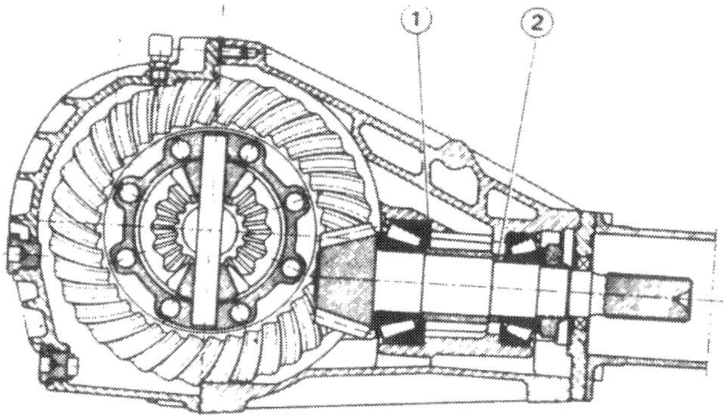

Bild 97 Die beiden Einstellungen der Kegelradlager
1 Einstellung zur Eingriffstiefe des Kegelrades
2 Einstellung der Vorspannung der Lager

Einstellen der Kegelradeingriffstiefe

- Kegelrad mit dem hinteren Lager in das Antriebsgehäuse einsetzen, vorderes Lager aufstecken und die Kegelradmutter aufschrauben. Mutter auf 1,0 mkp anziehen.
- Kegelrad ungefähr 10 Umdrehungen nach links drehen. Diese Arbeiten wiederholen, bis sich die Mutter, mit 1,0 mkp angezogen, nicht mehr festzieht.
- Unter Bezug auf Bild 98 das Meßwerkzeug «AZ» in die Gehäusehälfte einsetzen und mit der Halterung «A3» und den beiden Muttern anziehen. Muttern auf 1,0 mkp anziehen.

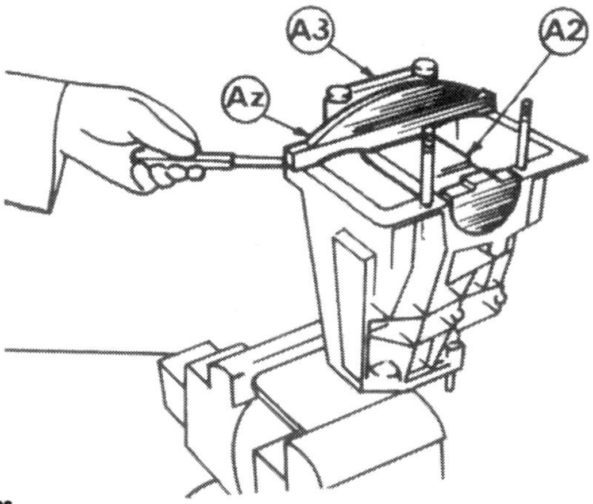

Bild 98
Werkzeuge zum Einstellen der Eingriffstiefe des Kegelrades am Achsantriebsgehäuse angeschraubt
Az Meßlehre
A3 Lagerdeckel
A2 Meßdorn

- Unter Verwendung von Fühlerlehren, wie in Bild 98 gezeigt, den Spalt zwischen dem Meßwerkzeug und der Dichtfläche der Antriebsgehäusehälfte ausmessen.
- Den Meßdorn «A2» lösen und kontrollieren, ob der Dorn gegen das hintere Ende des Kegelrades ansitzt.
- Eine Meßuhr am Gehäuse so anbringen, daß der Meßstift der Uhr gegen die Oberseite des Meßdorns aufsitzt. Höhe der Meßuhr so einstellen, daß der kleine Zeiger z. B. auf «3» steht und danach den großen Zeiger der Uhr auf «0» stellen.
- Durch Verschieben des Meßuhrhalters den Meßfinger der Uhr mit der geschliffenen Fläche des Meßwerkzeuges «AZ» in Berührung bringen. Der Ausschlag der Meßuhr gibt den Abstand zwischen dem Meßdorn und dem oberen Flansch an. Diesen Wert aufnotieren.

Die Stirnfläche des Kegelrades ist mit zwei Markierungen versehen. Eine davon dient für die Eingriffstiefe und könnte einen Wert von 0 bis 20 darstellen, wovon bis zu der Zahl 10 ein Minuszeichen (—) vorgesetzt sein könnte. Die zweite Markierung bezieht sich auf die Paarungsnummer mit dem Tellerrad. Diese Kernzeichnung wird durch einen Vorbuchstaben angegeben und befindet sich ebenfalls im Tellerrad. Beim Erneuern von Teller- und Kegelrad ist aus diesem Grund zu kontrollieren, ob beide Teile die gleiche Nummer tragen. Bei der weiteren Einstellung des Kegelrades jetzt folgendermaßen vorgehen:

Die in das Kegelrad eingravierte Zahl ablesen und aus der folgenden Tabelle die entsprechende Richtzahl heraussuchen:

Kegelrad-kennzeichnung	Entsprechende Richtzahl
—10	20
—9	21
—8	22
—7	23
—6	24
—5	25
—4	26
—3	27
—2	28
—1	29

Alle weiteren Kennzeichnungen von einschließlich 0 bringen die Steigerung in der rechten Spalte mit sich, d. h. 0 = 30, 1 = 13, usw.

Die an der Meßuhr erhaltene Anzeige mit der entsprechenden Richtzahl vergleichen. Der Unterschied zwischen den beiden Werten ist die Stärke der Ausgleichscheibe zwischen dem äusseren Lagerring des hinteren Kegelradlagers und der Abstandsscheibe (1, in Bild 97). Der Unterschied zwischen den beiden Werten kann auf den nächst passenden Wert aufgerundet werden, welcher sich durch die vorhandenen Ausgleichscheiben zusammenstellen läßt.

Beispiel:

Anzeige der Meßuhr	67
Kegelradmarkierung	— 4
Entsprechende Richtzahl	26

67 — 26 = 41 = 0,41 mm

Dies bedeutet, daß Ausgleichscheiben einer Gesamtstärke von 0,40 mm (von 0,41 mm abgerundet) eingesetzt werden müssen. Nach der Einstellung die Meßwerkzeuge abnehmen und das Kegelrad auf der Antriebsgehäusehälfte ausbauen.

Einstellen der Kegelradlagervorspannung

- Kegelrad in einen Schraubstock einspannen und eine der Keilverzahnungen über die gesamte Länge mit einem Ölfarbstift kennzeichnen.
- Folgende Teile auf die Kegelradwelle aufschieben:

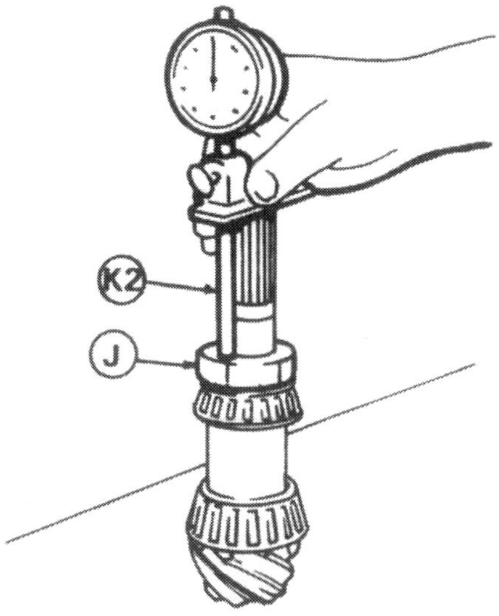

Bild 99
Meßuhr zur Einstellung der Lagervorspannung in dieser Stellung auf Null stellen
K2 Verlängerung des Taststiftes
J Kegelradmutter

— Das Lagerabstandsstück («14», Bild 92)
— Das vordere Kegelradlager mit der konischen Seite zum Kegelradkopf
— Die Kegelradmutter. Diese auf ein Anzugsdrehmoment von 28 mkp anziehen.

- Eine Verlängerung auf den Taststift einer Meßuhr anbringen.
- Meßuhr auf der Kegelradwelle aufsetzen, wie es in Bild 99 gezeigt ist. Die Taststiftverlängerung muß in der Mitte der geschliffenen Fläche der Mutter gegenüber des mit Farbstrich versehenen Keils aufgesetzt werden.
- Taststift in dieser Stellung lassen und die kleine Nadel auf «1» und die große Nadel auf «0» stellen.
- Meßuhr abnehmen, ohne die Einstellung der Uhr zu verändern.
- Außenring des hinteren Kegelradlagers mit den gleichen Werkzeugen ausbauen, wie sie vorher zum Einziehen der Ringe verwendet wurden (siehe Bild 96).
- Anlaufscheibe und Ausgleichscheibe für die Kegelradeingriffstiefe in den Lagersitz einlegen.
- Äußeren Lagerring wieder einziehen.
- Einziehvorrichtung auf ein Anzugsdrehmoment von 14,0 mkp anziehen.
- Mutter vom Kegelrad abschrauben.
- Das vordere Lager herunterziehen.
- Kegelrad in das Antriebsgehäuse einsetzen.
- Lagerabstandsstück, vorderes Lager und Kegelradmutter («J» in Bild 99) wieder anbringen. Mutter auf 1,0 mkp anziehen.
- Kegelrad ungefähr 10 Umdrehungen nach links drehen und das Anzugsdrehmoment der Kegelradmutter erneut kontrollieren. Diese Arbeit durchführen, bis sich die Mutter nicht mehr festzieht, wenn sie mit 1,0 mkp angezogen ist.
- Meßuhr in der gleichen Weise, wie in Bild 99 gezeigt, wieder an der Kegelradwelle anbringen, aber wieder darauf achten, daß der Taststift gegenüber des markierten Keilzahnes aufsitzt.
- Meßuhranzeige ablesen und den Unterschied der Anzeige ausrechnen. Von diesem gefundenen Wert eine Vorspannung von 0,05 mm abziehen.

Die ermittelte Anzeige ist die Stärke der Einstellscheibe zwischen dem vorderen Kegelrad und dem Lagerabstandsstück (Einstellung «2» in Bild 97). Die Einstellscheiben sind in Stärken von 6,04 bis 7,33 mm in Abstufungen von je 0,03 mm zwischen Größen erhältlich.

Beispiel:

Meßuhranzeige bei ausgebautem Kegelrad	1,00 mm
Meßuhranzeige bei eingebautem Kegelrad	7,86 mm
Unterschied zwischen Anzeigen	6,86 mm
Weniger Vorspannung	—0,06 mm
Stärke der Einstellscheibe	6,80 mm

In diesem Beispiel steht eine Einstellscheibe von 6,80 mm nicht zur Verfügung, so daß die nächste Stärke, d. h. 6,79 mm verwendet werden muß.

Einbau des Kegelrades

- Zum endgültigen Zusammenbau des Kegelrades die folgenden Teile montieren:
  — Die große Lagerabstandshülse
  — Die Lagereinstellscheibe
  — Eine neue Kegelradmutter
- Mutter auf ein Anzugsdrehmoment von 28,0 mkp anziehen.
- Kegelrad einige Male durchdrehen, so daß sich die Schrägrollenlager in ihre Sitze setzen können.
- Eine abschließende Kontrolle der Kegelradeinstellung sollte noch einmal durchgeführt werden, wie es bereits unter «Einstellen der Kegelradeingriffstiefe» beschrieben wurde, wozu das Spezialwerkzeug «AZ», wie in Bild 98 gezeigt, zu verwenden ist. Die Anzeige der Meßuhr muß die gleiche sein, wie die entsprechende Richtzahl in der Einstelltabelle. Eine Toleranz von +0,05 bis —0,03 mm ist zulässig. Nach der Prüfung das Meßwerkzeug «AZ» entfernen.
- Kegelradmutter sichern.
- Antriebsgehäuse aus dem Schraubstock ausspannen.
- Öldichtringhalterung gründlich reinigen.
- Öldichtring mit einem Reifenhebel herausdrücken, falls diese Arbeit noch nicht durchgeführt wurde. Dabei darauf achten, daß der darunter eingesetzte Ölablenkring nicht beschädigt wird. Falls der Ablenkring nicht einwandfrei sitzt, kann er in Abständen von 120° mit einem Körner verstemmt werden. Falls der Ablenkring beschädigt wird, muß die gesamte Halteplatte erneuert werden. Öldichtring in ein Ölbad einlegen.

- Öldichtring in die Halteplatte einschlagen.
- Vorderseite des Achsantriebsgehäuses mit «Perfect Seal»-Dichtungsmasse einschmieren.
- Öldichtringhalteplatte am Gehäuse anbringen.
- Montageplatte des Achsantriebs montieren. Die vier Muttern mit einem Anzugsdrehmoment von 1,0 mkp anziehen.

Zusammenbau von Differential und Achsantrieb

- Alle Teile gut mit Öl einschmieren.
- Eine Anlaufscheibe für das Differentialseitenrad in die Unterseite des Differentialgehäuses einlegen.
- Das rechte Ausgleichsseitenrad einlegen.
- Ausgleichskegelräder zusammen mit den Anlaufscheiben anordnen.
- Differentialachse einschieben, aber darauf achten, daß das Loch für den Sicherungsstift sich auf der richtigen Seite des Differentialgehäuses befindet.
- Einen neuen Sicherungsstift so einschlagen, bis er bündig mit dem Gehäuse abschließt.
- Tellerrad flach auf eine Werkbank auflegen und der Reihe nach die Anlaufscheibe des linken Ausgleichsseitenrades, das Differentialgehäuse und die acht Befestigungsschrauben einschrauben. Schrauben mit der Hand anziehen.
- Differentialgehäuse in einen Schraubstock einspannen (Blechbacken). Die acht Schrauben gleichmäßig und übers Kreuz auf ein Anzugsdrehmoment von 7,0 mkp anziehen.
- Öldichtringe aus den Differentialseitendeckeln unter einer Presse auspressen.
- Die beiden Differentiallager unter einer Presse aufpressen und reichlich mit Motorenöl einschmieren.
- Antriebsgehäuse an der vorderen Montageplatte in einen Schraubstock einspannen.
- Fläche des Antriebsgehäuses mit «Perfect Seal»-Dichtungsmasse einstreichen.
- Lagerbohrungen im Gehäuse mit Öl einschmieren.
- Das zusammengebaute Differential in die Gehäusehälfte einsetzen.
- Den hinteren Deckel anbringen und mit den vier Muttern und Federringen anziehen (neben der Öffnung des Differentials). Muttern auf 0,8 mkp anziehen.
- Differentiallagerdeckel auf der Seite des Tellerrades ohne Dichtung und Ausgleichscheiben anbringen und Schrauben auf 0,8 mkp anziehen.
- Muttern des hinteren Deckels wieder lockern und wieder fingerfest anziehen.

Einstellen des Flankenspiels

- Achsantriebsgehäuse waagrecht in einen Schraubstock so einspannen, daß die rechte Seite an der Oberseite liegt.
- Abstützbrücke «P» in Bild 100, wie gezeigt, anbringen.

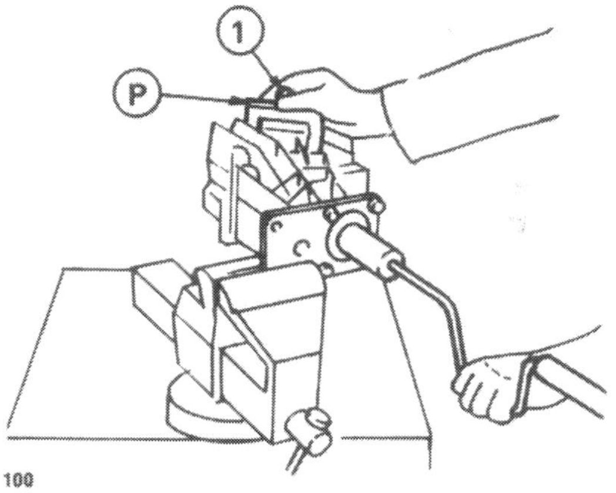

Bild 100
Verwendung des Druckstückes für das Differentiallager zum Einstellen des Flankenspiels
P Druckstück 1 Druckschraube

- Schraube «1» der Brücke mit der Hand anziehen, um das Differential nach unten zu drücken.
- Differential einige Male in beide Richtungen durchdrehen, um die Lager einzuspielen. Einige Schläge mit einem Gummihammer helfen ebenfalls.
- Kontrollieren, ob die Abstützbrücke immer noch einen Druck auf das Differential ausübt.
- Muttern des hinteren Deckels wieder mit einem Anzugsdrehmoment von 0,8 mkp anziehen.
- Achsantrieb ausspannen und in normaler Betriebslage wieder einspannen.
- Meßuhr für Flankenspiel «R» in Bild 101 in waagrechter Lage anbringen.
- Mit Kreide einen der Zähne der Tellerradnabe anzeichnen und diesen Zahn mit dem Pfeil des Prüfgerätes ausrichten.
- Die mittlere Spannschraube anziehen.

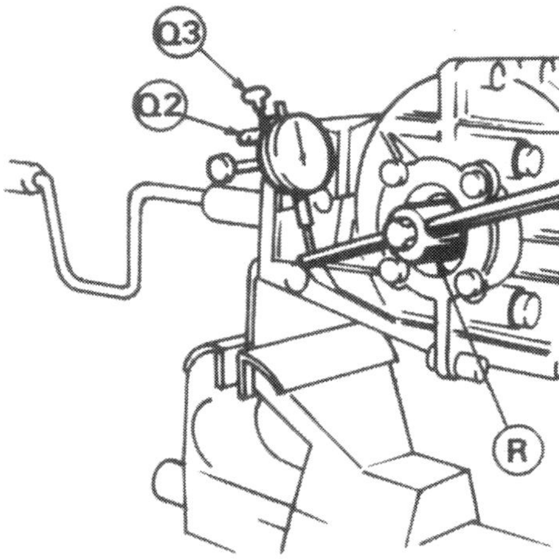

Bild 101
Kontrolle des Tellerradflankenspiels
R Prüfgerät für Flankenspiel
Q2 Meßuhrhaltespindel
Q3 Meßuhrhalter

- Die Haltespindel der Meßuhr «Q2» in die obere, vordere Befestigung des Achsantriebsgehäuses anbringen.
- Meßuhrhalter «Q3» zusammen mit der Meßuhr befestigen. Den Taststift so ausrichten, daß er senkrecht auf der flachen Hebelfläche des Prüfwerkzeuges «R» aufsitzt.
- Kegelrad nach links verdrehen, bis die kleine Nadel der Meßuhr auf «5» steht.
- Äußeren Ring der Meßuhr verdrehen, bis die große Nadel auf «0» steht, wobei jedoch darauf zu achten ist, daß das Prüfgerät immer noch nach oben gedrückt ist.
- Prüfgerät so weit wie möglich nach unten drücken. Der Unterschied, an der Meßuhr angezeigt, gibt das Flankenspiel zwischen Tellerrad und Kegelrad.
- Diesen Arbeitsgang wiederholen, wobei die drei anderen Schutzmarkierungen des Prüfgerätes nacheinander der zu Beginn gewählten Radialnute (die mit Kreide gezeichnet wurde) gegenüberzustellen sind. Meßuhr immer vor jeder Messung wieder auf Null stellen.

Falls die Abweichung zwischen den vier Messungen mehr als 0,10 mm beträgt, kann es möglich sein, daß Fremdkörper zwischen Tellerrad und Auflagefläche gekommen sind oder daß falsche Anzeigen abgelesen wurden.
Um die Stärke der Ausgleichsscheiben zu bestimmen, ist die während der Messung erhaltene Mindestanzeige zu nehmen, von welcher man 0,10 mm abzieht. Der erhaltene Wert ist die Stärke der einzusetzenden Ausgleichsscheibe.

Beispiel:

Minimales Flankenspiel	0,38 mm
Weniger 0,10 mm	—0,10 mm
Stärke der Ausgleichsscheibe	0,28 mm

Die Stärke sollte auf 0,30 mm abgerundet werden. Ausgleichscheiben stehen in Stärken von 0,05, 0,10, 0,20, 0,40, 0,50 und 1,00 mm zur Verfügung.

- Flankenspiellehre abnehmen.
- Meßuhr entfernen.
- Lagerdeckel von der linken Seite abschrauben.
- Mittlere Spannschraube lösen.
- Einen neuen Öldichtring in Öl einlegen und danach vorsichtig in den linken Lagerdeckel einschlagen.
- Ausgleichsscheiben auf die Oberseite des äußeren Lagerringes des Differentiallagers auflegen.
- Eine neue Deckeldichtung auflegen und den Deckel anbringen. Muttern mit 0,8 mkp anziehen.

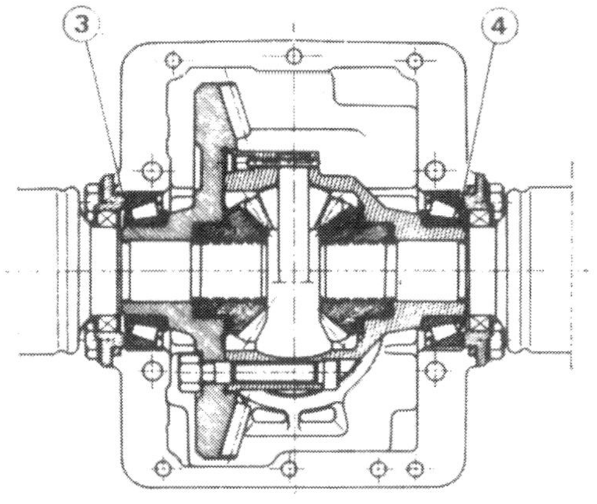

Bild 102
Zur Einstellung der Differentiallager
3 Einstellung des Tellerradflankenspiels
4 Einstellung der Lagervorspannung

Einstellen der Differentiallagervorspannung

- Differential in waagrechter Lage in einen Schraubstock einspannen (siehe Bild 100).
- Mittlere Spannschraube der Abstützbrücke anziehen, während das Kegelrad gedreht wird.
- Einen Meßuhrhalter mit einer Meßuhr in ähnlicher Weise, wie in Bild 99 gezeigt, auf der rechten Seite des Antriebsgehäuses anbringen, so daß der Taststift gegen den Rand des äußeren Lagerringes ansitzt.

- Höhe der Meßuhr so einstellen, daß die kleine Nadel auf «1» und die große Nadel auf «0» gestellt wird.
- Ohne die Einstellung der Uhr zu verändern, den Meßuhrhalter auf eine Richtplatte aufsetzen und den Unterschied der Anzeige ablesen, welcher angibt, um wieviel sich das Lager unterhalb der Oberfläche des Antriebsgehäuses befindet.

Beispiel:

Meßuhranzeige, mit Taststift auf Außenring des Differentiallager aufgesetzt	1,00 mm
Meßuhranzeige auf der Richtplatte	7,15 mm
Unterschied der Anzeigen	6,15 mm

Zu dem erhaltenen Unterschied 0,25 mm hinzurechnen, so daß wir in unserem Beispiel einen Wert von 6,40 mm erhalten.

- Meßuhr auf den rechten Lagerdeckel so aufsetzen, daß der Taststift der Meßuhr auf der Außenfläche des Deckels aufsitzen sollte.
- Höhe der Meßuhr so einstellen, daß eine Anzeige von 1,0 mm zustande kommt.
- Meßuhr wieder auf eine Richtplatte aufsetzen und den Unterschied ablesen, welcher die Höhe des Auflagebundes des Lagerdeckels angibt.

Beispiel:

Meßuhranzeige auf Lagerdeckel	1,00 mm
Meßuhranzeige auf Richtplatte	7,29 mm
Höhe des Auflagebundes	6,29 mm

Die Endstärke der Lagerausgleichsscheibe ist der Unterschied zwischen der ersten Messung (6,40 mm) und der zweiten Messung (6,29 mm), so daß das nächste Beispiel folgendermaßen aussieht:

Beispiel:

Wert während der ersten Messung	6,40 mm
Wert während der zweiten Messung	6,29 mm
Stärke der Ausgleichsscheibe	0,11 mm

Dieser Wert ist zwecks Vorhandensein der Ausgleichsscheiben auf 0,10 mm abzurunden.

- Einen neuen Öldichtring des Lagerdeckels in ein Ölbad einlegen und abschließend in den Lagerdeckel einschlagen. Dabei den Ring nicht beschädigen.
- Lagereinstellscheibe auf den äußeren Lagerring auflegen.
- Eine neue Deckeldichtung auflegen und den Deckel anbringen. Die Schrauben mit einem Anzugsdrehmoment von 0,8 mkp anziehen.

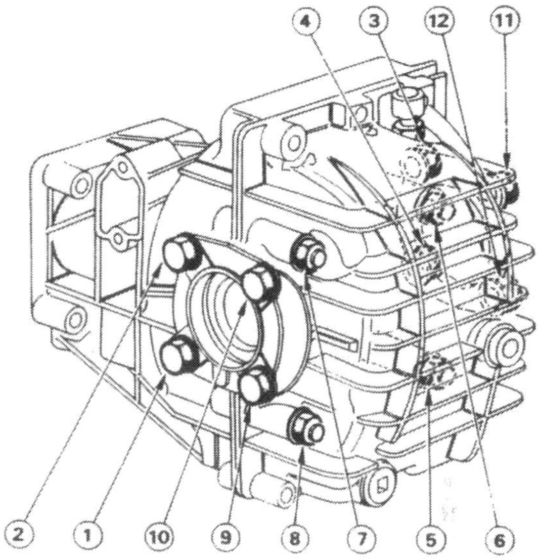

Bild 103
Anzugsreihenfolge für Schrauben und Muttern zur Befestigung des hinteren Deckels am Antriebsgehäuse

Endgültiger Zusammenbau

- Die acht Schrauben und vier Muttern in der in Bild 103 gezeigten Reihenfolge anziehen. Schrauben und Muttern sollten auf 3,5 mkp angezogen werden.
- Muttern «5», «6», «7» und «8» lockern.
- Mit einem Kunststoffhammer einige Schläge gegen den Deckel geben, um einen einwandfreien Zusammenbau zwischen Achsantriebsgehäuse und Deckel herzustellen.
- Die vier Muttern auf ein Anzugsdrehmoment von 5,5 mkp anziehen.
- Differential einige Male in beiden Richtungen durchdrehen und das Flankenspiel kontrollieren, wie es bereits vorher beschrieben wurde. Das angezeigte Flankenspiel sollte 0,20 mm betragen, jedoch ist eine Toleranz von +0,05 mm bis —0,02 mm zulässig.
- Die sechs Schrauben des hinteren Deckels mit einem Drehmoment von 1,0 mkp anziehen.
- Achsantrieb mit 1,2 Liter Öl (GP 90) füllen.

Hinterradaufhängung

Aus- und Einbau der Hinterradnabe

Der Ausbau der Hinterradnabe wurde bereits beim «Ausbau der Hinterachswelle» (Seite 65) beschrieben. Achswelle unter einer Presse aus der Nabe herausdrücken. Nabe/Lagerdeckel mit Blechbacken in einen Schraubstock spannen und die Lagerdeckelmutter lösen.
In die Unterseite der Nabe ein Druckstück einsetzen und die Nabe mit einem Abzieher herausziehen oder herausschlagen. Radlager unter einer Presse aus dem Lagerdeckel herausdrükken. Lagerdeckel in einen Schraubstock einspannen und den Öldichtring mit einem Reifenhebel herausdrücken.
Die Mutter des Lagerdeckels, der Öldichtring und der äußere Öldichtring müssen bei jeder Zerlegung der Hinterradnabe erneuert werden. Den äußeren Öldichtring mit einem passenden Dorn einschlagen, bis er gerade und bündig abschneidet. Ebenfalls den Öldichtring für die Mutter mit einem passenden Dorn einschlagen. Lager mit den inneren Kugelkäfigen in den Lagerdeckel einsetzen. Lagerdeckel mit der Mutter anziehen, bis die Mutter gegen das Lager anliegt. Unter Bezug auf Bild 105 den Abzieher «C4» auf die Schraube «C1» schrauben und den Schlüsselansatz «D» über die Lagerdeckelmutter setzen. Abzieher und Schraube in das Innere des Lagerdeckels einsetzen und den Ansatz «D» von der anderen Seite aufschrauben. Mutter auf ein Anzugsdrehmoment von 25,0 mkp anziehen und die Teile aus dem Schraubstock ausspannen. Die Lagerdeckelmutter sichern, indem man das Material in den vorhandenen Schlitz verstemmt. Nabe in den Lagerdeckel einsetzen und festziehen und die Achswelle wieder montieren, wie es beim Einbau der Achswelle im letzten Abschnitt beschrieben wurde.

Aus- und Einbau des hinteren Aufhängungsquerträgers

- Fahrzeug über eine Grube fahren oder entsprechend aufbocken.
- Bremsschläuche der Hinterradbremsen von den Halterungen am Wagenboden lösen.
- Bremsleitungen von den Halterungen ziehen.
- Einen Wagenheber unter die linke Seite des hinteren Querträgers setzen.
- Hinteres Sitzkissen herausnehmen.
- Die drei Muttern, die den Querträger an der Karosserie halten, folgendermaßen lösen (siehe ebenfalls Bild 90):
  — Vordere Mutter lösen

Bild 104
Ansicht der Hinterradaufhängung bei der Limousine

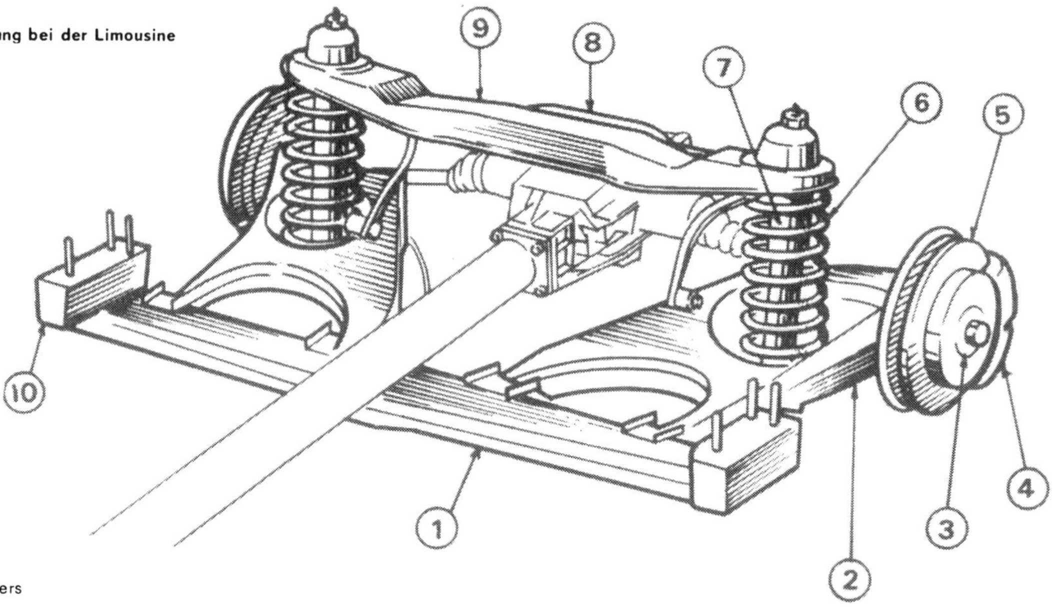

1 Hinterer Querträger
2 Längslenker
3 Hinterradnabe
4 Hinterradbremse
5 Bremsscheibe
6 Hintere Schraubenfeder
7 Stoßdämpfer
8 Stabilisatorstange
9 Querträger
10 Montagelager des Querträgers

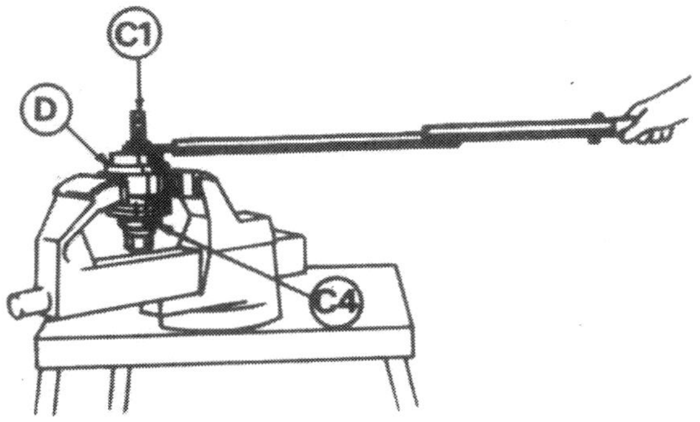

Bild 105
Anziehen der Lagerdeckelmutter für die Nabenlager
C1 Schraube C4 Auszieher D Abstandsbüchse

— Sicherungsblech anheben und den Kunststoffstopfen entfernen.
— In die freigelegte Öffnung einen der Führungsstifte («K1» in Bild 89) einsetzen und mit Hilfe des Knebels «K2» in den Querträger schrauben.
— Die beiden hinteren Befestigungsmuttern zusammen mit den Scheiben entfernen.
— Querträger langsam ablassen, bis er auf dem Knebel des Führungsstiftes aufliegt.
— Die gleiche Arbeit auf der anderen Seite des Querträgers durchführen.

- Rückzugfeder des Handbremsbetätigungshebels aushängen.
- Handbremsseile vom Ausgleichhebel abschließen und Seile herausziehen.
- Kompletten Handbremsausgleich abnehmen.
- Seile aus den entsprechenden Führungen im Querträger herausziehen.
- Fahrzeug aufbocken und Böcke unter die Seitenträger der Karosserie unterstellen.
- Hinterräder abnehmen.
- Innere Schrauben der Längslenker entfernen und entsprechende Stifte anstelle der Schrauben einsetzen, um die Längslenker weiterhin in ihrer Lage zu halten.
- Befestigungsbolzen der äußeren Silentblöcke der Längslenker lösen.
- Führungsstifte der inneren Befestigung herausziehen.
- Längslenker auf den Boden senken.
- Die gleichen Arbeiten sind am anderen Längslenker durchzuführen.
- Querträger anheben und die Knebel aus den Stiften herausziehen.
- Karosserie aufbocken, bis die Stifte durch die Öffnungen kommen.
- Querträger senken.

Der Einbau des hinteren Querträgers geschieht in umgekehrter Reihenfolge wie der Ausbau. Alle in der Anzugsdrehmomenttabelle angegebenen Anzugsdrehmomente beachten.

Aus- und Einbau von Längslenkern und Hinterfedern

Der Aus- und Einbau der Längslenker und Hinterfedern geht aus der oben angeführten Beschreibung hervor. Der Querträger braucht natürlich in diesem Fall nicht gelöst werden. Anzugsdrehmomente beachten (siehe Seite 104).

Vorderachse und Radaufhängung

Ausbau der Vorderachse

- Fahrzeug über eine Grube fahren oder entsprechend aufbocken.
- Batterie abklemmen.
- Hydraulische Bremsanlage entleeren, indem man einen Entlüftungsschlauch auf eine der vorderen Entlüftungsschrauben steckt und das Bremspedal pumpt, bis alle Flüssigkeit ausgelaufen ist. Bremsflüssigkeit in einem sauberen Behälter auffangen.
- Lenkritzel im Verhältnis zur Klemmschraube des Lenkungsflansches kennzeichnen.
- Die beiden Flanschschrauben aus der Lenkungsscheibe drehen.
- Die beiden Muttern der Verbindungsgestänge der Stabilisatorstange am hinteren Querlenkerarm lösen.
- Die beiden Muttern der Lagerschrauben des Querlenkers am Aufhängungsquerträger entfernen.
- Das in Bild 107 gezeigte Spezialwerkzeug 8.1101A an der Vorderradaufhängung anbringen.
- Vorderseite des Fahrzeuges langsam aufbocken, bis die vier Lagerschrauben der Querlenker in einer Linie mit den Öffnungen im Werkzeug liegen.
- Werkzeug mit den vier Muttern anschrauben.

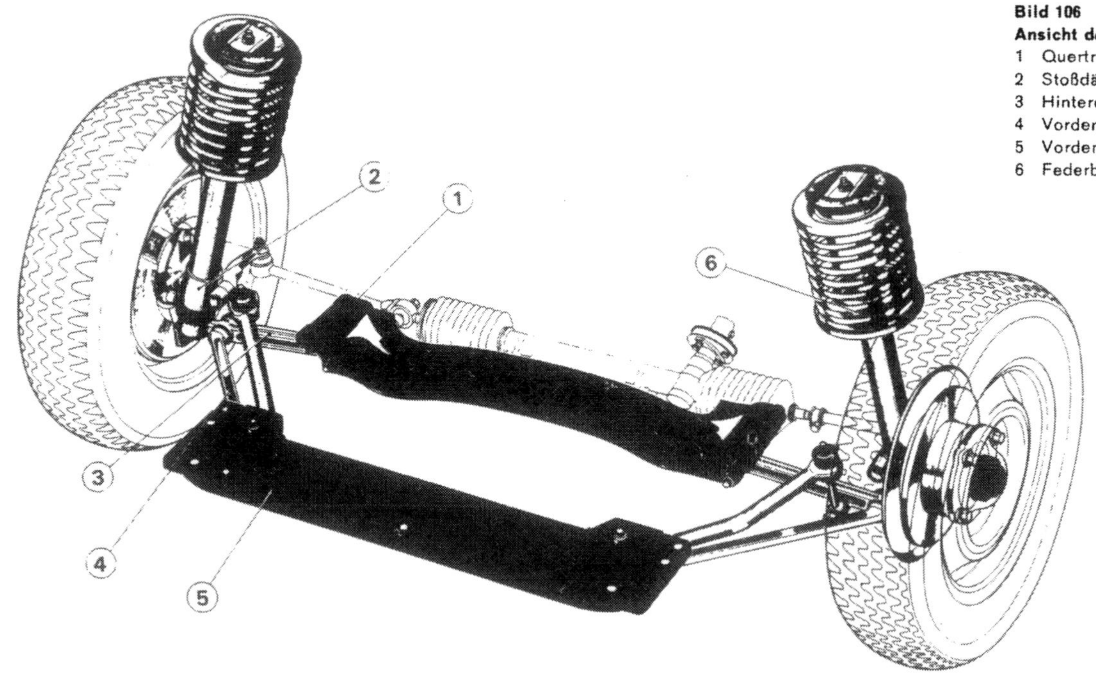

Bild 106
Ansicht der Vorderradaufhängung
1 Querträger
2 Stoßdämpferbefestigung
3 Hinterer Querlenkerarm
4 Vorderer Querlenkerarm
5 Vorderer Querträger
6 Federbein

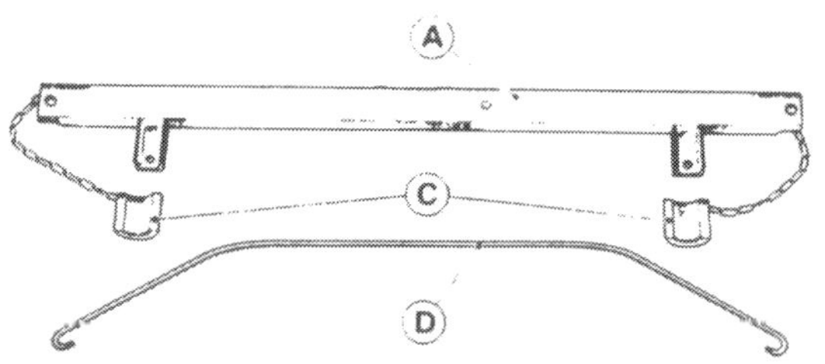

Bild 107
Spezialwerkzeug zum Ausbau der Vorderradaufhängung
A Querträger für die Querlenkerarme
C Befestigungshalter
D Spanngestänge

- Fahrzeug wieder senken.
- Die Schalen «C» in Bild 107 zwischen die Lagerstellen der Querlenker und den Vorsprüngen der Lenkhebel der vorderen Achsschenkel anordnen.
- Bremsleitungen vom Vierweganschluß abschrauben.
- Muttern der Bremsleitungen in der Innenseite der Radkästen lösen und die Leitungen aus ihren Befestigungen herausnehmen, ohne die Überwurfmuttern zu lösen.
- Motor von unten her mit einem Wagenheber oder von oben mit einem Seil anheben, bis das Kupplungsgehäuse gegen die Stirnwand ansitzt.
- Die vier Befestigungsschrauben der vorderen Motorlager vom Querträger abschrauben.
- Untere Kühlerbefestigungen vom Querträger lösen.
- Die sechs Schrauben zwischen Querträger und Längsträger entfernen.
- Die vier Befestigungsschrauben des Vorderachsquerträgers lösen.
- Die sechs Schrauben der oberen Stützlager der vorderen Schraubenfedern lösen.
- Vorderseite des Wagens langsam aufbocken (dies muß mit einem Flaschenzug oder Kran durchgeführt werden), bis die komplette Vorderachse unter dem Fahrzeug herausgezogen werden kann.
- Karosserie auf unter die Seitenträger gestellten Böcke ablassen.

Einbau der Vorderachse

- Fahrzeug über eine Grube fahren. Andernfalls das Fahrzeug mit einem Flaschenzug oder Kran anheben.
- Vorderachse unter das Fahrzeug schieben.
- Fahrzeug senken und die oberen Stoßdämpferführungen durch die betreffenden Öffnungen in der Karosserie einsetzen.
- Stoßdämpferbeine unter die Radkästen führen und die sechs Schrauben (3 auf jeder Seite) mit einem Anzugsdrehmoment von 1,0 mkp anziehen (neue Federringe).
- Die beiden Querträger der Vorderachse anbringen und die M12-Schrauben mit 4,25 mkp und die M10-Schrauben mit 3,75 mkp anziehen.

- Kühler am Querträger anschrauben.
- Die Hülsen in Bild 107 zwischen den Querlenkerarmen und den Achsschenkeln herausnehmen und die vier Muttern der Spezialvorrichtung von der Radaufhängung abschrauben.
- Fahrzeug langsam anheben, bis das Werkzeug von der Radaufhängung abgenommen werden kann.
- Vordere Motorlager wieder montieren (4,5 mkp).
- Motor in seine Lager senken.
- Falls die Vorderachse vollkommen zerlegt war, sind die Lagerbolzen für die Querlenkerarme einzusetzen und mit dem Aufhängungsquerträger zu verbinden. Um die Muttern der Lagerbolzen festzuziehen, ist es erforderlich, daß das Gewicht des Fahrzeuges auf allen vier Rädern ruht, um ein Verziehen der Silentblöcke in den Querlenkerarmen zu vermeiden. Neue selbstsichernde Muttern auf ein Anzugsdrehmoment von 4,5 mkp anziehen.
- Gestänge der Stabilisatorstange an den hinteren Querlenkerarmen anbringen.
- Bremsleitung anschließen und an der Unterseite des Radkastens befestigen.
- Lenksäulenflansch anschließen, jedoch auf die beim Zerlegen eingezeichneten Markierungen achten.
- Muttern mit einem Anzugsdrehmoment von 1,75 mkp anziehen und Muttern mit einem Körner verstemmen.
- Bremsanlage entlüften, wie es im Abschnitt «Bremsen» (Seite 88) beschrieben ist.

Aus- und Einbau einer Radnabe

- Vorderseite des Fahrzeuges aufbocken und das Fahrzeug auf Böcke setzen, die unter dem vorderen Querträger unterzustellen sind.
- Vorderräder abnehmen.
- Bremssattel vom Achsschenkel abmontieren und mit einem Stück Draht aufhängen, ohne den Bremsschlauch auszunehmen. Den Bremsschlauch nicht abschließen.
- Nabenfettkappe vom Ende des Achsstumpfes entfernen.
- Nabenmutter entsichern und abschrauben.
- Unterlegscheibe entfernen.
- Nabe zusammen mit den Lagern vom Achsstumpf abziehen.
- Nabe in geeigneter Weise von unten unterlegen.
- Den äußeren Lagerring des inneren und äusseren Radlagers herausschlagen.
- Öldichtring ausbauen.
- Alle Teile gründlich reinigen und mit Preßluft trockenblasen oder mit einem Lappen trockenwischen.
- Lager auf Korrosion oder Verfärbung kontrollieren, was auf Überhitzung der Naben hinweist. Darauf achten, daß kein Schmutz oder andere Schmirgelteile in die Lager eindringen können, da andernfalls die Lagerflächen beschädigt werden.
- Zum Zusammenbau die Nabe und Lager mit Mehrzweckfett einschmieren.
- Beide äußeren Lagerringe einschlagen.
- Käfig des inneren Lagers in die Nabe einsetzen und Öldichtring einschlagen.
- Nabe so auf den Achstumpf setzen, daß der innere Lagerring («1», Bild 108) vollkommen gegen den Bund des Achsstumpfes ansitzt.

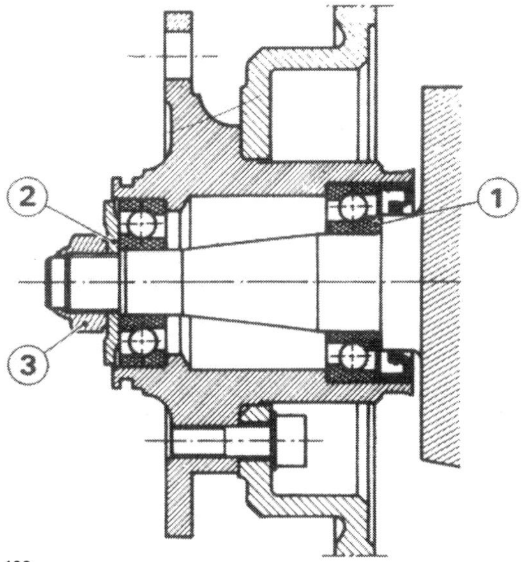

Bild 108
Schnitt durch eine Vorderradnabe
1 Innerer Lagerring
2 Scheibe
3 Mutter

- Unterlegscheibe «2» mit dem inneren Bund gegen den inneren Lagerring anlegen und eine neue Mutter auf 3,0 mkp anziehen.
- Mutter wieder lockern und erneut auf 1,0 mkp anziehen. Diese Einstellung stellt das Spiel der Radlager her.

- Mutter mit einem neuen Splint sichern.
- Nabenfettkappe mit Mehrzweckfett füllen und aufschlagen.
- Bremssattel mit einem Anzugsdrehmoment von 7,0 mkp anziehen.

Die Lenkung

In den Peugeot 504 ist eine Zahnstangenlenkung eingebaut. Die mit V6-Motoren ausgerüsteten Ausführungen sind mit einer Servolenkung versehen.

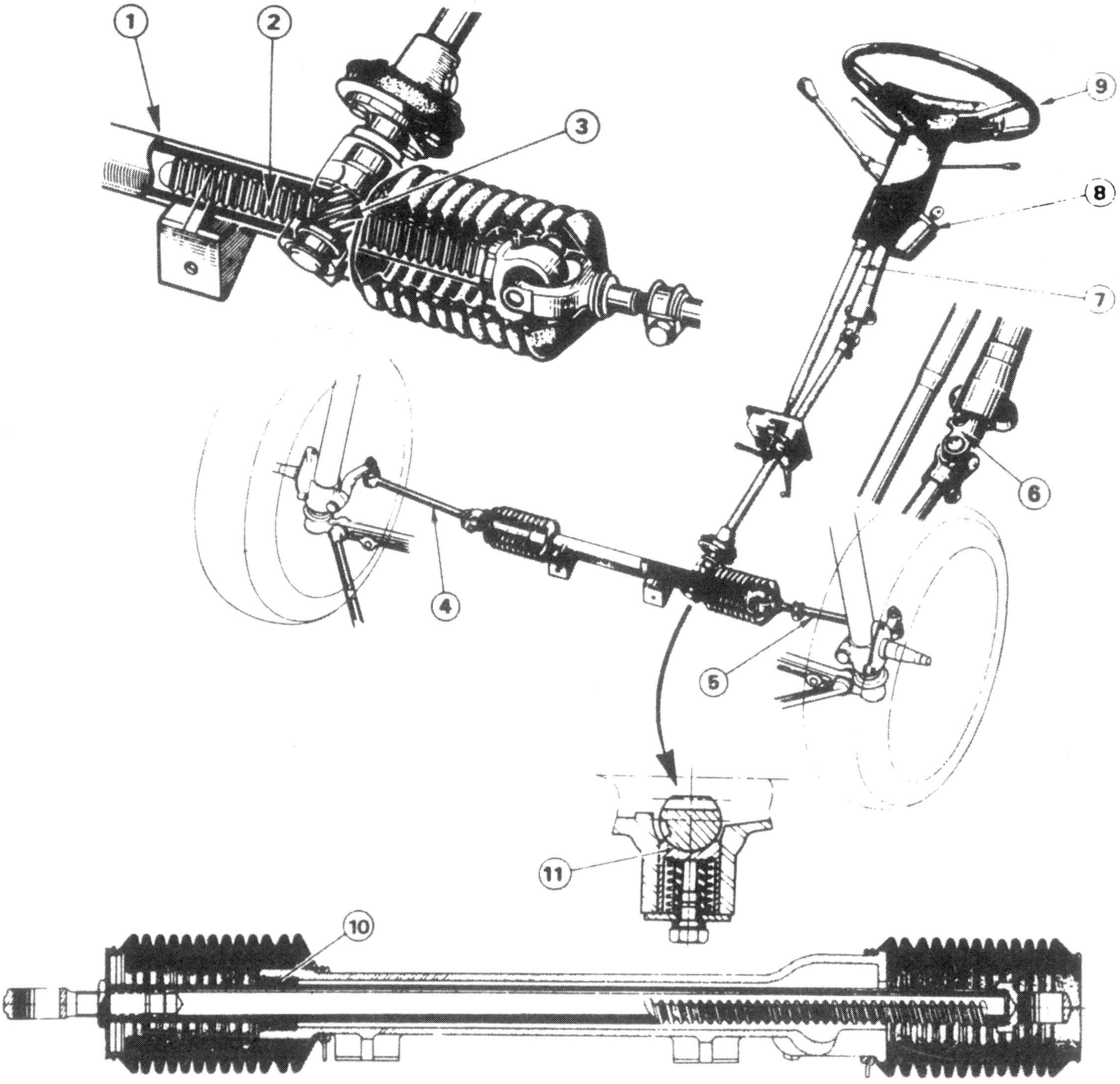

Bild 109
Ansicht der Lenkung und Schnittansichten von mehreren Seiten

1 Lenkungsgehäuse
2 Zahnstange
3 Lenkritzel
4 Rechte Spurstange
5 Linke Spurstange
6 Lenksäule und Kreuzgelenk
7 Schaltstange
8 Lenkschloß
9 Lenkrad
10 Führungsbüchse für Zahnstange
11 Lenkungsdämpfer

Aus- und Einbau der Lenkung — ohne Servohilfe

- Fahrzeug auf eine Hebebühne oder über eine Grube fahren.
- Räder in die Geradeausstellung bringen.
- Batterie abklemmen.
- Klemmschraube vom oberen Flansch der Lenksäulenverbindung abschrauben.
- Die Kronenmuttern der Spurstangenkugelgelenke abschrauben.
- Gelenke mit einem geeigneten Abzieher aus den Konussitzen der Lenkhebel herausdrükken.
- Die beiden Befestigungsschrauben der Lenkung vom Querträger lösen.
- Lenkung mit den daran angebrachten Spurstangen herausheben.

Der Einbau der Lenkung geschieht in umgekehrter Reihenfolge wie der Ausbau. Die folgenden Punkte sollten besonders beachtet werden:
Lenkradspeichen in die senkrechte Stellung bringen. Das rechte Vorderrad geradeaus stellen und das linke Rad soweit wie möglich zur Innenseite des Wagens einschlagen. Lenkzahnstange in die Mittelstellung bringen und provisorisch das Kugelgelenk der linken Spurstange am Lenkhebel anschließen. Lenkverbindungsscheibe ca. um eine Viertelumdrehung verdrehen, um den Flansch der Lenkung mit dem Flansch der Lenksäule auszurichten. Einen geeigneten Dorn in das Loch für die Klemmschraube einschieben, um die Lenkung vorübergehend mit der Lenksäule zu verbinden, so daß sie sich nicht verschieben kann.
Zahnstange gegen den Querträger ansetzen und die beiden Schrauben mit einem Drehmoment von 3,25 mkp anziehen. Danach die Lenkverbindung vorschriftsmäßig montieren und Klemmschraube mit 1,0 mkp anziehen. Ende der Schraube durch Verstemmen sichern.
Spurstangengelenke an den Lenkhebeln anschließen, auf 4,25 mkp anziehen und neue Splinte einsetzen. Abschließend die Vorspur einstellen, wie es am Ende dieses Abschnitts (Seite 82) beschrieben wird.

Aus- und Einbau der Lenkung — Servolenkung

- Fahrzeug über eine Montagegrube oder eine Hebebühne fahren.
- Hydrauliköl ablassen (siehe spätere Beschreibung, Seite 82).
- Schlauch an der Lenkungspumpenseite abschließen.
- Luftfilter ausbauen.
- Ein Seil so um den Motor legen, daß dieser angehoben werden kann, ohne ihn aber unter Spannung zu setzen.
- Schrauben der Motorlager am Querträger lösen.
- Lenkungskupplung entweder an der Klemmschraube oder durch Lösen der beiden Flanschschrauben trennen.
- Die hinteren Befestigungsschrauben des Querträgers herausdrehen und durch Einschrauben von Spezialschrauben 8.1511 oder zwei gewöhnlichen Schrauben M12 x 1,50 ersetzen.
- Die vorderen Befestigungsschrauben lösen und die eingeschraubten Spezialschrauben um ca. 40 mm herausdrehen.
- Sicherungsklammern der Lenkungsbefestigungsschrauben herausziehen und die Schrauben lösen.
- Mutter der Spurstangengelenke entfernen.
- Kugelgelenk mit einem passenden Abzieher vom Lenkhebel abdrücken.
- Die Befestigungsschraube des Servolenkungskolbens auf dem Vorderachsträger entfernen.
- Lenkung nach hinten herausnehmen.

Der Einbau der Lenkung geschieht in umgekehrter Reihenfolge wie der Ausbau. Die Schrauben der Lenkung mit 3,25 mkp anziehen und zwei Sicherungsklammern einsetzen. Schrauben des Querträgers mit 4,25 mkp anziehen. Abschliessend die Lenkanlage mit Hydraulikflüssigkeit füllen (siehe spätere Beschreibung).

Zerlegen und Zusammenbau der Lenkung Ohne Servohilfe

- Lenkung mit Blechbacken in einen Schraubstock spannen.
- Lage des Flansches der Lenkungskupplung im Verhältnis zur Zahnstange kennzeichnen,

wenn sich die Lenkung in der Geradeausstellung befindet.

- Die vier Spangen der Lenkmanschetten vom Zahnstangengehäuse entfernen.
- Manschetten zur rechten Seite schieben.
- Die beiden Schrauben der Spurstangen entfernen und Spurstangen abnehmen.
- Rechtes Spurstangenendstück vom Zahnstangengehäuse entfernen. Dazu das Gehäuse mit Blechbacken in einen Schraubstock einspannen und die Kontermutter lockern.
- Flanschschrauben entfernen und den Zahnstangendämpfer zusammen mit dem Schmiernippel und dem Nyloneinsatz herausnehmen.
- Lenkritzeldeckel, Lenkritzelmutter und Lenkritzel zusammen mit der Dichtung und Anlaufscheibe entfernen.
- Zahnstange zur linken Seite bewegen und die Büchse von der rechten Seite des Zahnstangengehäuses sowie die beiden Anlaufscheiben herausnehmen.
- Sicherungsring des Ritzellagers entfernen.
- Zahnstangengehäuse in heißes Wasser einlegen und danach das Ritzellager herausschlagen.

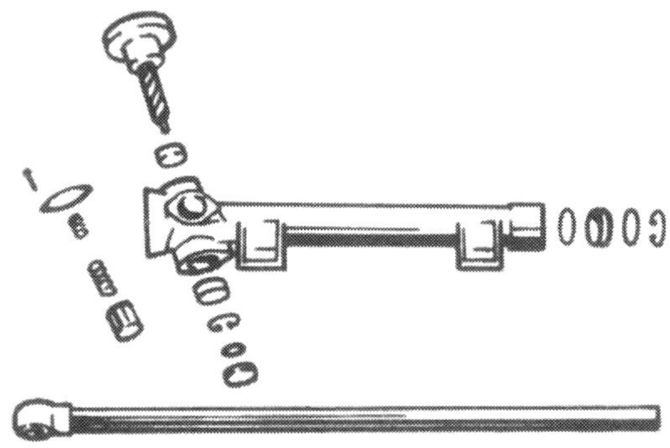

Bild 110
Montagebild der zerlegten Lenkung

Vor dem Zusammenbau alle Teile gründlich reinigen. Zustand der Zahnstange kontrollieren und ebenfalls das Lenkritzel überprüfen. Die linke Verbindung der Zahnstange kann nicht zerlegt werden. Die einzige, mögliche Reparatur ist die Erneuerung des Silentblocks für die Befestigungsschraube der Spurstange. Die folgenden Teile der Lenkung können dagegen erneuert werden:

— Ritzellager
— Ritzelbüchse
— Zahnstangenbüchse
— Druckstück für Lenkungsdämpfer
— Gummimanschetten und Befestigungsspangen.

Die folgenden Teile müssen bei jeder Zerlegung der Lenkung erneuert werden:

— Lenkritzelmutter
— Lenkritzellagerdeckel
— Sicherungsscheiben

Zusammenbau der Lenkung

- Neue Büchse in das Zahnstangengehäuse einsetzen. Dazu die Büchse über einen passenden Dorn setzen, wie es aus Bild 111 ersichtlich ist und die Büchse danach in das Gehäuse einschlagen, bis das abgestufte Ende des Dorns gegen das Gehäuse anschlägt. Die alte Büchse fällt dabei in die Innenseite des Gehäuses.

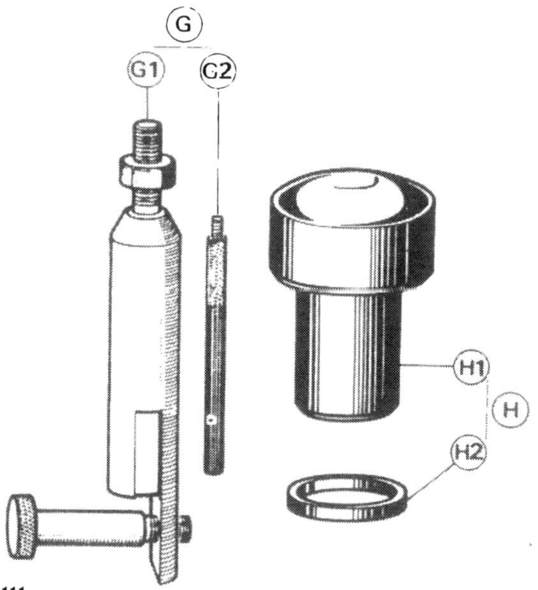

Bild 111
Spezialwerkzeugsatz zum Überholen der Lenkung
G1 Meßuhrhalter
G Meßuhrhalter
G2 Verlängerung für Taststift
H Dorn für Ritzeldichtringeinbau
H1 Dorn
H2 Abstandsring

- Gehäuse in heißes Wasser einlegen und danach das Ritzellager einschlagen und mit dem Sicherungsring befestigen.
- In die rechte Seite des Gehäuses eine Anlaufscheibe, das Führungslager, die zweite Anlaufscheibe und den Sprengring einsetzen.
- Zahnstange gut mit Fett einschmieren und von der Ritzelseite her in das Gehäuse einschieben.
- Endstück der Zahnstange anschrauben und Kontermutter vorübergehend fingerfest anziehen.

- Zahnstange in das Gehäuse hineinschieben, bis die Kontermutter auf der rechten Seite gegen das Zahnstangengehäuse ansitzt.
- Lenkritzel fetten und so in das Ritzelgehäuse einsetzen, daß die Ausfräsung für die Mutternsicherung sich auf der gegenüberliegenden Seite des Splintes befindet.
- Ritzel bis zum Anschlag einschlagen.
- Der Ritzelflansch muß sich in senkrechter Lage befinden und die Kontermutter auf der rechten Seite der Zahnstange muß gegen das Zahnstangengehäuse anschlagen. In dieser Stellung den Ritzelflansch in einen Schraubstock spannen und die Ritzelmutter mit einem Anzugsdrehmoment von 1,5 mkp anziehen. Mutter kontern.
- Raum oberhalb des Ritzellagers mit Fett füllen.
- Ritzellagergehäusekappe mit einem Kunststoffhammer einschlagen.
- Dämpferstück in die Bohrung einsetzen.
- Feder über den Dämpfer setzen.
- Dämpferdeckel anbringen und auf einer Seite mit einer der Schrauben und auf der anderen Seite mit dem in Bild 112 gezeigten Meßuhrhalter befestigen.
- Meßuhr mit Verlängerung G2 (Bild 111) so einsetzen, daß der Taststift auf der Oberseite des Lenkungsdämpfers aufsitzt.
- Zahnstange von Anschlag zu Anschlag drehen, indem man das Lenkritzel bewegt. Die Bewegung der Meßuhrnadel weist auf die senkrechte Bewegung der Zahnstange hin. Auf den Höchstausschlag der Meßuhrnadel zur rechten Seite der Skala achten.
- In dieser Stelle die Meßuhr auf Null stellen und die Zahnstange in der gleichen Stellung lassen.

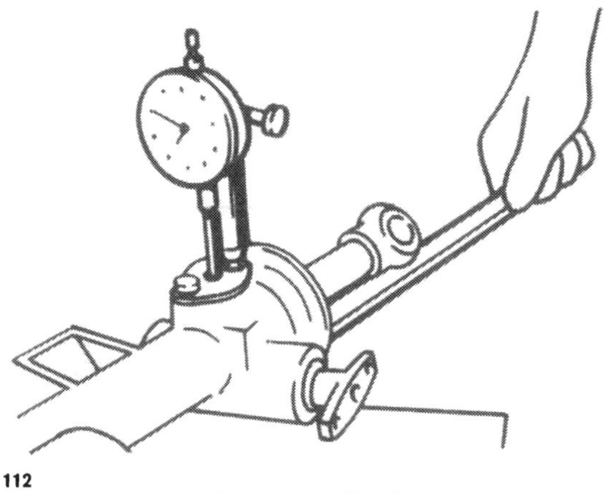

Bild 112
Ausmessen des Freispiels des Lenkungsdämpfers

- Zahnstange mit Hilfe eines Reifenhebels, wie in Bild 112 gezeigt, anheben und die Anzeige der Meßuhr ablesen.
- Meßuhr entfernen.
- Dämpfereinsatz herausnehmen.
- Das Nylonstück in die Innenseite des Dämpfereinsatzes einsetzen, ein Stahllineal auf das Ende des Dämpfereinsatzes auflegen und den Spalt zwischen dem Nyloneinsatz und dem Dämpfereinsatz beobachten.
- Ausgleichsscheiben einsetzen, um diesen Spalt zu beseitigen. Scheiben stehen in Stärken von 0,10, 0,20 und 0,50 mm zur Verfügung.
- Zum Einstellen des Spiels des Lenkungsdämpfers, welches zwischen 0,10 ± 0,05 mm betragen sollte, den Wert der Zahnstangenversetzung nehmen (an der Meßuhr angezeigt) und 0,10 mm hinzufügen. Die resultierende Stärke gibt die Ausgleichsscheibe. Dazu die ausgerechnete Ausgleichsscheibe für den Nyloneinsatz hinzurechnen und den Dämpfer folgendermaßen montieren:
  - Schmiernippel in die Mitte des Dämpferdeckels schrauben.
  - Ausgleichscheiben und den Nyloneinsatz einsetzen.
  - Dämpfereinsatz einfügen.
  - Feder aufsetzen.
  - Deckel mit den beiden Schrauben befestigen.
- Rechtes Endstück der Spurstange entfernen.
- Lenkmanschette über das Zahnstangengehäuse schieben.
- Rechtes Endstück so montieren, daß ein Abstand von 20 bis 21 mm zwischen der Fläche der Kontermutter und der Endfläche des Montageauges für die Spurstange vorhanden ist.
- Die beiden Endstücke ausrichten, indem man zwei genau in die Bohrungen passende Metallstäbe einsetzt und die Endstücke so verdreht, daß die beiden Stäbe parallel miteinander verlaufen.
- Lenkung in einen Schraubstock spannen (Blechbacken).
- Kontermuttern der Spurstangen auf 3,5 mkp anziehen. Darauf achten, daß die beiden Stäbe dabei parallel bleiben.
- Gewindestück der Spurstange am rechten Zahnstangenende anschrauben und auf 4,5 mkp festziehen.

- Lenkmanschette über die Lenkritzelseite der Zahnstange schieben.
- Länge der linken Spurstange auf 180 mm zwischen den beiden Flächen (Spurstangenkopf und Mutter) einstellen, indem man das Gewindestück in der Zahnstange verstellt.
- Die abschließende Einstellung der Spurstange geschieht beim Einstellen der Vorspur.
- An der rechten Seite die Lenkmanschette und die Spurstange anbringen.
- Schraube der Spurstange mit einem Anzugsdrehmoment von 4,5 mkp anziehen. Schraube sichern.
- Lenkungskupplung am Lenkritzel befestigen.
- Zahnstange in der Lenkung in die Mittelstellung und somit in die Geradeausstellung bringen.
- Lenkungsflansch befestigen, jedoch auf die beim Zerlegen eingezeichneten Markierungen achten. Das Loch für die Schraube muß waagrecht mit der Zahnstange liegen. Die Schrauben mit 1,75 mkp anziehen.

Ablassen und Auffüllen des Hydrauliköls bei der Servolenkung

Das Öl bei abgestelltem Motor und abgeklemmter Batterie ablassen. Zum Entleeren den Hochdruckschlauch von der Unterseite des Fahrzeuges abschrauben und das Öl ablaufen lassen. Lenkrad einige Male nach rechts und links einschlagen, so daß alles Öl herauslaufen kann.
Zum Auffüllen der Lenkung den Schlauch wieder an der Lenkungspumpe anschließen und den Behälter der Servolenkungspumpe mit Esso-B-11216-Öl füllen. Lenkrad einige Male nach links und rechts einschlagen und den Behälter nachfüllen. Motor anlassen und zum Entlüften der Anlage das Lenkrad wieder nach rechts und links einschlagen. Laufend Öl nachfüllen, um den Spiegel im Behälter beizuhalten.
Um den Ölstand im Behälter zu kontrollieren, ist die Verschraubung herauszudrehen. An der Unterseite befindet sich der Ölstab. Im kalten Zustand muß das Öl bis zur Marke «Full Cold» reichen, während es im warmen Zustand auf «Full Hot» stehen muß.

Prüfen und Einstellen der Vorspur

Die Vorspureinstellung muß kontrolliert werden, wenn das Fahrzeug sein Betriebsgewicht hat, d. h. Kühlanlage, Ölwanne und Tank müssen gefüllt sein. Ein Spurmaß gegen die Vorderseite der Radfelgenkante anlegen, in Höhe mit den Radnaben und die Lehre auf Null stellen. Die Stelle, an welcher die Lehre angelegt wurde, mit einem Stück Kreide zeichnen. Fahrzeug um eine halbe Umdrehung der Vorderräder nach vorn schieben, bis die Kreidemarkierung wieder in Höhe der Naben an der Rückseite erscheint und die Lehre wieder ansetzen. Der Unterschied der beiden Messungen ist die Vorspur.
Zum Einstellen die Muttern des mittleren Rohrstücks lockern und das Rohr nach links oder rechts verstellen, bis die Vorspur 3,0 mm ± 1,0 mm beträgt. Eine komplette Umdrehung des Spurstangenrohres entspricht einer Verstellung von 4,5 mm. Ohne das Rohr zu verstellen, die Kontermuttern auf ein Anzugsdrehmoment von 1,25 mm anziehen. Nach der Einstellung die Spureinstellung noch einmal kontrollieren.

Die Radabfederung

Aus- und Einbau eines vorderen Federbeins

- Vorderseite des Fahrzeuges aufbocken.
- Brücke unter den Querträger setzen.
- Rad abnehmen.
- Bremssattel abmontieren und mit einem Stück Draht so festbinden, daß der Bremsschlauch nicht unter Spannung kommt. Bremsschlauch nicht abschließen.
- Mit einem geeigneten Abzieher das Kugelgelenk der Spurstange vom Lenkhebel trennen.
- Schraube der Stabilisatorstange von hinteren Querlenkarm entfernen.
- Die Lagerschraube des unteren, hinteren Querlenkarms vom Querträger und die Schraube des unteren, vorderen Querlenkarms vom Montagehalter des Seitenträgers entfernen. Schrauben vorsichtig herausschlagen.

- Einen Wagenheber unter die Radnabe setzen.
- Die drei Befestigungsschrauben der oberen Federbeinbefestigung von der Verstärkung des vorderen Kotflügels lösen.
- Wagenheber ablassen.
- Federbein herausheben.

Beim Einbau:

- Federbein von unten einsetzen und einen Wagenheber untersetzen.
- Wagenheber anheben, bis das Federbein in die obere Befestigung eingreift.
- Schrauben der Befestigung mit einem Anzugsdrehmoment von 1,0 mkp anziehen.
- Wagenheber entfernen.
- Hinteren Querlenkerarm in den Querträger einsetzen.
- Vorderen Arm in den Seitenträger einsetzen.
- Beide Lagerschrauben vorsichtig einschlagen. Neue selbstsichernde Muttern verwenden, jedoch die Muttern noch nicht anziehen.
- Gestänge der Stabilisatorstange an den hinteren Querlenkerarmen anschließen.
- Spurstangenkugelgelenke an den Lenkhebeln befestigen und Kronenmuttern mit 4,5 mkp anziehen.
- Einen neuen Splint einsetzen.
- Bremssattel montieren. Schrauben mit 7,0 mkp anziehen.
- Fahrzeug auf eine Hebebühne oder auf eine Rampe fahren.
- Muttern der Lagerschrauben sowie die Muttern der Stabilisatorgestänge mit einem Anzugsdrehmoment von 4,5 mkp anziehen, während zwei Personen in den Rücksitzen sitzen.

Aus- und Einbau eines hinteren Stoßdämpfers

- Von der Innenseite des Kofferraumes die selbstsichernde Mutter abschrauben, wobei die Kolbenstange des Stoßdämpfers am Ende gegenzuhalten ist.
- Blechschale und Gummibüchse abnehmen.
- Vom hinteren Längslenker die selbstsichernde Mutter abschrauben.
- Stoßdämpfer durch die Öffnung im Längslenker nach unten herausziehen.

Beim Einbau des neuen Stoßdämpfers immer die Gummibüchsen, obere Blechschale und die selbstsichernde Mutter erneuern. Kolbenstange in die Öffnung im Kofferraum einsetzen (Stoßdämpfer muß zusammengedrückt sein). Die folgenden Teile in der in Bild 114 gezeigten Reihenfolge aufstecken:

— Anlaufscheibe «1»
— Schutzauflage «2»
— Zentrierstück «3»
— Gummibüchse «4»
— Nylonabstandsstück «5».

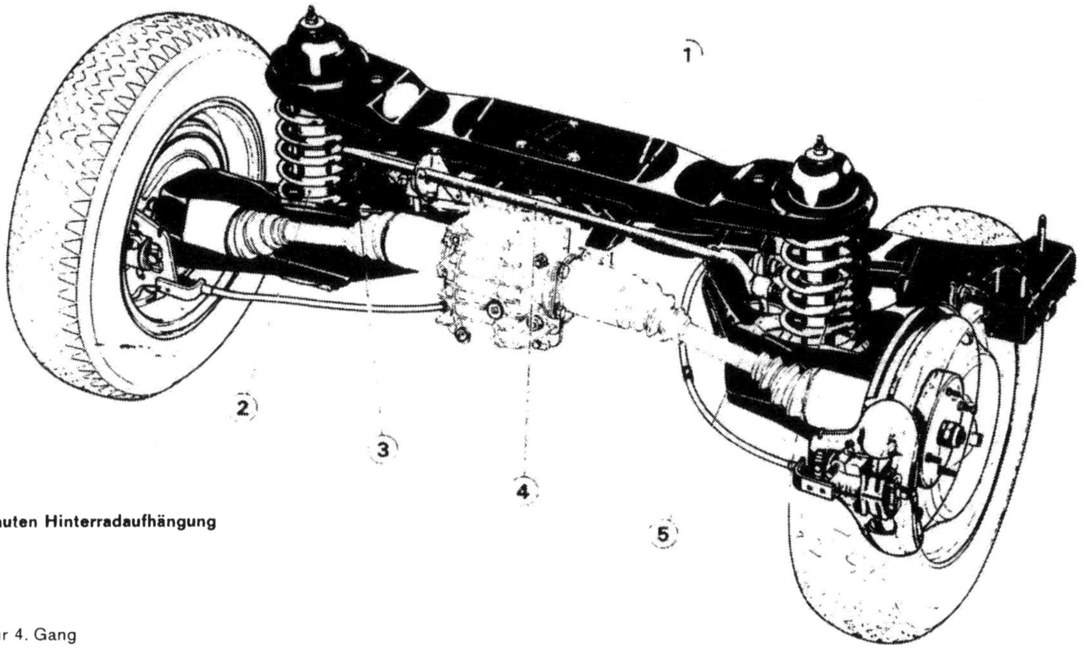

Bild 113
Ansicht der zusammengebauten Hinterradaufhängung
1 Aufhängungsquerträger
2 Stoßdämpfer
3 Hinterfeder
4 Stabilisator
5 Verbindungsgestänge für 4. Gang

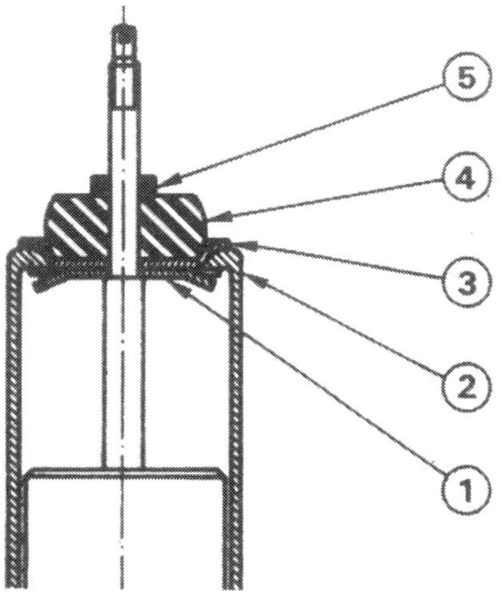

Bild 114
Schnitt durch die obere Stoßdämpferbefestigung
1 Querträger
2 Stoßdämpferrohr
3 Zentriereinsatz
4 Gummilager
5 Nylonstück

Die zweite Gummibüchse über die Kolbenstange setzen und die Blechschale über die Büchse legen. Das Flachstück des Stoßdämpfers mit einem Schlüssel gegenhalten und die Mutter mit 1,25 mkp anziehen.

Die Bremsen

Alle vier Räder sind mit Scheibenbremsen ausgerüstet. Die vorderen Bremssättel sind als sogenannte «schwimmende» Sättel konstruiert und mit einem Kolben von 54 mm ⌀ versehen. Die hinteren Bremssättel haben einen Kolben von 42,85 mm ⌀. Bei der Peugeot-504-Limousine sind die Scheibenbremsen an der Außenseite der Radnaben montiert, während sie sich beim Coupé und dem Kabriolett an der Innenseite der Radnaben befinden.

Erneuerung der Bremsklötze

Die Bremsklötze des Peugeot 504 sind mit einem Verschleißanzeiger ausgerüstet, welcher eine Kontrollampe im Armaturenbrett erhellt, wenn die Stärke der Bremsbeläge bis auf 2,5 mm abgeschliffen ist. Wenn diese Lampe aufleuchtet, sollten die Bremsklötze schnellstens erneuert werden.

> HINWEIS: Die Kontrollampe erhellt sich ebenfalls, wenn der Stand der Bremsflüssigkeit unter dem mindestzulässigen Spiel abgefallen ist. Es ist aus diesem Grund erforderlich, zuerst den Flüssigkeitsstand im Behälter des Hauptbremszylinders zu kontrollieren, ehe die Bremsklötze erneuert werden.

Die Bremsklötze müssen gleichzeitig auf beiden Seiten der gleichen Achse erneuert werden. Bremsklötze werden in Sätzen geliefert. Folgende Arbeiten durchführen:

- Vorder- und Rückseite des Fahrzeuges auf Böcke stellen.
- Stellung der Räder im Verhältnis zu den Naben kennzeichnen.
- Räder abnehmen.
- Leitung des Verschleißanzeigers abklemmen.
- Druckfeder der Bremsklötze ausbauen.
- Befestigungsbolzen der Haltebügel herausziehen.
- Haltebügel abnehmen.
- Bremsklötze herausziehen. Im Fall, daß die Bremsklötze in der Innenseite des Bremssattels festklemmen, einen Montierhebel zwischen den Bremssattel und die Metallplatte des Bremsklotzes einschieben und den Bremsklotz herausnehmen.

Den Zustand der Bremsscheibe kontrollieren, welche keine tiefen Rillen aufweisen darf. Ebenfalls die Bremssattelzylinder auf Zeichen von Leckstellen und die Gummistaubschutzringe überprüfen. Vor dem Einbau der neuen Bremsklötze sind die Bremsscheiben folgendermaßen auf Schlag zu kontrollieren:
Eine Meßuhr so am Achsschenkel anbringen, daß der Taststift auf der Fläche der Bremsscheibe, 25 mm von der Außenkante entfernt, aufsitzt. Bremsscheibe durchdrehen und kontrollieren, ob der Schlag weniger als 0,07 mm beträgt.
Bremsscheibe und Innenseite des Bremssattels mit Spiritus reinigen. Falls die Bremsscheibe mit Fett verschmutzt ist, ist ein fettlösendes Mittel zu verwenden, wobei jedoch darauf zu achten ist, daß die Flüssigkeit nicht in Berührung mit den Gummiteilen kommen kann. Teile mit Preßluft reinigen oder mit einem sauberen Tuch abwischen.

Neue Bremsklötze in die Schächte der Bremssättel einsetzen und die Bremssättel wieder in umgekehrter Reihenfolge wie beim Ausbau befestigen. Die Druckfeder wird mit dem Pfeil oder der Öffnung nach oben weisend eingebaut. Leitung des Verschleißanzeigers anklemmen.
Die beschriebenen Arbeiten auf der anderen Seite durchführen und, falls erforderlich, an der anderen Achse vornehmen. Flüssigkeitsstand im Vorratsbehälter kontrollieren und danach das Bremspedal einige Male durchpumpen, um die Bremsklötze an die Scheiben heranzustellen. Räder wieder montieren.

Bremsbacken bei der Trommelbremse erneuern (504L und andere)

- Aus der Rückseite der Bremsträgerplatte den Verschlußstopfen herausnehmen, einen Schraubenzieher einführen und gegen den Betätigungshebel der Handbremse drücken. Dadurch wird die Selbstnachstellung der Bremse zurückgelassen.
- Bremstrommel herunterziehen.
- Die seitlichen Ankerstifte mit den Federn lösen und Federn sofort wegwerfen, da sie beim Zusammenbau zu erneuern sind.
- Obere Rückzugfeder aushängen.
- Backen aus dem Radbremszylinder herausnehmen und aus der unteren Lagerung befreien.
- Handbremshebel aushängen.

ACHTUNG: Unbedingt auf die genaue Einbauweise der Bremsbacken achten, da die Konstruktion der Hinterradbremse bei 504L-Modellen und anderen Modellen (Familiale, Break, Commerciale) unterschiedlich ist. Bremsbacken haben ebenfalls eine unterschiedliche Breite und eine unterschiedliche Länge. Außerdem ist der Anlaufbacken und Ablaufbacken bei beiden Trommelbremsenausführungen von unterschiedlicher Länge. 504L-Modelle sind mit selbstnachstellenden Bremsen ausgerüstet. Bei anderen Modellen sind die Bremsbacken nach dem Einbau folgendermaßen einzustellen:

- Rückseite des Fahrzeuges aufbocken.
- Jede Vierkantmutter an der Rückseite der Bremsträgerplatte nach unten drehen, bis die Trommel gegen die Backen blockiert ist.
- Einstellbolzen zurückdrehen, bis sich das Rad ohne zu schleifen durchdrehen läßt.

Falls die Bremstrommeln ausgedreht werden müssen, sind die Maximaldurchmesser in der «Maß- und Einstelltabelle» (Seite 101) zu beachten.

Aus- und Einbau einer hinteren Bremsscheibe

Bei aufgebocktem Fahrzeug den Bremsschlauch und die Bremsleitung vom Längslenker lösen und die Bremsklötze ausbauen. Bei an der Außenseite der Nabe angebrachten Bremsscheiben nach Ausbau des Bremssattels (am Bremsschlauch lassen, aber mit einem Stück Draht spannungsfrei festbinden) die Bremsscheibe abschrauben. Bei an der Innenseite der Nabe angebrachten Bremsscheiben (Coupé und Kabriolett) die Achswelle durch Lösen des hinteren Längslenkers ausbauen und den Längslenker wieder provisorisch am Querträger befestigen. Jetzt die Bremsklötze ausbauen und den Bremssattel entfernen. Mit einem Stück Draht festbinden. Mutter der Radnabe von der Rückseite lösen und die Radnabe zusammen mit der Bremsscheibe abmontieren. Bremsscheibe danach von der Nabe abschrauben.

Bild 115
Ansicht der Hinterradbremse mit der älteren Ausführung. Die Stelle (a) ist abgerundet
1 Bremssattel 2 Bremsscheibe, 10 mm Stärke

Der Einbau der neuen Bremsscheibe geschieht in beiden Fällen in umgekehrter Reihenfolge wie der Ausbau. Es wird jedoch darauf hingewiesen, daß die Erneuerung einer hinteren Bremsscheibe beim Coupé und Kabriolett weitaus komplizierter ist als bei der Limousine und man diese Arbeit vielleicht einem Peugeot-Händler überlassen sollte, da gewisse Spezialwerkzeuge zum Lösen der Mutter von der Rückseite der Nabe erforderlich sind. Die Mutter dieser Ausführung ist beim Einbau mit einem Anzugsdrehmoment von 25,0 mkp anzuziehen. Dei Längslenkerbolzen werden mit einem Drehmoment von 6,5 mkp angezogen, während das Fahrzeug auf dem Boden steht und sich zwei Personen in den Rücksitzen befinden.

ACHTUNG: Zwei verschiedene Bremssattelausführungen können bei der Hinterradbremse eingebaut sein. Aus diesem Grund ist zu beachten, daß bei einer Ausführung die Stärke der Bremsscheibe 10,0 mm beträgt, während sie bei der anderen Ausführung 12,0 mm beträgt. Um festzustellen, welcher Bremssattel eingebaut ist, kann man die Karosserie in der Nähe des Rückprallgummis der Hinterradabfederung betrachten. Falls diese eine Stanzvertiefung aufweist, so ist der Bremssattel mit Scheibenstärke von 12,0 mm eingebaut. Bilder 115 und 116 zeigen die Unterschiede der beiden Ausführungen.

Hauptbremszylinder

Peugeot-504-Modelle sind mit einer Einkreis- oder einer Zweikreisbremsanlage ausgerüstet. Dabei ist allerdings zu beachten, daß zwei verschiedene Einkreisbremszylinder und sechs verschiedene Zweikreisbremszylinder (Tandemzylinder) eingebaut sein können. Da dies äußerst wichtig beim Bestellen von Neuteilen ist, soll kurz auf die Unterschiede eingegangen werden.
Bei Ausführungen mit den älteren Bremssätteln an den Hinterradbremsen (10 mm Scheibenstärke) ist ein Zylinder mit 20,6 mm ⌀ eingebaut. Dieser Zylinder besitzt keine Kennzeichnung.

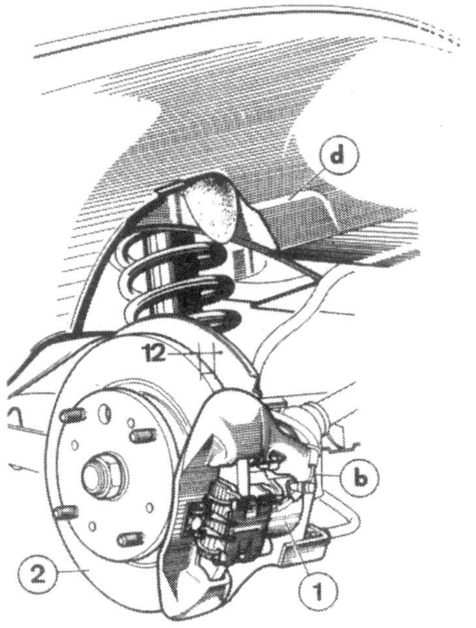

Bild 116
Ansicht der Hinterradbremse der neueren Ausführung. Die Stelle «b» ist abgeschrägt und außerdem ist der Kotflügel an Stelle «d», wie gezeigt, gestanzt
1 Bremssattel 2 Bremsscheibe, 12 mm Stärke

Modelle mit der neuen Bremssattelausführung (12 mm Scheibenstärke) ist am Flansch an der Oberseite mit einer Nute versehen und hat einen Durchmesser von 19 mm. Dieser Einkreiszylinder ist ebenfalls in den 504L eingebaut.
Bei Zweikreisbremsanlage kann entweder ein Lockheed-Zylinder (ohne Markierung) mit einem Durchmesser von 20,6 mm eingebaut sein, welcher später durch einen Teves-Zylinder des gleichen Durchmessers ersetzt wurde und in 504-Modelle mit der älteren Bremssattelausführung für die Hinterradbremsen eingebaut wurde. Dieser Zylinder ist mit der Zahl «2» gezeichnet und besitzt außerdem ein Klebband mit dem Aufdruck «18—13». Weiterhin kann ein Lockheed oder Teves-Zylinder mit 20,6 mm Durchmesser und einem längeren Hub eingebaut sein. Diese Ausführungen werden in vom 504 abgeleitete Typen eingebaut. Der Teves-Zylinder ist mit der Zahl «20» gezeichnet. Schließlich verbleibt der Zylinder für Modelle mit den neueren hinteren Bremssätteln und für 504L-Modelle mit Zweikreisbremse. Wiederum stehen ein Lockheed und ein Teves-Zylinder zur Verfügung. Beide Zylinder haben einen Durchmesser von 19 mm, jedoch ist der Teves-Zylinder mit der Zahl «19» gezeichnet. Beim Bestellen von Ersatzteilen ist es am besten, wenn man immer ausdrücklich das genaue Fahrzeugmodell zusammen mit der Fahrgestell-

nummer angibt. Lockheed-Tandemzylinder sind mit getrennten Vorratsbehältern versehen, während Teves-Zylinder einen gemeinsamen Behälter haben.

Aus- und Einbau des Hauptbremszylinders

Bei allen Hauptbremszylinderausführungen die Bremsleitungen abschrauben und den Zylinder vom Bremskraftverstärker entfernen. Beim Herausheben des Zylinders unbedingt darauf achten, daß keine Bremsflüssigkeit auf den Lack tropft. Die Bremsflüssigkeit kann dazu aus dem Vorratsbehälter abgelassen werden, falls dies als Sicherheitsmaßnahme erwünscht wird. Der Einbau geschieht in umgekehrter Reihenfolge. Nach dem Einbau Bremsanlage entlüften.

Überholen des Hauptbremszylinders (Einkreisanlage)

Die beiden in Frage kommenden Zylinder sind in Bild 117 gezeigt. Zum Zerlegen den Sprengring aus der Bohrung entfernen, Anschlagscheibe herausnehmen und Kolben und Feder herausziehen. Die Hauptmanschette kann durch Ansetzen eines Preßluftschlauchs herausgeblasen werden. Alle Teile gründlich reinigen. Manschetten, Anschlagscheibe und Sprengring immer erneuern.

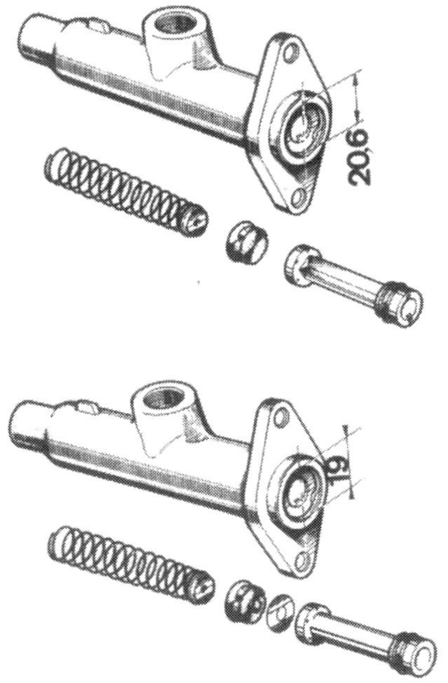

Bild 117
Die Teile eines Hauptbremszylinders, entweder 19 mm oder 20,6 mm Durchmesser

Ein Nacharbeiten der Bohrung oder des Kolbens, auch mit Sandpapier, ist nicht zulässig. Unbedingt darauf achten, daß der vorgeschriebene Reparatursatz für den betreffenden Zylinder verwendet wird. Alle Teile vor dem Zusammenbau mit Bremsflüssigkeit einschmieren.
Unter Bezug auf Bild 118 die Sicherungsscheibe «2» und die Manschette «1» einsetzen und die Kolbenmanschette am Kolben anbringen, so daß die Lippe «a» nach vorne weist. Kolben in die Bohrung schieben, ohne die Manschette dabei zu beschädigen. Der Blechansatz «b» muß gegen die Hauptmanschette anliegen. Anschlagscheibe auf das Ende des Kolbens auflegen, den Kolben mit einem Schraubenzieher nach innen drücken und den Sprengring einsetzen. Kontrollieren, ob sich der Kolben einwandfrei bewegen läßt.

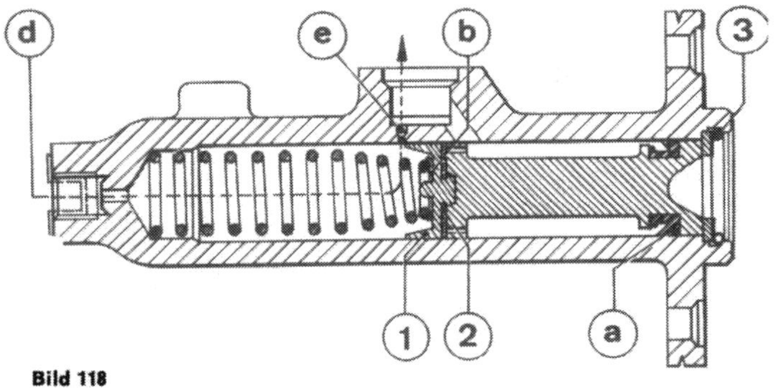

Bild 118
Schnitt durch den Hauptbremszylinder
1 Hauptmanschette
2 Sicherheitsscheibe
3 Sprengring
a Lippe der Kolbenmanschette
b Kolbenrückholfeder
d Austrittsbohrung
e Ausgleichsbohrung

Überholen des Hauptbremszylinders (Zweikreisbremse)

Die Anschlagschraube aus der Unterseite des Zylinders herausschrauben. Sprengring aus dem Ende der Bohrung entfernen und die Anschlagschraube abnehmen. Der erste Kolben kann jetzt herausgezogen werden, während der zweite Kolben durch Ansetzen einer Preßluftleitung am Anschluß herausgeblasen werden muß. Eine Ansicht eines zerlegten Zylinders ist in Bild 119 gezeigt. Die Manschetten und Federn der Kolben dürfen niemals ausgebaut werden. Falls sie beschädigt sind, ist in jedem Fall ein Reparatursatz zu verwenden. Der entsprechende Reparatursatz enthält mit der Ausnahme des Zylinders praktisch alle anderen Teile.

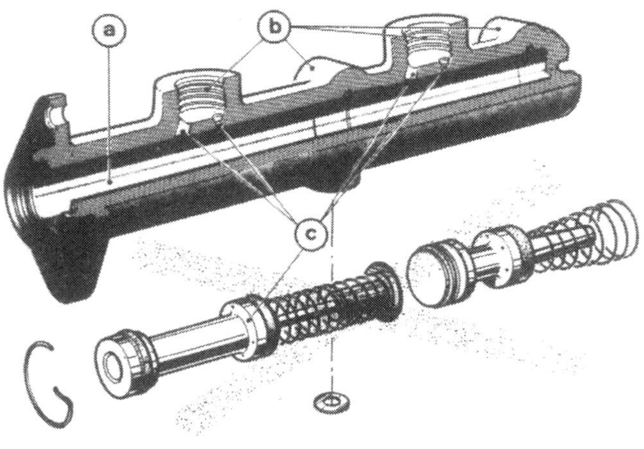

Bild 119
Ansicht eines Tandemhauptbremszylinders für Zweikreisbremsen

Beim Zusammenbau nach Einsetzen von Zwischenkolben und Druckkolben mit einem Rundstab den Druckkolben (den äußeren) ca. 5 mm nach innen drücken und die Anschlagschraube in den Zylinder einschrauben. Der Zylinder ist dazu in einen Schraubstock einzuspannen.

Entlüften der Bremsanlage

Beim Entlüften der Bremsanlage muß ein Unterschied gemacht werden, je nach dem, ob Trommelbremsen an den Hinterrädern verwendet werden oder wenn bei eingebauten Scheibenbremsen an der Hinterachse keine Luft in die Hinterradbremsen gekommen ist und im Fall bei hinteren cSheibenbremsen, wenn Luft in die Hinterradbremsen gekommen ist. Beim Entlüften folgendermaßen vorgehen:

1. Fall:

- Vorderseite des Fahrzeuges auf Böcke stellen.
- Um besser an die Entlüftungsschrauben zu kommen, sollten die Vorderräder abgenommen werden. Vorher jedoch die Räder im Verhältnis zur Nabe kennzeichnen.
- Einen durchsichtigen Entlüftungsschlauch über eine der Entlüftungsschrauben stecken und das andere Ende des Schlauchs in ein mit etwas Bremsflüssigkeit gefülltes Glasgefäß hängen. Während des Entlüftens immer den Bremsflüssigkeitsstand im Vorratsbehälter beachten, ob keine Luft mehr angesaugt werden kann.
- Entlüftungsschraube um eine halbe bis dreiviertel Umdrehung öffnen.
- Bremspedal mit einigen langen Hüben, gefolgt von einigen kurzen Hüben, betätigen. Danach das Pedal von selbst zurückkehren lassen. Diesen Pumpvorgang durchführen, bis die in das Glasgefäß einlaufende Flüssigkeit frei von Luftblasen ist.
- Bremspedal durchtreten und die Entlüftungsschraube schließen.

2. Fall:

- Hintere Bremsklötze ausbauen.
- Das Spezialwerkzeug in Bild 120 in die Ringnut des Kolbens einsetzen.
- Bremspedal einige Male durchtreten, bis der Bremssattel in Berührung mit dem äußeren Teil der Bremsscheibe ist und das Spezialwerkzeug in Bild 120 zwischen dem Kolben und der Bremsscheibe gehalten wird.
- Danach die Bremsanlage in der gleichen Weise wie vorhin beschrieben entlüften.
- Kolben so um eine Achtelumdrehung verdrehen, daß das Spezialwerkzeug in Berührung mit dem Führungswinkel des Bremsklotzes kommt. Dadurch wird der Nachstellmechanismus für die Handbremse frei.
- Werkzeug «G» in Bild 120 am Kolben ansetzen.

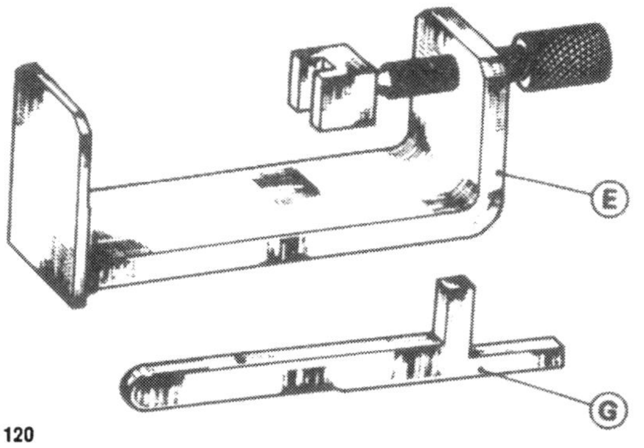

Bild 120
Spezialwerkzeuge zum Entlüften der Hinterradbremsen
E Kolbenfestspannwerkzeug G Kolbeneinstellwerkzeug

- Entlüftungsschraube öffnen, um die Bewegung des Kolbens zu erleichtern.
- Kordelschraube im Ende des Werkzeuges so weit wie möglich festziehen und Entlüftungsschraube in dieser Stellung schließen.
- Zwinge entfernen.
- Kolben mit Hilfe des Werkzeuges «G» in seine alte Lage zurückstellen.
- Bremsklötze montieren.
- Bremsflüssigkeitsstand im Hauptbremszylinder kontrollieren und gegebenenfalls berichtigen.

Bremskraftverstärker

Die einzige Arbeit, die man am Bremskraftverstärker durchführen sollte, ist die Erneuerung des Ansaugluftfilters. Falls irgendwelche Schwierigkeiten mit der Servoanlage auftreten sollten, ist es am besten, wenn Sie sich an Ihren Händler wenden. Falls die Servoanlage ausgefallen ist, arbeitet die Bremsanlage vollkommen einwandfrei, mit dem Unterschied, daß ein größerer Kraftaufwand am Bremspedal erforderlich ist.

Die elektrische Anlage

Irgendwelche Reparaturen an der elektrischen Anlage des Fahrzeuges sollten sich auf die Erneuerung beschädigter oder defekter Teile beschränken. Reparaturen von elektrischen Aggregaten sollten durch einen bevollmächtigten Händler durchgeführt werden, obwohl alle erforderlichen Reparaturarten hier beschrieben sind.
Die elektrische Anlage arbeitet mit einer Spannung von 12 Volt. Eine Drehstromlichtmaschine mit Spannungsregler liefert den Strom für die Batterie und alle anderen Stromabnehmer.
Die Drehstromlichtmaschine hat eine Nennleistung von 370 oder 500 Watt, je nach Fahrzeugausführung. Sie wird durch einen Keilriemen von der Kurbelwelle aus angetrieben. Eine Verstellvorrichtung ermöglicht ein Nachspannen des Keilriemens. Die Drehstromlichtmaschine kann entweder von Ducellier, Paris-Rhône oder Motorola hergestellt sein.

Vorsichtsmaßnahmen bei Arbeiten am Ladestromsystem

Ehe irgendwelche Arbeit an der Drehstromlichtmaschine oder der damit verbundenen Stromanlage durchgeführt werden, müssen die folgenden Vorsichtsmaßnahmen unbedingt eingeprägt werden:

— Niemals die Batterie oder den Spannungsregler abklemmen, während der Motor und somit die Lichtmaschine laufen.
— Niemals die Erregerklemme (Feldklemme) der Lichtmaschine oder das daran befestigte Kabel in Berührung mit Masse kommen lassen.
— Niemals die beiden Leitungen des Spannungsreglers verwechseln.
— Niemals den Spannungsregler in Betrieb bringen, wenn er mit Masse verbunden ist (sofortige Beschädigung).
— Niemals die Lichtmaschine ausbauen, wenn die Batterie nicht abgeschlossen wurde.
— Beim Einbau der Batterie darauf achten, daß die Minusklemme an Masse angeschlossen wurde.
— Niemals eine Prüflampe verwenden, die direkt an das Hauptstromnetz (110 oder 220 V) angeschlossen ist. Nur eine 0,1 Ampère-Prüflampe mit einer Spannung von 12 Volt verwenden.
— Falls die Batterie im eingebauten Zustand mit einem Batterieladegerät aufgeladen wird, müssen die beiden Batteriekabel abgeklemmt werden. Die positive Klemme des Ladegeräts an den positiven Pol der Batterie und die negative Klemme des Ladegeräts an den negativen Pol der Batterie anschließen.
— Falsches Anschließen der Leitungen führt zur Zerstörung des Gleichrichters und des Spannungsreglers.
— Niemals einen Ohmmeter mit einem handbetriebenen Generator zur Kontrolle der Gleichrichterdioden verwenden.

Drehstromlichtmaschine

WICHTIG: Eine Drehstromlichtmaschine niemals ohne Batterie laufen lassen.

Prüfen der Drehstromlichtmaschine

Falls die Drehstromlichtmaschine die Batterie nicht oder nur teilweise aufladet, ist zu kontrollieren, ob der Stromkreis nicht unterbrochen ist, indem man einen Ohmmeter zwischen die Klemmen «Exc» und Masse anlegt, um zu kontrollieren, ob der Widerstand bei einer Temperatur von 20° C 4,4 Ohm beträgt.

Dioden auf Kurzschlüsse kontrollieren. Dazu den äußeren Anschluß der Drehstromlichtmaschine abklemmen (positive Klemme) und einen Ohmmeter zwischen diese Klemme und einen guten Massepunkt anschließen. Darauf achten, daß die positive Klemme des Ohmmeters mit der positiven Klemme der Drehstromlichtmaschine verbunden ist. Die Widerstandsanzeige sollte unendlich sein.

Falls die Ladewerte der Drehstromlichtmaschine außerhalb der angeführten Werte liegen, kann es möglich sein, daß eine oder mehrere Dioden beschädigt sind. Die Dioden können nur bei zerlegter Lichtmaschine kontrolliert werden.

Aus- und Einbau der Drehstromlichtmaschine

- Batterie abklemmen.
- Leitungen der Drehstromlichtmaschine entfernen.
- Schraube aus dem Spannbügel entfernen.
- Lichtmaschine zur Innenseite drücken.
- Keilriemen abnehmen.
- Befestigungsschraube der Lichtmaschine lösen.
- Lichtmaschine herausheben.

Der Einbau der Drehstromlichtmaschine geschieht in umgekehrter Reihenfolge wie der Ausbau. Zur Einstellung der Keilriemenspannung die Lichtmaschine nach außen drücken, bis der Keilriemen soeben stramm ist. Mit einem Lineal in die Mitte der Laufstrecke zwei um 100 mm voneinander stehende Striche mit einem Bleistift anzeichnen. Jetzt die Lichtmaschine weiter nach außen drücken, bis ein Maß von 102 bis 103 mm zwischen den beiden Strichen vorhanden ist. Dies entspricht einer Spannung von 2 bis 3 %.

Zerlegen der Drehstromlichtmaschine

Bild 121 zeigt ein Montagebild einer SEV-Motorola-Lichtmaschine und sollte bei der folgenden Arbeit hinzugezogen werden.

- Die beiden Schrauben der Kohlebürstenbefestigung entfernen.
- Bürstenhalter abnehmen. Dieser sitzt auf zwei Zapfen am Lager.
- Lichtmaschine mit der Riemenscheibe in einen Schraubstock einspannen, jedoch den Keilriemen um die Scheibe legen, wie es in Bild 122 gezeigt ist, um die Riemenscheibenmutter zu lösen.
- Scheibe entfernen.
- Riemenscheibe von der Welle ziehen.

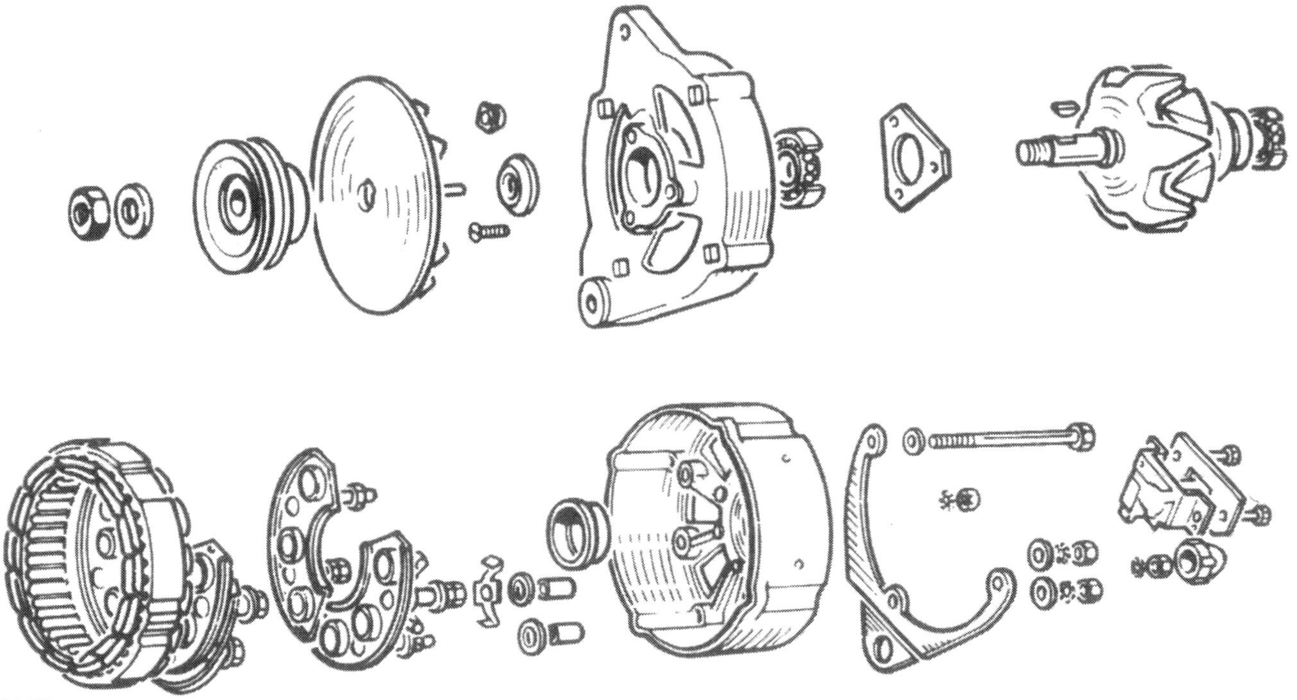

Bild 121
Montagebild der Drehstromlichtmaschine

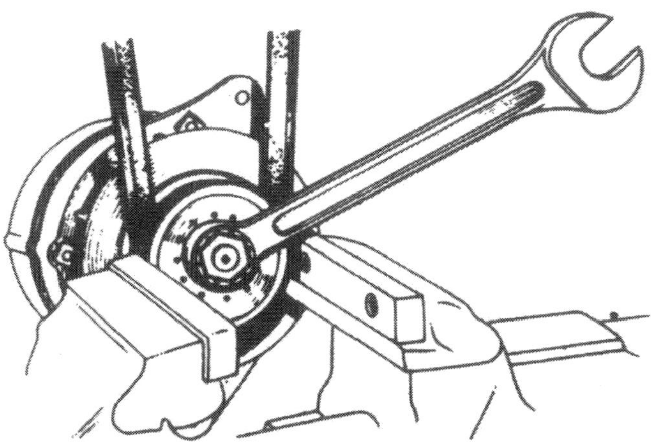

Bild 122
Lösen der Mutter für die Riemenscheibe der Drehstromlichtmaschine
Zu beachten ist, wie der Keilriemen eingelegt ist

- Keil aus der Läuferwelle nehmen.
- Mit einer Reißnadel das vordere und hintere Lagergehäuse und den Ständer an den Verbindungsfugen anzeichnen, damit die Teile beim Zusammenbau wieder zusammenkommen.
- Die vier Spannschrauben aus dem Gehäuse drehen.
- Mit einem Schraubenzieher ungefähr 2 mm tief in die Aussparungen zwischen Ständer und dem vorderen Lagerschild eingreifen und den Läufer und das vordere Lagerschild auf diese Weise abdrücken. Falls erforderlich, kann ebenfalls ein Gummihammer zum Abschlagen der Lagerschilder benutzt werden.
- Am vorderen Lagerschild die drei Schrauben der Lagerhalteplatte lösen, die in Bild 123 mit den Pfeilen gekennzeichnet sind.
- Falls das Kugellager erneuert werden soll, den Läufer mit dem vorderen Ende auf einen Holzblock aufschlagen, während man das vordere Lagerschild mit beiden Händen hält.

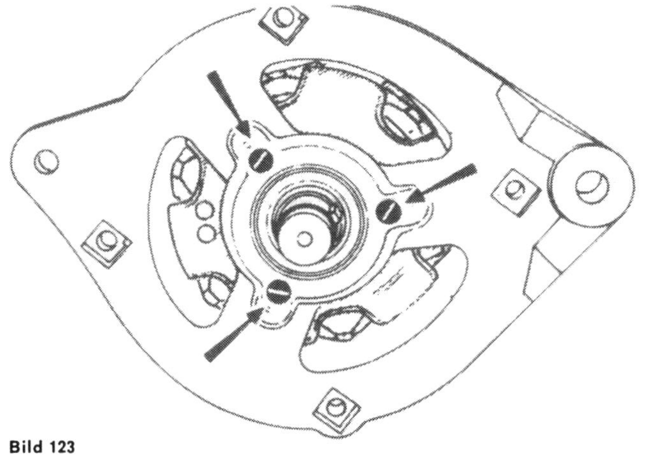

Bild 123
Die Schrauben dienen zur Befestigung der Halteplatte

- Die vier Muttern, Fächerscheiben und die zwei Isolierscheiben der Diodenhalter lösen.
- Kabel zwischen Ständer (Stator) und den Dioden markieren und die Minus- und Plusanschlüsse ablöten. Die Anschlußzungen sind dabei mit einer Flachzange zu halten, die als Wärmeableiter dient und somit eine Überhitzung der Dioden vermeidet. Der Lötvorgang muß sehr schnell vonstatten gehen.
- «O»-Dichtring aus dem hinteren Lagerschild entfernen.
- Falls erforderlich, das vordere Lager abziehen, indem man einen Zweiklauenabzieher mit den Klauen unter das Lager ansetzt. Kontrollieren, ob die darunter befindliche Platte beim Abziehen des Lagers nicht verbogen wird.

Alle Teile mit Ausnahme des Läufers (Rotors) und des Ständers mit Waschbenzin reinigen. Kugellager prüfen und gegebenenfalls ersetzen. Erregerwicklungen und Schleifringe auf Masseschluß prüfen. Dazu ist eine Prüflampe zwischen den Schleifring und die Masseklemme anzuschließen. Die Prüflampe darf nicht aufleuchten, da kein Strom fließen sollte. Um die Erregerwicklungen auf Windungsschluß zu überprüfen, ist ein Ohmmeter erforderlich, den man zwischen den beiden Schleifringen anlegt. Das Ergebnis der Prüfung sollte zwischen 5,0 und 5,4 Ohm liegen. Falls der Ohmmeter «Null» anzeigt, dann liegt ein Kurzschluß in der Läuferwicklung vor. Bei höheren Anzeigen ist die Erregerwicklung unterbrochen und bei niedrigeren Anzeigen ist die Wicklung teilweise kurzgeschlossen.
Die Kohlebürstenhalter können mittels einer Prüflampe zwischen Erregerklemme und Bürste kontrolliert werden. Die Prüflampe muß dabei aufleuchten. Wenn die isolierten Bürstenhalter kontrolliert werden, die Prüfspitzen mit beiden Kohlebürsten in Verbindung bringen. Die Prüflampe darf in diesem Fall nicht aufleuchten. Andernfalls den Bürstenhalter erneuern.
Als nächstes die Ständerwicklung überprüfen. Bei Kurzschluß kann dies meist an verfärbten Wicklungen festgestellt werden. Zur Prüfung eine Prüflampe zwischen einem Wicklungsende und ständerblech anlegen. Die Lampe darf nicht aufleuchten. Falls dies der Fall ist, den Ständer erneuern.
Die Schleifringe auf Verfärbungen oder andere Beschädigungen kontrollieren und eventuell

nachpolieren. Schmirgelteile mit Preßluft ausblasen.
Um die Dioden zu prüfen, kann eine Prüflampe zwischen den Diodenausgang und dem Diodenhalter angeschlossen werden. Kontrollieren, ob die Prüflampe aufleuchtet und danach die Anschlüsse umkehren. Die Prüflampe darf nur in einer Stromrichtung aufleuchten. Leuchtet die Lampe in beiden Stromrichtungen auf, so ist der Stromkreis in der Stromflußrichtung unterbrochen. In jedem Fall müssen die drei zusammenliegenden Dioden (entweder Plus- oder Minusdioden) immer zusammen mit dem Diodenträger erneuert werden.

Zusammenbau der Drehstromlichtmaschine

Der Zusammenbau erfolgt im allgemeinen in umgekehrter Reihenfolge wie das Zerlegen. Vorderes und hinteres Kugellager gut mit Heißlagerfett einschmieren. Beim Anlöten der Diodenleitungen gelten die gleichen Anweisungen wie beim Ablöten. Die Arbeiten so schnell wie möglich durchführen. Wenn der Ständer ausgetauscht wurde, ist es äußerst wichtig, daß die Diodenträger nicht verwechselt werden. Der positive Diodenträger ist mit Isolierscheiben und Hülsen gegen Masse isoliert und diese sind, wie in Bild 124 gezeigt, anzuordnen. Diese Dioden sind mit roter Farbe gezeichnet. Der negative Diodenträger ist direkt mit Masse verbunden und ist zur Kennzeichnung mit scharzer Farbe gezeichnet. Den «O»-Dichtring am hinteren Lager leicht einölen und einsetzen. Vor dem Anbringen des Lagerschildes nochmals kontrollieren, ob die Zuleitungen oder Dioden einwandfrei sitzen und nicht gegen den Läufer anschlagen können.

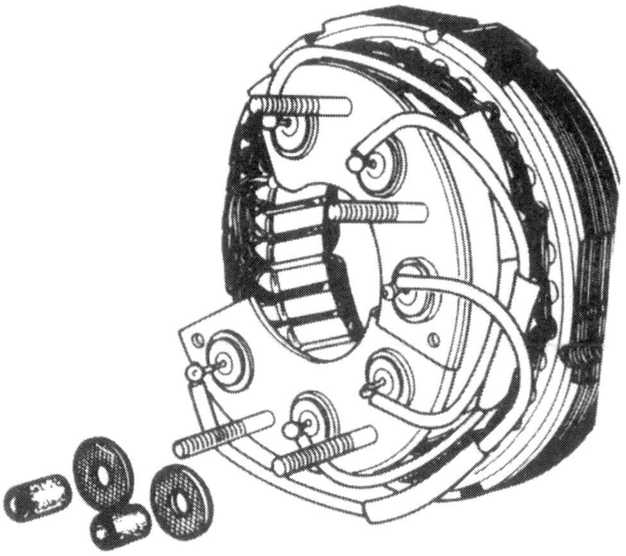

Bild 124
Die Isolierscheiben und -hülsen werden auf den positiven Diodenträger ausgeschoben

Der Anlasser

Das Einspuren des Anlasserritzels in den Zahnkranz des Schwungrades geschieht durch einen Einrückmagnetschalter, welcher am Anlassergehäuse angebracht ist. Da der Motor nach dem Anlassen sich schneller dreht, ist der Anlasser mit einer Freilaufkupplung versehen. Das Ritzel kann sich dann, ohne Schaden zu nehmen, mit dem Motor drehen. Nur wenn der Anlasser ausgeschaltet ist, kann das Ritzel in seine Ruhestellung zurückkehren. Die Pflege des Anlassers ist auf eine Überprüfung der Kohlebürsten beschränkt. Schmutzige oder verölte Bürsten reinigen oder erneuern, wenn sie zu weit abgeschliffen sind.

Prüfen des Anlassers im Fahrzeug

Falls der Anlasser den Motor nicht durchdreht oder dies nur sehr langsam tut, ist als erstes der Ladezustand der Batterie zu kontrollieren. Danach alle Leitungen auf sicheren Anschluß überprüfen und dann den Anlasser selbst überprüfen. Anlasser bei eingeschalteten Scheinwerfern betätigen. Falls das Licht schwach wird, liegt der Fehler in einem fehlerhaften Anschluß zwischen Batterie und Anlasser. Falls das Licht sehr dunkel wird, ist die Batterie entweder sehr entladen oder die Batterieklemmen sind schmutzig oder lose, oder der Anlasser hat Schaden erlitten. Sollte das Licht unverändert bleiben, können die Anschlüsse des Einrückmagnetschalters lose sein oder der Zünd-Anlaßschalter oder der Einrückmagnetschalter sind beschädigt. Da der Magnetschalter verschlossen ist, kann er nur mit einer 12-Volt-Prüflampe auf Stromzufuhr kontrolliert werden. Falls die Lampe nicht aufleuchtet, ist der Kontakt unterbrochen und der Einrückmagnetschalter muß erneuert werden.

Aus- und Einbau des Anlassers

- Batterie abklemmen.
- Leitung vom Anlasser und vom Einrückmagnetschalter abklemmen.
- Von der Unterseite des Fahrzeuges her die Befestigung des Anlassers lösen.
- Anlasser herausnehmen.

Der Einbau geschieht in umgekehrter Reihenfolge wie der Ausbau.

Die Batterie

Die Batterie kann eine Kapazität von 45 oder 55 Ah. haben.

Wartung der Batterie

Der Säurestand der Batterie und die Dichte der Batteriesäure sollten in regelmäßigen Abständen von zwei Monaten während der Wintermonate oder häufiger im Sommer kontrolliert werden. Die Säuredichte ist eine gute Anzeige für den Ladezustand der Batterie. Bei einer vollgeladenen Batterie liegt die Dichte bei ungefähr 1,280, während sie bei einer entladenen Batterie auf 1,080 abfällt. Abgeschlossene Batterien müssen gegen Frostschäden geschützt werden, da die Batteriesäure unter diesen Zuständen einfriert. Eingefrorene Batterien besitzen einen höheren, inneren Widerstand und machen ein Anlassen des Motors unmöglich. Einmal im Jahr sollten die Batterieklemmen abgeschlossen werden, so daß die Pole mit Schmirgelleinwand abgezogen werden können. Pole mit Vaseline einschmieren und die Klemmen wieder anbringen.
Beim Ausbau der Batterie das Minuskabel immer zuerst abklemmen. Batterie niemals bei laufendem Motor abklemmen, da dadurch die Drehstromlichtmaschine und der Spannungsregler beschädigt werden.

Mass- und Einstelltabelle

Motor

Motorbezeichnung:	
1,8 Liter	XM oder XM7
2,0 Liter	XN1
Einspritzmotoren	XN2, KF5 oder KF6
Sechszylinder	ZM
Hubraum:	
1,8 Liter	1796 ccm
2,0 Liter	1971 ccm
V6	2664 ccm
Bohrung:	
1,8 Liter	84,0 mm
2,0 Liter	88,0 mm
V6	88,0 mm
Hub:	
1,8 und 2,0 Liter	81,0 mm
V6	73,0 mm
Verdichtungsverhältnis:	
1,8 Liter (XM)	8,5:1
1,8 Liter (XM7)	7,5:1
2,0 Liter	8,35:1
Leistung:	
1,8 Liter	73 DIN PS bei 5000 U/min.
2,0 Liter (Vergaser)	87 DIN PS bei 5000 U/min.
2,0 Liter (Einspritzanlage)	97 PS bei 5000 U/min.
V6	136 DIN PS bei 5750 U/min.
Max. Drehmoment:	
1,8 Liter	14,0 mkp bei 2500 U/min.
2,0 Liter (Vergaser)	16,0 mkp bei 3000 U/min.
2,0 Liter (Einspritzung)	16,9 mkp bei 3000 U/min.
V6	21,1 mkp bei 3500 U/min.

Kolbendurchmesser:	*1,8 Liter*	*2,0 Liter/V6*
Klasse A:	83,940—83,951 mm	87,940—87,951 mm
Klasse B:	83,952—83,962 mm	87,952—87,962 mm
Klasse C:	83,963—83,973 mm	87,963—87,973 mm
Klasse D:	83,974—83,984 mm	87,974—87,984 mm

Laufbüchsendurchmesser:	*1,8 Liter*	*2,0 Liter/V6*
Klasse I	84,000—84,011 mm	88,000—88,011 mm
Klasse II	84,012—84,022 mm	88,012—88,022 mm
Klasse III	84,023—84,033 mm	88,023—88,033 mm
Klasse IV	84,034—84,044 mm	88,034—88,044 mm

Kurbelwelle - Vierzylinder

Hauptlagerzapfendurchmesser:	
Vorn	59,401—59,416 mm
Vorderes Zwischenlager	58,548—58,573 mm
Mitte	57,174—57,189 mm
Hinteres Zwischenlager	56,150—56,165 mm
Hinten	51,166—51,181 mm
Stärke der Hauptlagerschalen:	1,882—1,888 mm
1. Uebergrösse	2,032—2,038 mm
2. Uebergrösse	2,135—2,138 mm
Kurbelzapfendurchmesser:	49,975—49,981 mm
Untergrösse	49,675—49,691 mm
Nachschleifen nur bei XM, KF5 und KF6 gestattet.	
Reparaturmasse - Hauptlagerzapfen:	
Vorderes Lager	59,101—59,116 mm
Vorderes Zwischenlager	58,258—58,273 mm
Mitte	56,874—56,889 mm
Hinteres Zwischenlager	55,850—55,865 mm
Hinteres Lager	54,605—54,620 mm
Stärke der Anlaufscheiben:	2,30 mm
1. Uebergrösse	2,40 mm
2. Uebergrösse	2,45 mm
3. Uebergrösse	2,50 mm

Kurbelwelle - Sechszylinder

Kurbelzapfendurchmesser:	
Nenndurchmesser	70,043—70,062 mm
Reparaturmass	69,743—69,762 mm
Hauptlagerzapfen:	
Nenndurchmesser	52,262—52,286 mm
Reparaturmass	51,967—51,968 mm
Stärke der Hauptlagerschalen:	
Nennstärke	1,961—1,967 mm
Reparaturstufe	2,111—2,117 mm
Stärke der Pleuellagerschalen:	
Nennstärke	1,842—1,848 mm
Reparaturstufe	1,992—1,998 mm

Zylinderkopf - 1,8 Liter

Ventilführungen:	
Aussendurchmesser	14,02 mm
1. Uebergrösse	14,29 mm
2. Uebergrösse	14,59 mm
Ventilsitzringe-Einlassventile	
Nenndurchmesser	43,51 mm
1. Uebergrösse	43,71 mm
2. Uebergrösse	44,01 mm

Durchmesser im Zylinderkopf:	
Nenndurchmesser	43,50 mm
1. Uebergrösse	43,70 mm
2. Uebergrösse	44,00 mm
Einlassventilsitz:	
Nenndurchmesser	37,13 mm
1. Uebergrösse	37,33 mm
2. Uebergrösse	37,63 mm
Durchmesser im Zylinderkopf:	
Nenndurchmesser	37,00 mm
1. Uebergrösse	37,20 mm
2. Uebergrösse	37,50 mm
Ventilsitzwinkel:	
Einlassventile	120°
Auslassventile	90°

Einlassventile

Einlassventilwinkel	120°
Ventiltellerdurchmesser	42,50 mm
Ventilschaftdurchmesser	8,02 mm
Ventillänge	118,75 mm

Auslassventile

Auslassventilwinkel	90°
Ventiltellerdurchmesser	35,50 mm
Ventilschaftdurchmesser	8,0 mm
Ventillänge	112,0 mm

Ventilfedern

Aeussere Ventilfedern:	
Länge	44,50 mm
Innendurchmesser	21,40 mm
Innere Ventilfedern:	
Länge	41,00 mm
Innendurchmesser	14,10 mm

Kipphebelwelle

Länge	442,0 mm
Durchmesser	16,00 mm

Stösselstangen

Einlassventile:	
Länge	181,10 mm
Durchmesser	6,75 mm

Auslassventile:	
Länge	215,0 mm
Durchmesser	6,75 mm

Ventilstössel

Durchmesser	24,00 mm
Uebergrösse-Durchmesser	24,20 mm

Ventilsteuerung	*XM*	*XN1 und XM7 bis Oktober 1972*
Einlassventil öffnet	0° 30' vor o. T.	1° vor o. T.
Einlassventil schliesst	35° nach u. T.	36° nach u. T.
Auslassventil öffnet	35° 30' vor u. T.	33° vor u. T.
Auslassventil schliesst	10° nach o. T.	5° 30' nach o. T.
	XN1 und XM7 nach Oktober 1972	*KF5 und KF6*
Einlassventil öffnet	2° vor o. T.	1° vor o. T.
Einlassventil schliesst	39° nach u. T.	36° nach u. T.
Auslassventil öffnet	30° vor u. T.	35° 30' vor u. T.
Auslassventil schliesst	8° 30' nach o. T.	9° nach o. T.
	XN2 bis Oktober 72	*XN2 nach Oktober 72*
Einlassventil öffnet	2° 30' vor o. T.	0° ± 3° vor o. T.
Einlassventil schliesst	42° nach u. T.	44° 30' nach o. T.
Auslassventil öffnet	36° vor u. T.	33° 30' vor u. T.
Auslassventil schliesst	7° nach o. T.	9° 30' nach o. T.

Motorschmierung

Oelpumpe	Zahnradölpumpe, Vierzylinder von Nockenwelle angetrieben. Sechszylinder durch Kette von Vorderseite der Kurbelwelle angetrieben.

Einstellungen und Toleranzen am Motor

Axialspiel der Kurbelwelle	0,08—0,20 mm
Max. Unrundheit der Kurbelzapfen	0,007 mm
Max. Verjüngung aller Zapfen	0,01 mm
Laufspiel der Hauptlager	0,035—0,081 mm
Laufspiel der Pleuellager	0,028—0,075 mm
Kolbenringstossspiel	0,40—0,55 mm
Kolbenbolzenspiel im Kolben	0—0,008 mm
Kolbenbolzenspiel in Büchse	0—0,026 mm
Nockenwellenlagerspiel	0,05—0,11 mm
Axialspiel der Nockenwelle	0,05—0,14 mm
Flankenspiel der Oelpumpenräder	0,01—0,08 mm

Vergaser

Eingebaute Ausführungen:

XM, Wechselgetriebe	Solex 34 PBICA.5 oder 34 PBICA.7
XM, Automatik	Solex 34 PBICA.5 oder 34 PBICA.7
XM7, Verdichtung 7,5:1	Solex 34 PBICA.9 (Mark 54)
XM7, Verdichtung 8,35:1	Solex 34 PBICA.9 (Mark 65)
XN1	Solex 32/35 SEIEA

Vergaserbestückung	*34 PBICA. 5 Mark 33*	*34 PBICA. 7 Mark 48*
Lufttrichter	27	27
Hauptdüse	145	145
Luftkorrekturdüse	170	170
Mischrohr	28	28
Leerlaufdüse	50	50
Leerlaufbohrung	210 am Gehäuse	210 unter der Düse
Pumpendüse	—	50
Einspritzrohr	45	—
Ende des Pumpenhubs bei einer Drosselklappenöffnung von	3,0 ± 0,5 mm	3,0 ± 0,5 mm
By-Pass	3 Bohrungen	3 Bohrungen
Spardüse (Econostat)	—	—
Starterdüse	160	160
Schwimmernadelventil	1,70 mm ⌀	1,70 mm ⌀
Schwimmergewicht	5,7 g	5,7 g

Vergaserbestückung	*34 PBICA. 5 Mark 35*	*35 PBICA. 7 Mark 50*
Lufttrichter	27	27
Hauptdüse	145	145
Luftkorrekturdüse:	170	160
Mischrohr	28	130
Leerlaufdüse	50	50
Leerlaufbohrung	210 am Gehäuse	210 unter der Düse
Pumpendüse	—	50
Einspritzrohr	45	—
Ende des Pumpenhubs bei einer Drosselklappenöffnung von	3,0 ± 0,5 mm	3,0 mm ± 0,5 mm
Starterdüse	160	160
Schwimmernadelventil	1,7 mm ⌀	1,7 mm ⌀
Schwimmergewicht	5,7 g	5,7 g

Vergaserbestückung	*34 PBICA. 9 Mark 54*	*34 PBICA. 9 Mark 65*
Lufttrichter	27	27
Hauptdüse	145	145
Luftkorrekturdüse	200	170
Mischrohr	E. 8	28
Leerlaufdüse	47,5	50
Leerlaufbohrung	210 in der Düse	210 unter der Düse
Pumpendüse	50	50

Einspritzrohr	50	45
Ende des Pumpenhubs bei einer Drosselklappenöffnung von	3,5 ± 0,5 mm	3,0 ± 0,5 mm
Spardüse	100	—
Starterdüse	160	160
Schwimmernadelventil	1,7 mm ⌀	1,7 mm ⌀
Schwimmergewicht	5,7 g	5,7 g

Solex 32/35 SEIEA

	Mark 57-1		*Mark 68-1*	
	1. Stufe	*2. Stufe*	*1. Stufe*	*2. Stufe*
Lufttrichter	24	27	24	27
Hauptdüse	125	137,5	122,5	140
Luftkorrekturdüse	140	150	140	150
Mischrohr	ND	S1	ND	S1
Leerlaufdüse (bis Feb. 1971)	55	—	55	—
Leerlaufdüse (seit Feb. 1971)	50	—	50	—
Leerlaufbohrung	80	—	80	—
Leerlaufbohrung mit Düse	200	—	200	—
Einspritzrohr (bis Nov. 1970)	40	40	40	40
Einspritzrohr (seit Nov. 1970)	50	35	50	35
By-Pass	100/100	120	110/100	120
By-Pass-Düse	—	55	—	55
Spardüse (Econostat)	—	100	—	100

Solex 32/35 SEIEA (seit Jan. 1971)

	Mark. 70-1		*Mark. 71-1*	
	1. Stufe	*2. Stufe*	*1. Stufe*	*2. Stufe*
Lufttrichter	24	27	24	27
Hauptdüse	125	137,5	122,5	140
Luftkorrekturdüse	140	150	140	150
Mischrohr	ND	S1	ND	S1
Leerlaufdüse	50	—	50	—
Leerlaufbohrung	80	—	80	—
Leerlaufluftbohrung mit Düse	200	—	200	—
Einspritzrohr	50	35	50	35
By-Pass	—	120	—	120
By-Pass-Düse	—	55	—	55
By-Pass-Bohrung	—	80	—	80
Spardüse	—	100	—	100

Achtung: Vergaser Nr. 70-1 und 71-1 können anstelle der älteren Vergaser eingebaut werden, jedoch nicht umgekehrt.

Kupplung

Bauart	Einscheibentrockenkupplung mit Federscheibe
Kupplungsbetätigung	Hydraulisch, Hauptzylinder und Nehmerzylinder
Hersteller	Ferodo
Typ	215 DB

Druck der Kupplung	420 kg
Mitnehmerscheibe:	
Stärke	3,2 mm (Belagstärke)
Aussendurchmesser der Beläge	215 mm
Innendurchmesser der Beläge	145 mm
Stärke der Scheibe	8,4 mm
Durchmesser des Hauptzylinders	19,0 mm
Durchmesser des Nehmerzylinders	28,6 mm
Freispiel des Ausrücklagers	8,0 mm

Getriebe

Bauart: Vierganggetriebe, vollsynchronisiert, Getriebegehäuse in der Mitte geteilt, Kupplungsgehäuse getrennt.

Gangübersetzungen:	*504 GL*	*504 L*
1. Gang	3,555:1	3,660:1
2. Gang	2,104:1	2,170:1
3. Gang	1,366:1	1,410:1
4. Gang	1,000:1	1,000:1
Rückwärtsgang	3,634:1	3,740:1

Gelenkwelle

Länge des Schutzrohres	1690 mm
Durchmesser des Schutzrohres	42,0 mm
Länge der Gelenkwelle	1726,75 mm
Max. Schlag des Schutzrohres (Mitte)	2,0 mm
Max. Schlag der Gelenkwelle	0,2 mm
Max. Schlag der Stirnfläche des Schutzrohres	0,05 mm

Hinterachse und Achsantrieb

Achsübersetzung:	
504 GL	3,888:1
504 TI	3,777:1
504 L	3,888:1
Coupe und Kabriolett	3,700:1
Differentialseitenräder	16 Zähne
Differentialkegelräder	10 Zähne
Oelsorte	Getriebeöl, G.P. 90
Oelfüllmenge	1,2 Liter
Spur der Hinterräder	4,5 mm + 1,0 bis -2,0 mm
Hinterradsturz	1 + 40' bis -20' (negativ)
Flankenspiel (Teller/Kegelrad)	0,25 + 0,05/-0,02 mm

Vorderachse und Lenkung

Vorspur	3,0 ± 1,0 mm
Sturz	0° 38' ± 30' (0° 30' ± 45' - V6)
Nachlauf	2° 40' ± 30'
Spreizung des Achsschenkels	8° 54' ± 30' (10° 50' ± 30' - V6)
Einschlagwinkel, inneres Rad	45° 05'
Einschlagwinke, äusseres Rad	35° 15'

Radaufhängungen

Vorderfedern:	
Drahtdurchmesser	13,0 mm
Aussendurchmesser	163,0 mm
Ungespannte Höhe	500,0 mm
Hinterfedern:	
Drahtdurchmesser	15,75 mm
Aussendurchmesser	135,75
Ungespannte Höhe	412,0 mm

Bremsen

Bauart	Scheibenbremsen an allen Rädern, mit Ausnahme von 504 L und Kombiwagenausführung, welche mit Trommelbremsen hinten versehen sind. Handbremse auf Hinterräder wirkend.
Bremsflüssigkeit	Lockheed 55
Vorderradbremsen:	
Scheibendurchmesser	273,0 mm
Scheibenstärke	12,75 mm
Kolbendurchmesser	54,0 mm
Breite der Bremsklotzfläche auf Bremsscheibe	56,0 mm
Bremsfläche eines Bremsklotzes	37 cm²
Min. Stärke der Bremsbeläge	2,5 mm
Hinterradbremsen:	
Scheibendurchmesser	273,0 mm
Scheibenstärke	10,0 oder 12,0 mm (siehe Abschnitt «Bremsen»)
Kolbendurchmesser	42,85 mm
Breite der Bremsklotzfläche auf der Bremsscheibe	45,5 mm
Bremsfläche eines Bremsklotzes	25 cm²
Min. Stärke der Bremsklötze	2,5 mm
Max. Schlag der Bremsscheibe	0,07 mm
Max. Unterschied der Scheibenstärke nach Nachschleifung	0,02 mm
Max. Stärke der Scheibe nach Nachschleifung:	
Vorn	11,25 mm
Hinten	9,0 mm oder 11,0 mm

Elektrische Anlage

Drehstromlichtmaschine

Ducellier	7529A
Paris-Rhône	A. 13 M3
Spannung	14 V.
Leistung	370 Watt
Max. Stromabgabe	27 A.
Max. Drehzahl	12.000 U/min.
Läuferwiderstand	7,0 ± 0,2 Ohm bei 20°C
Ständer Wicklungsisolierungs-Widerstand	Mehr als 5.000.000 Ohm bei 0,22 Ohm bei 20°C
Gleichrichterdioden:	
Widerstand in Stromrichtung	30 Ohm
Widerstand in Sperrichtung	300.000 bis 500.000 Ohm
Ladestrom:	
Bei 3000 U/min.	20 A.
Bei 4000 U/min.	23 A.
Bei 5000 U/min.	25 A.

Anlasser

Ducellier	6189A
Durchmesser	89 mm
Drehmoment bei 1000 U/min.	0,72 mkp
Stromverbrauch bei diesem Drehmoment	280 A.
Einspurdrehmoment	1,2 mkp
Stromverbrauch bei diesem Drehmoment	370 A.
Max. Leistung	1,35 PS
Drehmoment bei max. Leistung	0,4 mkp
Stromverbrauch bei max. Leistung	180 A.
Drehrichtung	Rechtsdrehend
Min. Bürstenlänge	8,0 mm

Anzugsdrehmomenttabelle

Alle nicht in dieser Tabelle angeführten Anzugsdrehmomente sind direkt im Text in der betreffenden Arbeitsbeschreibung zu finden.

Motor

Kupplungsgehäuse an Motor	5,5 mkp
Anlasser	2,0 mkp
Drehstromlichtmaschine	4,25 mkp
Motoraufhängung an Querträger	4,5 mkp
Auspuffkrümmer	3,25 mkp
Gegengewichte der Kurbelwelle	6,75 mkp
Hauptlagerdeckel	7,5 mkp
Nockenwellenhalteplatte	1,7 mkp
Oelpumpe	1,0 mkp
Wasserablassstopfen	4,5 mkp
Zylinderkopf	Siehe Beschreibung im Text für V6 Vierzylinder — 8,25 mkp
Kipphebelböcke	1,5 mkp
Zündkerzen	2,25 mkp
Nockenwellenkettenrad	2,25 mkp
Kurbelwellenkettenrad	17,0 mkp
Wasserpumpenriemenscheibe	3,5 mkp
Schwungrad	6,75 mkp
Pleuellagerdeckelmuttern	4,0 mkp
Kupplung	1,5 mkp

Getriebe

Kupplungsgehäuse an Motor	5,5 mkp
Ablassstopfen	2,75 mkp
Einfüllstopfen	2,75 mkp
Schaltsperrenstopfen	1,0 mkp
Kupplungsgehäuse an Getriebe	2,75 mkp
Hinterer Deckel	1,0 mkp
Getriebegehäuseschrauben	1,0 mkp
Getriebeverlängerung	1,5 mkp
Hauptwellenmutter	5,5 mkp
Schalter für Rückfahrleuchte:	
Metalldichtring	1,25 mkp
Kupferdichtring	2,75 mkp
Gelenkwelle an Getriebe	6,0 mkp

Gelenkwelle

Gelenkwelle an Getriebe	6,0 mkp
Gelenkwelle an Hinterachse	6,0 mkp

Hinterachse und Achsantrieb

Lagerdeckel der Achswelle	4,0 mkp
Mutter der Achswelle	25,0 mkp
Radmuttern	6,0 mkp
Achsantrieb an Querträger	3,75 mkp
Kegelradmutter	28,0 mkp
Tellerradschrauben	7,0 mkp
Hinterer Deckel	1,0 mkp
Differentiallagerdeckel	5,5 mkp

Vorderachse und Lenkung

Aufhängungsquerträger	4,25 mkp
Unterer Querträger:	
M10-Schrauben	3,75 mkp
M12-Schrauben	4,25 mkp
Lenkung an Querträger	3,25 mkp
Querlenkerarm an Querträger	4,5 mkp
Lenkungsscheibe	1,75 mkp
Spurstangen an Lenkhebel	4,5 mkp

Bremsen

Bremsklotzbefestigung	1,75 mkp
Bremssattel	7,0 mkp
Bremsscheibe an Nabe	4,75 mkp
Bremssattelrahmen:	
Vorn	5,5 mkp
Hinten	4,25 mkp
Vorratsbehälter des Hauptzylinders	1,5 mkp

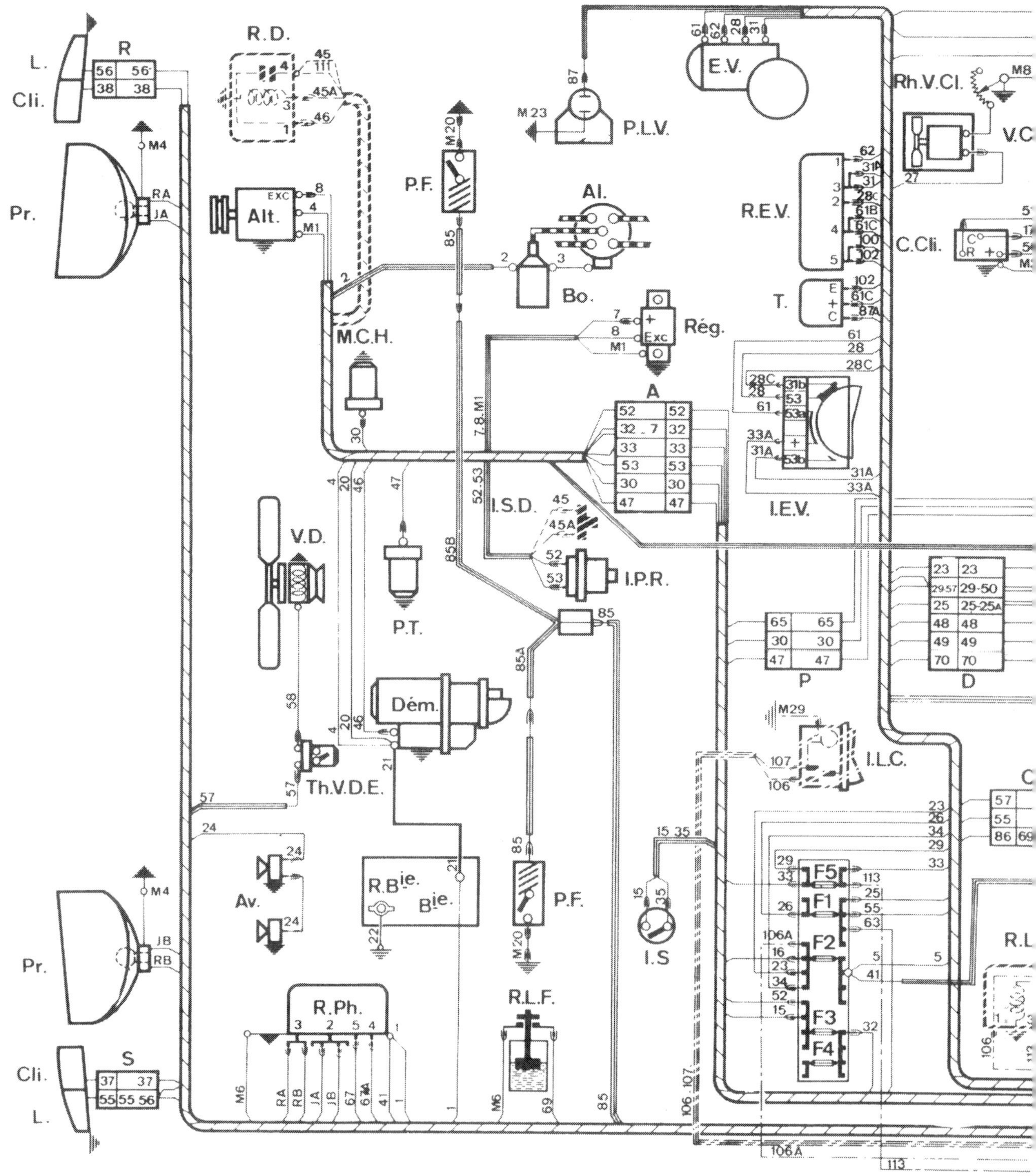

- - - - - - - - - - - - - Automatik

— - — - — - — Heizbare Heckscheibe

Grundschaltplan «Peugeot 504» mit Vergaser
(Bildlegende siehe Umschlagseite)

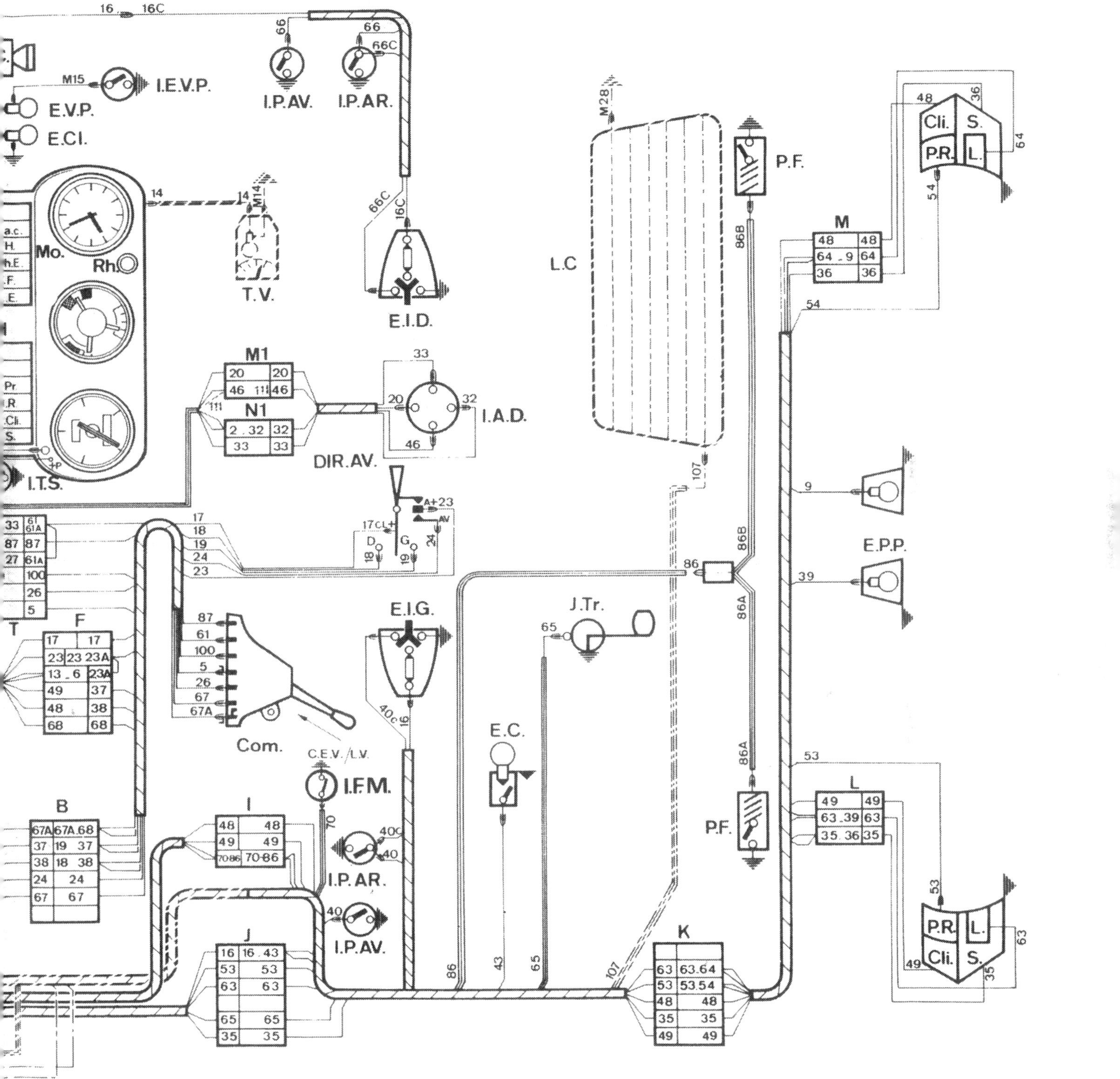
I.E.V.P.
E.V.P.
E.Cl.
I.P.AV.
I.P.AR.
Mo.
Rh
T.V.
E.I.D.
M1
N1
I.A.D.
DIR.AV.
I.T.S.
L.C
P.F.
M
Cli.
S.
P.R.
L.
E.P.P.
J.Tr.
E.I.G.
E.C.
F
T
Com.
C.E.V./L.V.
I.F.M.
B
I
I.P.AR.
I.P.AV.
J
K
L
P.F.
P.R.
L.
Cli.
S.

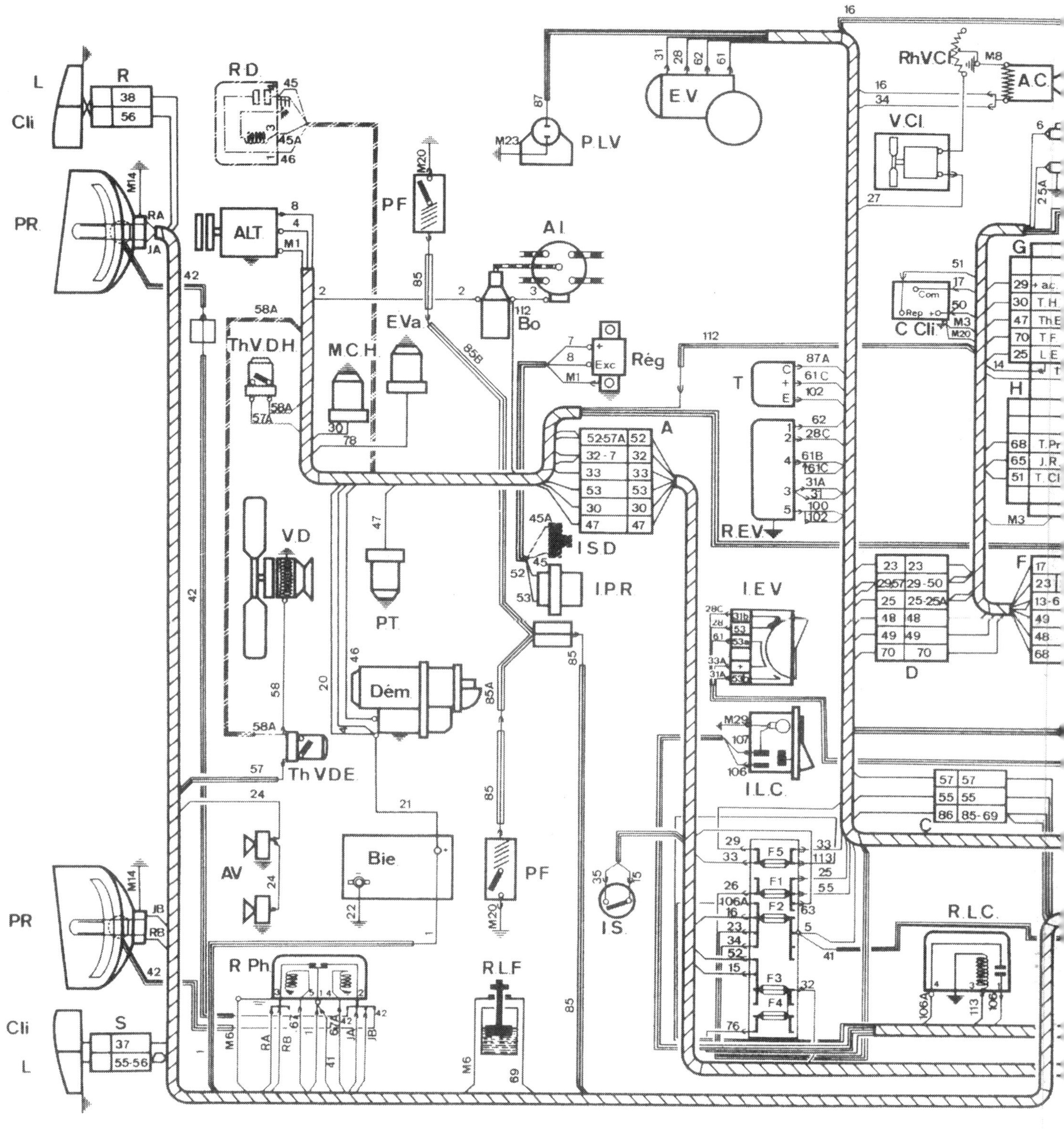

Besonderheiten Automatik

Grundschaltplan «Peugeot 504» mit Benzineinspritzung
(Bildlegende siehe Umschlagseite 3)

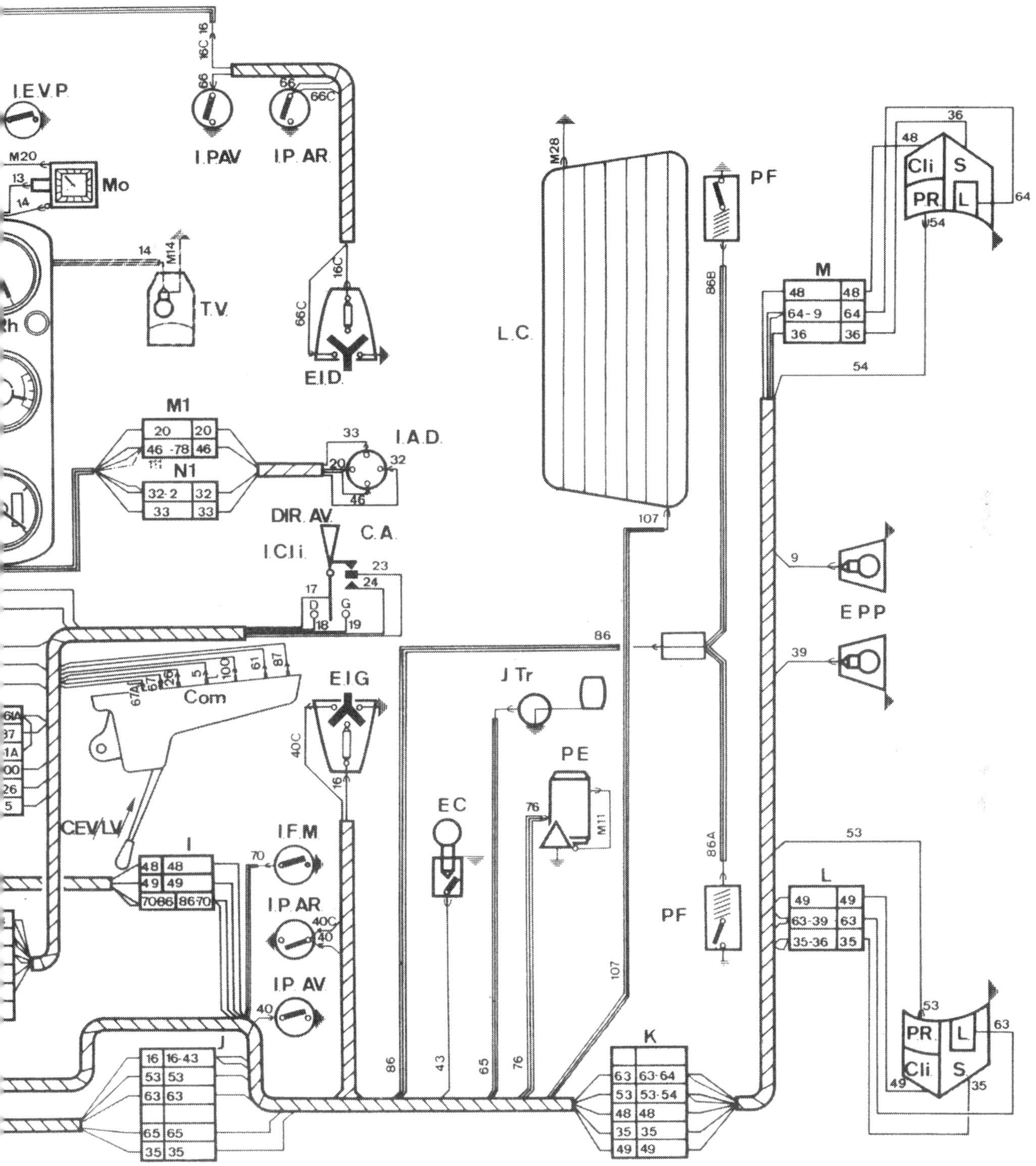
I.E.V.P.
I.P.AV
I.P. AR
Mo
M20
T.V.
E.I.D.
M1
N1
I.A.D.
DIR. AV
C.A.
I.Cli.
Com
E.I.G
CEV/LV
I
I.F.M
I.P. AR
I.P. AV
J
L.C.
PF
J Tr
PE
E.C
K
M
E.P.P
L
Cli
S
PR
L

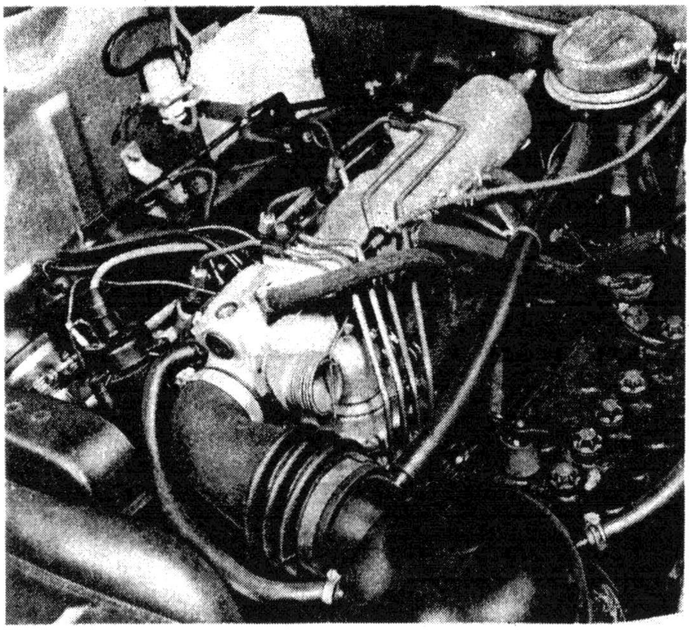

EINSTELLUNGEN

WICHTIG - Zusätzliche Luftzufuhr verursacht Funktionsstörungen des Leerlaufs. Darum vor jeder Einstellung überprüfen :

- die Dichtheit der Anschlüsse am Luftverteiler,
- den Verdichtungsdruck an allen Zylindern,
- den Zustand und die Einstellung der Zündanlage (Zündverteiler/Kerzen).
- den Zustand des Luftfilters.

VORBEREITENDE ARBEITEN

- Ausbauen :
  - die Oldunstrücksaugleitung (Luftfilterseite),
  - den Lufteintrittsschlauch des Luftverteilers.
- Die Rücklaufleitung **(1)** des Warmlaufgebers abklemmen (unterer Anschluss zur Wasserpumpe).
- Das Thermometer* anbringen.

ANMERKUNG - *Die Rücklaufleitung hinter dem Hauptfilter entlang zum Thermometer führen.*

- Den Drehzahlmesser anbringen.

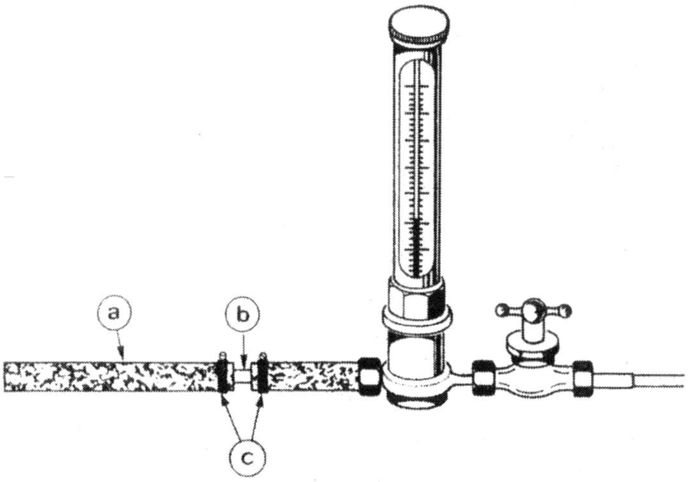

*Zur Benutzung des Thermometers **8.0112 C** ist sein Gummischlauch um 140 mm zu verlängern.

Hierzu verwenden :

a - 1 Anschluss : 8 x 16 mm - Länge 140 mm.
b - 1 Kupferrohr von 8 mm Aussen Ø 8 mm.
c - 2 Schellen.

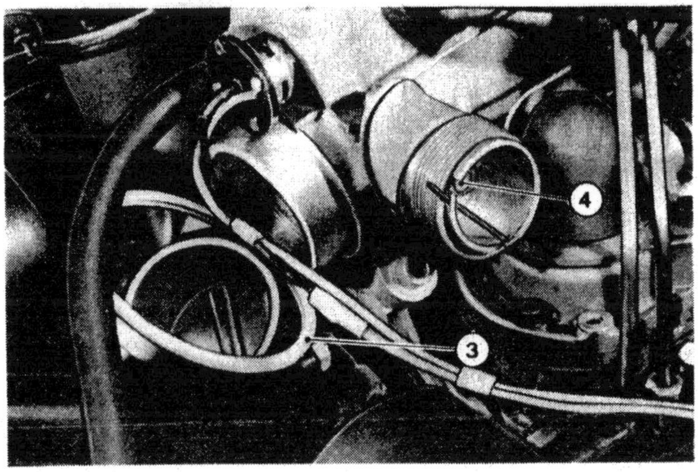

EINSTELLUNG I

– Die Verschlussschraube **(2)** des Einlassdruckreglers abnehmen.

– Die Prüflampe in die Bohrung einführen und an die Arelco-Klemmen der Batterie anschliessen.

– Einen Spiegel **(3)** am vorderen unteren Ende des Luftverteilers anbringen, so dass der obere Teil der Drosselklappe im Spiegel erscheint.

– Darauf achten, dass die Befestigungsmutter **(4)** des Betätigungssektors mit **1,25 mkg** angezogen ist.

Kontrolle der Einstellung I

– Motor abgestellt.

Bei der geringsten Bewegung der Drosselklappe muss im Spiegel ein **sehr feiner** Lichtstrahl erscheinen.

– Darauf achten, dass die **Schraube (5) in Anschlag auf die feste Scheibe (6)** des Luftverteilergehäuses kommt.

SIND DIESE BEDINGUNGEN ERFÜLLT, SO IST LEDIGLICH DARAUF ZU ACHTEN, DASS DIE SCHRAUBE **(5)** ORDNUNGSGEMÄSS ANGEZOGEN IST (KEINE WEITERE EINSTELLUNG AN DER SCHRAUBE VORNEHMEN).

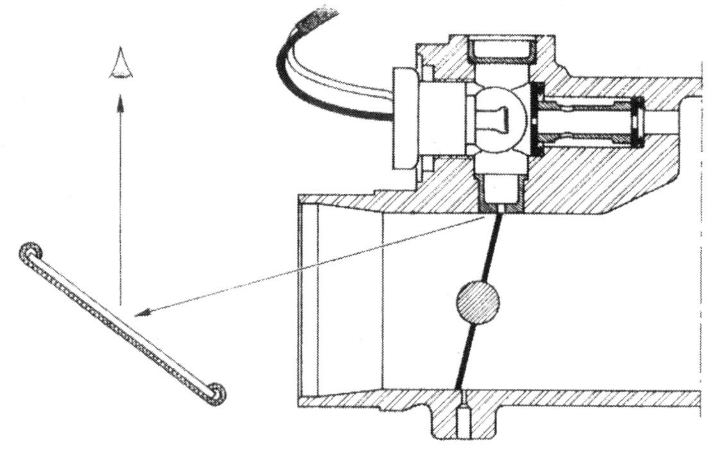

Sollte die vorhergehende Kontrolle einen Fehler erbringen (zu starker oder nicht vorhandener Lichtstrahl) :

- Die Kontermutter der Drosselklappenanschlagschraube **(5)** lösen .

- Diese Schraube einschrauben, wobei im Spiegel auf das Erscheinen des Lichtstrahles im Luftverteiler zu achten ist.

- Die Schraube **bis zum Verschwinden des Lichtstrahles** wieder langsam lösen und sie daraufhin um **höchsten** 1/10 Drehung erneut anziehen, um ein effektives Spiel der Drosselklappe in Ruhestellung zu gewährleisten (der Lichtstrahl muss wieder leicht sichtbar werden).

- Die Kontermutter der Schraube anziehen.

- Darauf achten, dass im Einlassdruckregler die Reglerdüse vorhanden ist (Scheibe mit einer Bohrung von Ø 2,5 mm (KF 5) und von 2,3 mm (XN 2).

- Die geölte und mit einem neuen Dichtring versehene Schraube **(2)** mit **2 mkg** anziehen.

- Den Lufteintrittsschlauch **(7)** des Luftverteilers wiederanbringen.

EINSPRITZMOTOREN KF 5 UND XN 2

EINSPRITZANLAGE

8.0112 P

8.0112 T

EINSTELLUNG II

– Diese Einstellung ist am betriebswarmen Motor und bei weiterhin steigender Motortemperatur vorzunehmen.

– Bei einem zuvor benutzten Fahrzeug muss die Temperatur auf mindestens 65° C abfallen.

– Darauf achten, dass die Leerlaufdrehzahl nicht weniger als :
  - 900 U/min bei neuem Motor
  - 850 U/min bei eingefahrenem Motor.

beträgt.

– Die genaue Drehzahl gegebenenfalls durch Verstellen der By-passschraube herstellen.

– Zu verwendendes Werkzeug :
  - Gabelschlüssel 17 er für das Ventil des Warmlaufgebers,
  - Gabelschlüssel 10 er für die Kontermutter des Ventils,
  - Halterschlüssel für die Betätigungsstange,
  - Einstellehre.

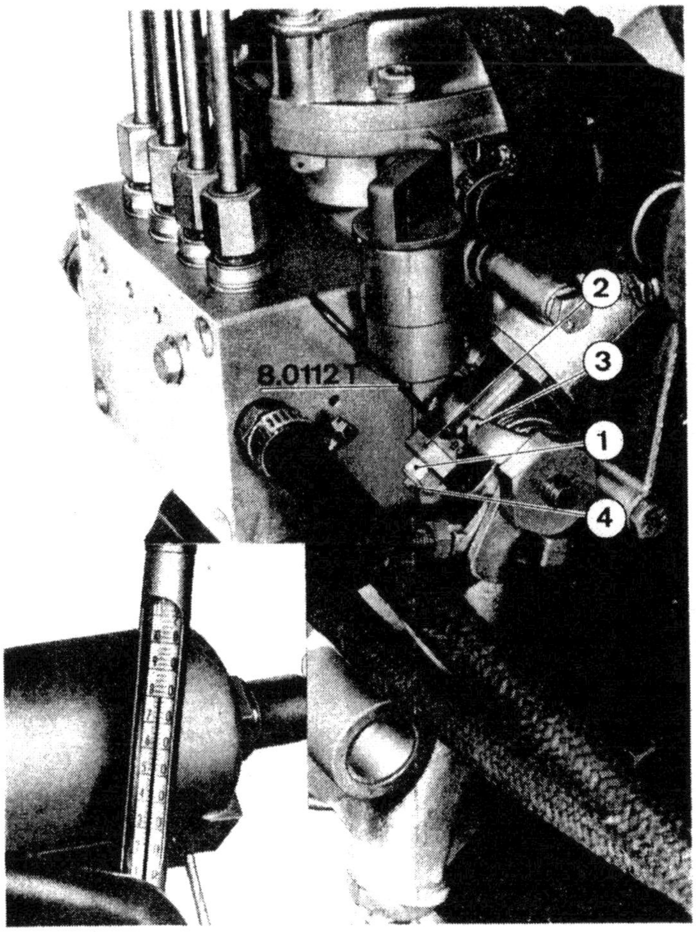

– Die Kontermutter. **(1)** lösen.

– Den Motor im Leerlauf drehen lassen.

– Die Lehre, die zwischen der Ventilmutter **(2)** und dem Finger des Anreicherungshebels **(3)** anzusetzen ist, bereithalten.

Sobald das Thermometer 80° C anzeigt:

DEN MOTOR ABSTELLEN.

Während ca. 2 Minuten kann mit der Mutter **(2)** die korrekte Einstellung vorgenommen werden ; dabei die Zugstange **(4)** mit dem Schlüssel halten.

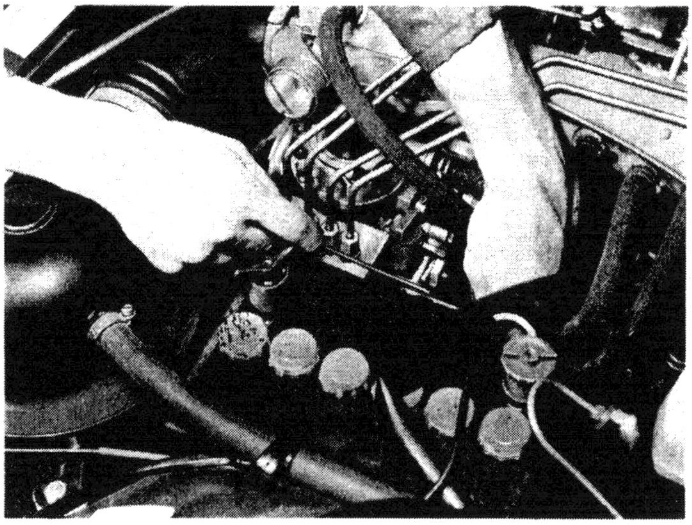

— **Fällt die Temperatur auf unter 75° C ab,** so ist der Einstellvorgang zu unterbrechen und der Motor von 70° C ab erneut anzulassen.

— Die Einstellehre bei 80° C wieder einführen und die Einstellung gegebenenfalls korrigieren ; darauf achten, dass dieser Arbeitsgang vor Abfallen der Temperatur auf 75° C beendet wird.

EINSTELLUNG III

Luft-/Kraftstoffgemisch im Leerlauf.

— 2 Schrauben dienen zur Einstellung der Leerlaufdrehzahl :

- die " By-passschraube " **(1)** zur Dosierung der Luftmenge,

- die Anschlagschraube **(2)** zur Dosierung der Kraftstoffmenge.

ANMERKUNG - *Durch Einschrauben der Schraube* ***(2)*** *bewirkt man eine Gemischanreicherung, durch Herausschrauben dagegen eine Gemischverringerung.*

Zur Betätigung der optimalen Dosierung dient die Kontrolle der Motordrehzahl im Leerlauf.

Leerlaufeinstellung

— Bei betriebswarmem Motor (Wassertemperatur von ca. 80° C).

— Das Erregerkabel der Wechselstromlichtmaschine abklemmen.

— Mit Hilfe der Schraube **(1)** folgende Werte einstellen :
- 900 U/min an neuem Motor (weniger als 5.000 km).
- 850 U/min an eingefahrenem Motor (mehr als 5.000 km).

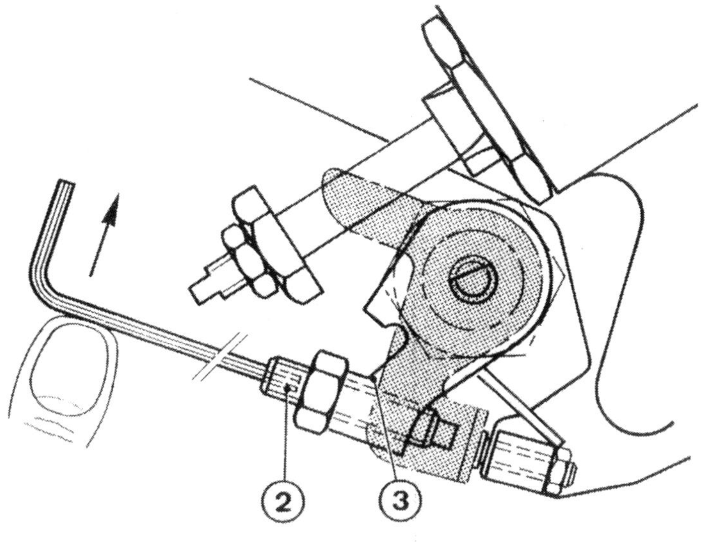

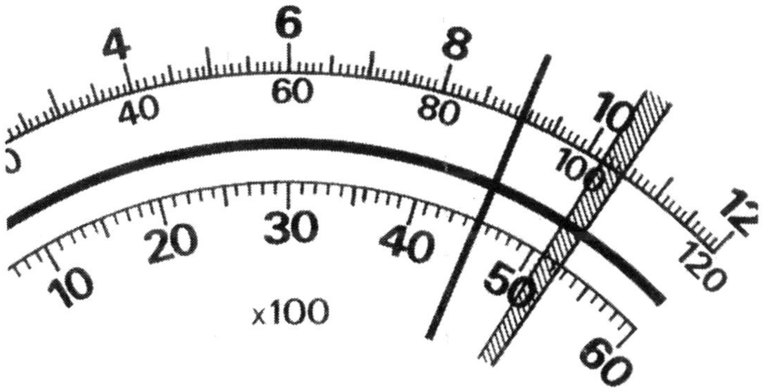

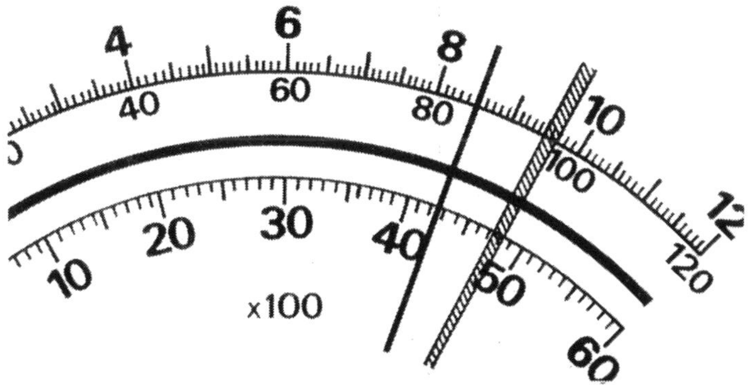

Gemischkontrolle

– Einen Inbusschlüssel von 3mm in die Sechskantbohrung der Schraube **(2)** einführen.

– Das Gemischanreicherungskabel **(3)** sehr langsam anheben.

– Die Augen auf den Drehzahlmesser gerichtet halten.

– Bei Erhöhung der Motordrehzahl darauf achten, dass die Höchstwerte zwischen :

- 1020 und 1050 U/min (neuer Motor) Abb. I.
- 950 und 970 U/min (eingefahrener Motor), Abb. II.

Eventuelle Korrekturen

– Bei einer höheren Drehzahl als 1050 oder 970 U/min ist das Gemisch zu mager :
  - die Anschlagschraube **(2)** um 1/4 Drehung einschrauben.

– Erreicht der Motor nicht die Drehzahl von 1020 oder 950 U/min, so ist das Gemisch zu fett.
  - die Anschlagschraube **(2)** um 1/4 Drehung lösen.

WICHTIG - Nach jeder an der Anschlagschraube (2) vorgenommenen Einstellung die Leerlaufdrehzahl mittels der By-passschraube (1) nachregeln.

Nach jeder Einstellung an der By-passschraube (1) dagegen die Gemischzusammensetzung überprüfen, sofern die Drehzahlen nicht mit den vorerwähnten übereinstimmen.

– Die Wasserrücklaufleitung abklemmen.

– Den Wasserstand im Kühler wiederherstellen.

– Das Kühlsystem auf Dichtheit überprüfen.

– Das Erregerkabel an der Wechselstromlichtmaschine wiederanklemmen.

FSC
www.fsc.org
MIX
Papier | Fördert gute Waldnutzung
FSC® C083411

Zeitfracht Medien GmbH
Ferdinand-Jühlke-Straße 7
99095 Erfurt, Deutschland
produktsicherheit@kolibri360.de